afgeschreven

NA HET
LICHT
I. DE CYCLOOP

ABIMO
UITGEVERIJ

Johan Vandevelde
Na het licht
I. De cycloop
Vanaf 12 jaar

© 2008,
Abimo Uitgeverij
Europark Zuid 9
9100 Sint-Niklaas
T: 03/760.31.00
F: 03/760.31.09
info@abimo.net
www.abimo.net

Heruitgave
Eerste druk: juni 2008

Coverillustratie:
Martin Muster

Vormgeving:
Britt Raes/Klaas Demeulemeester

D/2008/6699/49
ISBN: 9789059324459
NUR: 284

www.johanvandevelde.be

Na het licht
I. De cycloop

NIEUWE, VOLLEDIG HERWERKTE UITGAVE

"Het loslaten van de atoomkracht heeft alles veranderd, behalve onze manier van denken...
De oplossing voor dit probleem ligt in het hart van de mensheid.
Had ik het maar geweten, dan was ik horlogemaker geworden."

Albert Einstein (1879-1955)
(ontdekker van de atoomenergie)

voor Bart Vermeer:
collega, steun en toeverlaat, maar vooral vriend.

Met dank aan Jan Bergmans en Martin Muster
voor hun kritische blik en waardevolle raad.

PROLOOG

Het half gesmolten metalen kalendertje op de zwartge-blakerde lessenaar stond nog steeds op 15 september, als een laatste getuige, een smeekbede om deze datum nooit te vergeten. Tegen de muur erachter zag Boran een vage omtrek, een schaduw zoals hij er al zoveel gezien had. De vuurstorm had alle lichamen verteerd en akelige silhouetten achtergelaten op muren, kasten, vloeren en soms zelfs op auto's. De schoolbanken waren leeg en door de openingen waar eens de ramen hadden gezeten, waaide zand naar binnen. De deur van de klas lag op de grond; 6B stond erop in half vervaagde letters. Hier hadden kinderen gezeten van Borans leeftijd, kinderen die brandweerman of dokter wilden worden en die ochtend hun best deden om hun staartdelingen onder de knie te krijgen. Kinderen, die er geen flauw benul van hadden dat deze zonnige septemberdag hun laatste was.

Boran voelde zich misselijk worden en onder de ogen van zijn moeder rende hij opeens het klaslokaal uit. Buiten, op de trappen van het uitgebrande schoolgebouw, bleef hij staan en ademde met diepe teugen de droge, hete lucht in. De speeltuigen waren verroest en verbogen in de meest grillige vormen; net reusachtige spinnenpoten die zich wriemelend uit het zand naar boven werkten. Alleen de eeuwenoude eik stond nog overeind, dood en verdord, net als de rest van de wereld. Boran ging zitten op de trappen en liet de hete wind door zijn haar woelen.

Wie het eerst op de knop had gedrukt, dat wist niemand meer. De Amerikanen, de Russen, de Indiërs, de Iraniërs, de Fransen? Vast stond dat ze uiteindelijk allemaal op de knop drukten, en in een wanhopige poging om de wereldvrede te herstellen het einde van alle beschaving inluidden. Bijna zes miljard mensen hadden in de daaropvolgende vijftien minuten het leven verloren. De tijd die de intercontinentale raketten nodig hadden gehad om hun doelen te bereiken en te vernietigen. De dikke radioactieve wolken verduisterden het zonlicht en brachten een nucleaire winter die meer dan vijftig jaar duurde en waarin nog eens twee miljard mensen doodvroren. Na de winter kwam de zomer, die de poolkappen deed smelten, planten en rivieren deed uitdrogen en mens en dier deed omkomen van dorst. En aan die zomer zou niet snel een einde komen...

Even dacht Boran dat hij droomde en hij kneep zijn ogen tot spleetjes tegen het felle zonlicht. Daar, in de zinderende lucht op het heuveltje achter de speelplaats zag hij een jongen, niet veel ouder dan hijzelf, misschien dertien, ten hoogste veertien. Hij droeg een versleten T-shirt, waarvan de mouwen waren afgeknipt, en een veel te grote camouflagebroek. Hij zat wijdbeens op een enorme tweewielige machine. Nee, het was geen motorfiets, hoewel het dat ooit geweest moest zijn. De wielen waren beslagen met stevige pantserplaten en de voorzijde leek op de neus van een vliegtuig met twee ronde koplampen aan weerszijden. De sierlijke voorruit - kogelvrij ongetwijfeld - kromde zich over het instrumentenbord als de rug van een insect en naast het rechterbeen van de jongen, laag bij de grond, hing een kleine straalmotor. Uit de volgestouwde zadeltas achterop stak een kruisboog.

De jongen keek hem gefixeerd aan, alsof hij zelf net zo verbaasd was om hem op deze plek aan te treffen. Een kind op de trappen van het schoolgebouw, dat was iets van voor het Licht. Een spierwit diertje schoot ineens over de speelplaats, de heuvel op, naar de jongen en sprong met een wip achterop het zadel. Boran dacht eerst dat het een kat was, maar de pluizige, zwartgeringde staart, de spichtige pootjes en de spitse snuit met het zwarte maskertje, lieten er geen twijfel over bestaan dat het een wasbeer was. Een witte wasbeer. Een getuige van de ravage die de radioactieve straling in de genen van mens en dier had aangericht.

Boran stond op en wilde naar de jongen toegaan, maar die drukte een knop in onder de glooiende ruit en met een hoog gesis kwam de machine op gang. De stalen bladen aan de uitlaat van de straalmotor waaierden open als een ontluikende bloem. Een steekvlam schoot uit de uitlaat en het volgende moment was de jongen verdwenen, als in een droom.

Boran voelde de zachte hand van zijn moeder op zijn schouder.

'We moeten verder, lieverd.'

1. Herinneringen uit een databank

Uitspanningen A en B liggen exact 900 km van elkaar. Uit elke uitspanning vertrekt een auto op exact hetzelfde tijdstip. Auto 1 rijdt 180 km per uur, auto 2 120 km per uur. Na hoeveel tijd ontmoeten ze elkaar en op welke afstand van uitspanning A?

Boran lag diep weggezakt in zijn stoel, zijn benen over elkaar op het instrumentenbord, en staarde uit het raam naar de voorbijschietende vlakte, terwijl hij het potlood verveeld tussen zijn vingers liet draaien. De vraagstukken, die mams hem had opgegeven, lagen smachtend naar een oplossing op zijn buik. Steeds opnieuw zag hij die vreemde jongen met de kruisboog en de wasbeer. Hij leek wel een krijger, een kleine soldaat, verdwaald in een oorlog die te groot werd voor deze wereld. Een wereld waarin kinderen niet meer bestonden, waar je op je vijfde leerde omgaan met semi-automatische wapens en waar je op je zesde je vader verloor.

Dat was Borans verhaal. Nu doorkruiste hij samen met zijn moeder de continenten in een oude Scania, een trekker van zestien ton en 313 pk. Zijn vader had de truck in een half ingestorte parkeergarage gevonden en met het grootste geduld opgeknapt. Hij was dan ook maar wat trots geweest

9

toen hij voor het eerst de zware dieselmotor aan de praat had gekregen. Nog geen jaar later was hij dood, in een hinderlaag gelokt door een roversbende toen hij in zijn eentje brandstof was gaan zoeken. Sindsdien droeg mams steeds een geladen Ruger in de holster aan haar gordel en moest Boran zo dicht mogelijk bij haar blijven.

'Als we aankomen, wil ik je vraagstukken opgelost zien.'

Boran knikte lusteloos. De naald van de plastic thermometer op het instrumentenbord zat ver buiten de wijzerplaat. Het moest rond de 50 graden zijn, niet bepaald een prettige temperatuur om vraagstukken bij op te lossen. Maar zo was het nu al 34 jaar aan een stuk door en dat zou niet snel veranderen. Boran wiste het zweet uit zijn gezicht met de onderkant van zijn T-shirt en duwde de witte bandana omhoog, die zijn ongetemde, kastanjebruine haar uit zijn gezicht moest houden.

Het kompas dat aan een touwtje aan de zonneklep bungelde, zwiepte mee met de kuilen in het wegdek. De zinderende luchtspiegelingen op het asfalt deden Boran denken aan diepe meren en aan de oceaan, waarover hij al zoveel had gehoord. Hij had zelfs foto's gezien op oude, verkleurde ansichtkaarten en hij kon het zich nauwelijks voorstellen dat er vroeger meren hadden bestaan, zo groot als een stad. Miljoenen kubieke meter fris, zoet en drinkbaar water. Eén verhaal was hem bijgebleven. Hij had het gehoord van een man met een vreemd accent. Die had verteld dat er ergens op deze verdorde planeet een plek was waar alles nog hetzelfde was als voor het Licht, waar water door rivieren vloeide, waar groene bomen en bossen voor koelte zorgden en waar mensen genoten in de schaduw van de palmen op blanke stranden. Oceanië, zo heette de plek. Of het echt was, of verzonnen, wist Boran niet en zijn moeder geloofde allang niet meer in de verhalen die men aan kinderen vertelde om hen toch nog een beetje hoop te geven.

En hoe verder ze met zijn tweetjes reisden door wat eens het mooie Europa was en hoe meer ze geconfronteerd werden met dood en vernietiging, hoe meer ook Borans geloof in het mythische Oceanië afbrokkelde.

Hij schudde de gedachte van zich af en probeerde niet meer aan water en paradijselijke werelden te denken. Zijn mond en lippen voelden aan alsof hij een blad schuurpapier had opgegeten en zijn fantasie had hem alleen maar dorstiger gemaakt.

'Mam? Is het nog ver?'

Mams hield haar blik strak op de stoffige weg.

'Nog zo'n tweehonderd kilometer. Zijn je vraagstukken af?'

'Ik heb dorst.'

'Neem nog een kauwgum.'

Maar Boran had geen zin in kauwgum en nog minder in vraagstukken. Hij verstelde zijn stoel in een half liggende positie, sloot zijn ogen en liet zich door het eentonige motorgeronk overspoelen.

Nalea had het gezien. Het blad met de vraagstukken gleed van Borans lichaam en daalde sierlijk naar de vloer van de truck. Natuurlijk had hij er nog niet één van opgelost. Zo was hij nu eenmaal: bijzonder intelligent, maar een onverbeterlijke dromer. Eigenlijk was het een wonder dat het Nalea zo weinig moeite had gekost om hem te leren lezen en schrijven.

Ze zag het als haar taak om haar zoon zoveel mogelijk over de wereld te leren. Tenslotte was zij het die hem op deze verwoeste planeet had gezet en na de dood van haar man was de opvoeding van de jongen het enige dat haar leven nog zin gaf. Zo vaak als ze de kans kreeg, gaf ze hem dus geduldig les uit de oude, half verkoolde schoolboeken die ze in de ruïnes vond.

Kennis was zeldzaam in een wetteloze wereld, maar wie kennis bezat, samen met de kracht en de handigheid om met vuurwapens om te gaan, had een kans op overleven.

Eigenlijk verafschuwde Nalea wapens, maar ze waren nu eenmaal noodzakelijk. Daarom koesterde ze haar Ruger als een waardevolle schat en daarom had ze haar zoon van elf er ook mee leren schieten. Maar een eigen wapen kreeg hij niet. Nu vond Boran dat ook niet erg, want ook hij vond het vreselijke dingen. Hij kon nog geen rat doden voor het eten.

Nalea glimlachte en zond een kus in de richting van haar slapende jongen.

'Slaap zacht, Boran. Als je wakker wordt zijn we er misschien.'

Maar Boran sliep nooit zacht.

De talrijke verhalen en getuigenissen die hij in de loop van zijn leven had gehoord en de vreselijke dingen die hij gezien had, hadden in zijn levendige fantasie een beeld gevormd, een gruwelijke film van wat er exact gebeurd was die bewuste septemberdag, bijna een eeuw geleden. Een beeld dat voor altijd op zijn netvlies stond gebrand en dat door zijn dromen waarde als een spook dat maar geen rust kon vinden.

UITSPANNING 29: 50KM

Tenminste, dat was wat Boran dacht dat er op het ver-
hakkelde bord stond geschreven, want het was in een flits
voorbij. Hij zat rechtop en zag dat het landschap veranderd
was. De eentonige zandvlakte had plaats gemaakt voor zacht
glooiende heuvels, bezaaid met betonnen brokstukken en
puin: restanten van een nederzetting of een stad. Toen de
truck de top van de heuvel bereikte, zag hij in de verte de
scheefgezakte kantoorgebouwen, de droge rivierbedding en
honderden, nee, duizenden lege huizen waarvan de zwarte
venstergaten als lege oogkassen in het ijle staarden. Een kort,
scherp, krakend geluid weergalmde door de heuvels, als een
droge tak die doormidden brak. Het waren schoten; tekens
dat de stad helemaal niet zo onbewoond was als ze wel leek,
tekens ook dat je er beter weg bleef.

Het eerste wat Boran zag van Uitspanning 29 was de
blauwgeverfde toren, waarop in het wit het nummer 29 was
geschilderd. De uitspanning was een klein dorp en de baas was
een oude vriend van papa, had mams verteld. En als de ge-
ruchten klopten, recycleerden ze daar hun eigen drinkwater.

De poort was natuurlijk gesloten en boven op de hoge
omwalling stonden vervaarlijk uitziende kerels, gewapend
met verschillende soorten geweren. Nalea stapte uit, maar liet
de motor draaien, zodat ze in geval van nood onmiddellijk
weer weg konden. Verschillende geweerlopen waren op haar
gericht, maar ze liet zich niet intimideren.

'Laat ons binnen! We komen in vrede!'

Haar stem weerkaatste tegen de hoge muren.

De wachters op de omwalling wierpen een blik op de haveloze Scania en de kleine jongen in de cabine. Uiteindelijk floot een van hen op zijn vingers en even later draaiden de stalen deuren open met een vreselijk geknars. Met een knipoogje naar haar zoon klom Nalea weer achter het stuur en dreef haar truck de poort door.

Boran schatte dat de massieve deuren elk minstens tien ton moesten wegen en hij zag bij het binnenrijden dat ze bediend werden door middel van een vernuftig systeem van kettingen en betonnen tegengewichten.

Met sissende pneumatische remmen bracht Nalea de zestientonner tot stilstand op de stoffige binnenplaats. Toen Boran aan de passagierskant de cabine uitklom, keek hij neer op de bestofte gezichtjes van een horde nieuwsgierige kleuters. De kinderen waren onverzorgd en stuk voor stuk gekleed in veel te grote lompen. Boran baande zich een weg door het kleine grut en ging bij zijn moeder staan, aan de andere kant. Uitspanning 29 was, net zoals de andere uitspanningen, een groep miezerige betonnen gebouwtjes, gerangschikt volgens een ministratenpatroon. Het leek wel een dorpje als je even de indrukwekkende vestingmuur buiten beschouwing liet. Toch voelde Boran zich heel wat meer op zijn gemak nu hij aan de binnenkant van de omwalling stond. Met een oorverdovend gekreun draaiden de poorten weer dicht. Bovenop de muren hielden de wachters hen nog steeds onder schot, voor het geval ze slechte bedoelingen zouden hebben. Boran ging een beetje dichter bij zijn moeder staan en wees naar de toren die hij al van ver had gezien en die veel weg had van een reusachtig blauw olievat op poten.

'Wat is dat daar?'

'De watertoren,' antwoordde Nalea, terwijl ze de deur van de cabine in het slot sloeg.

'Denk je dat we een bad mogen nemen?' vroeg Boran glunderend van verlangen.

'Niet in de watertoren,' lachte Nalea. 'Maar laat Renco eens aan je ruiken en misschien maakt hij er een prioriteit van.'

Terwijl hij speurend onder zijn oksels snoof, liep Boran achter zijn moeder een van de betonnen gebouwtjes binnen. Boven de deuropening hing een vergeelde lichtbak, waarop nog vaag de vormen en de letters van een biermerk uit vervlogen tijden te zien waren. Het was het enige gebouw met een uithangbord en het deed dienst als herberg, winkel, café, restaurant én vergaderzaal.

Het duurde even voor Borans ogen gewend raakten aan het duister binnenin. De ramen waren met bakstenen dichtgemetseld om de hitte buiten te houden, maar desondanks hing er een kleffe, broeierige lucht. Een rammelend ventilatortje bovenop de lege drankenkoelkast moest de grote ruimte van koelte voorzien, maar al wat het deed was de warme lucht circuleren.

Boran bemerkte meteen de witte wasbeer, die hem vanaf een van de tafels nieuwsgierig aanstaarde met glanzende zwarte kraaloogjes en hij vond al snel zijn baasje. De jongen stond met zijn rug naar de herberg vol overgave te spelen op de oude flipperkast naast de toog. Hij kon Boran en zijn moeder onmogelijk hebben zien binnenkomen. De kruisboog hing met een brede leren riem dwars over zijn rug. De pees was gespannen en het wapen was geladen met een scherpe, stalen kruisboogbout.

15

Boran voelde opeens dat hij alleen stond, want mams was naar een tafeltje gegaan, waar de waard en vijf gasten zaten te pokeren met een beduimeld kaartspel onder de schijn van een zoemende lichtreclame. Er werden een paar woorden gewisseld en na een verontschuldiging aan zijn kaartmakkers, stond een van de mannen op en omhelsde Nalea zo uitbundig, dat de jongen niet goed wist of hij haar te hulp moest snellen. Al snel kwamen ze allebei lachend zijn richting uit.

'En dit is dus de kleine Boran', lachte de man hartelijk. De spierwelvingen onder zijn veel te kleine en tot op de draad versleten Hard Rock Café T-shirt, getuigden van een intensieve training.

Boran bekeek de man kwaad. Hij was groot genoeg voor zijn leeftijd en kerngezond voor een postnucleair kind.

'Dit is nu Renco', stelde mams de man voor. 'Hij heeft je overgrootvader nog gediend vóór de oorlog en was de beste vriend van je grootvader en van papa. Hij heeft alles wat we nodig hebben.'

Boran kon het niet helpen en glimlachte breed.

'Mijn overgrootvader? Hoe oud bent u eigenlijk?'

'Renco is een Model 4000,' verklaarde mams.

'Een robot!?'

'Ik verkies de term artificiële mens', lachte Renco. 'Ik verschil bijna niet van jullie. Zelfs gevoelens als medelijden, liefde en angst heb ik geleerd.'

'En honger en dorst?' vroeg Boran.

'Een artificiële mens eet of drinkt niet, maar ik zie wel het belang ervan in voor jullie.'

'Hoeveel liter krijgen we mee?'

Renco lachte. 'Een echte onderhandelaar, jouw zoon!'

Maar Boran zag dat zijn moeder niet lachte.

'Wil je weten hoe de kinderen hier hun eigen snoep maken?' vervolgde hij op een gladde toon die duidelijk iets moest verbergen.

'Waarom verandert u van onderwerp?' vroeg Boran.

Er viel een pijnlijke stilte en Renco keek ongelukkig naar Nalea.

'Drinkwater is ook voor ons een probleem', zei hij ten slotte ernstig.

'Maar jullie recycleren al het water toch?'

Renco keek even achterom naar zijn pokermakkers en als hij een mens van vlees en bloed zou zijn geweest, dan was hij nu vast en zeker heel zenuwachtig geworden.

'Dat is correct, maar wanneer ik er daarvan ga weggeven, is dat zoveel minder voor hen. Ze hebben zelf maar net genoeg om rond te komen. Dat begrijpen jullie wel.' Hij pauzeerde even en keek de ontgoochelde jongen stil aan. 'Zolang jullie hier verblijven, mogen jullie zoveel water gebruiken als jullie willen, zolang het maar weer in het recyclingsysteem terechtkomt.'

Boran kon het wel begrijpen, maar hoe moest het nu verder met hen? Ze waren bijna door hun voorraad heen. Hij keek naar mams, maar ook zij leek ten einde raad.

'We vinden er wel iets op', zei ze geruststellend.

'Waar zijn mijn manieren', zei Renco. 'Jullie zullen wel dorst hebben!' Boran voelde hoe een stevige hand hem bij de schouder greep en naar een van de talrijke lege tafeltjes stuurde.

Hij ging zitten op een wankel stoeltje, naast zijn moeder en vlak voor de flipperkast waarop de jongen nog steeds geconcentreerd stond te spelen. Het ding was meer dan een eeuw oud en omgebouwd, zodat je er geen munten meer in hoefde te stoppen. Geld was na het Licht even nutteloos geworden als het woestijnzand dat in de loop van de jaren steeds verder was opgerukt in Europa.

Renco vulde twee glazen halfvol water uit een verroeste kan en zette ze voor Boran en Nalea op tafel.

'Wat brengt jullie naar deze streek?' vroeg hij terwijl hij plaatsnam tegenover Nalea.

'Hoop', antwoordde ze. 'Nu ook het noorden gevallen is onder de droogte, reizen we van uitspanning naar uitspanning.'

'Naar het zuiden, waar al jaren geen druppel water meer te vinden is?'

'Zoals ik al zei: hoop. Het is al waar we ons nog aan vast kunnen houden.'

Boran dronk - niet te snel - terwijl hij genoot van elke druppel. Het water was ijskoud en hij voelde het naar beneden lopen door zijn slokdarm. Zijn verdroogde lippen werden weer zacht en het stof verdween uit zijn keel. Hij goot het glas helemaal leeg in zijn mond, tot er geen druppel meer inzat en zette het met een voldane klap neer op de tafel.

'Wie is dat?' vroeg hij terwijl hij met zijn hoofd naar de jongen aan de flipperkast wenkte.

Renco haalde zijn schouders op.

'Eentje op doorreis. Morgen vertrekt hij weer. Al wat ik weet is dat hij geen ouders meer heeft. Raar kereltje als je het mij vraagt.' Hij zei het hard genoeg, maar de jongen keek niet op.

Renco boog zich naar Borans oor en dempte zijn stem.

'Je kunt maar beter uit zijn buurt blijven.' Hij rommelde met zijn hand wat onhandig door Borans haardos – waarschijnlijk omdat hij andere mannen dat had zien doen - en ging met Nalea naar buiten. Boran keek de artificiële mens hoofdschuddend na en streek zijn haar weer plat.

Het kaartspel achter in de herberg ging gewoon door en werd af en toe onderbroken door een bulderend gelach.

Wat weet een robot over vriendschap, dacht Boran. Renco zei zelf dat hij de jongen niet kende. Hoe kon hij dan weten dat Boran beter uit zijn buurt kon blijven?

De jongen keek niet op toen Boran naast hem kwam staan. Zijn blik liet het glanzende metalen balletje niet los en in zijn donkere ogen weerkaatsten de flitsende kleuren. Hij had lang zwart haar en een getaande huidskleur, wat Boran deed vermoeden dat hij uit het Zuiden afkomstig was. Spanje, Italië of misschien Griekenland. Langs zijn linkeroor hing een vlecht, waarin een grote, witte arendsveer met bruine tip was vastgemaakt.

'Ik heb je gezien bij de school, twee dagen geleden', begon Boran.

De jongen gaf geen antwoord en speelde geconcentreerd verder, alsof zijn leven van het spel afhing. Boran zocht naar een onderwerp dat de jongen meer na aan het hart lag.

'Die wasbeer van jou is echt leuk. Waar heb je hem gevonden?'

Weer geen antwoord. De jongen schokte met zijn hele lichaam in een poging te vermijden dat het balletje in het gootje verdween en meteen scoorde hij een bonus van tien miljoen punten. Een verminkt digitaal melodietje stuiterde uit de automaat. Misschien verstond de jongen hem niet? Maar Boran kende geen andere talen en besloot om het nog een laatste keer te proberen.

'Als je zin hebt kunnen we een wedstrijdje spelen?'

Het enige positieve aan deze reactie was dat de jongen eindelijk zijn mond open deed. Met een ruk draaide hij zich naar Boran, zodat het balletje deze keer langs de flippers in het gootje rolde. Zijn donkere ogen hadden iets vijandigs en Boran deed automatisch een stapje achteruit.

'Ik heb geen vrienden nodig, snappie?' snauwde de jongen bars.

De uitdrukking op zijn gezicht deed Boran denken aan een bloeddorstige dobermann, die grommend zijn tanden ontblootte.

'Oké,' antwoordde Boran verbolgen. 'Maar dat is nog geen reden om mij zo af te bekken!'

'Scheer je weg!' riep de jongen met overslaande stem. 'Of...'

Het vervaarlijk uitziende jagersmes dat hij aan zijn gordel droeg had hij al halverwege uit de schede. Het zag er ontzettend scherp uit en een zijde van het lemmet was gekarteld. Boran deinsde achteruit. Hij was ongewapend en mams was er niet om hem te beschermen.

'Ga je me vermoorden omdat ik kennis wil maken?'

De donkere ogen van de jongen leken vuur te spuwen, maar het mes verdween met een zingend geluid weer in de schede en hij verlegde zijn aandacht weer naar de flipperkast. Boran besloot dat het beter was om deze zelfingenomen rotzak aan zijn lot over te laten en hij vroeg zich op weg naar buiten af hoe Renco aan zoveel mensenkennis kwam.

De stoffige Scania stond verlaten op de binnenplaats. Renco gaf mams waarschijnlijk een rondleiding in de uitspanning. In de truck zitten had Boran de laatste dagen al genoeg gedaan en zijn moeder had hem geleerd om nooit alleen op stap te gaan, dus klom hij bovenop de schuin aflopende motorkap - zijn favoriete plekje - en genoot met zijn rug tegen de voorruit van het uitzicht. De betonnen gebouwen leken op vierkante blokken steen, zonder ramen. De meeste deuren waren dicht, maar sommige stonden open en boden een blik op de schrale binnenkant. Onder een verbleekte Pepsi-parasol gaf een moeder haar baby de borst en een paar meter van de truck speelden twee kleuters met een vuil, graatmager katje.

Recht voor de truck lag de hoofdstraat, die uitkwam op de waterzuiveringsinstallatie en de watertoren aan het andere uiteinde van de uitspanning. Het zachte ruisen van het water deed Boran weer een beetje hunkeren naar een frisse slok.

Hoe lang hij op de motorkap had gezeten wist hij niet, maar het moest ongeveer middag zijn toen zijn moeder en Renco achter de huizen vandaan kwamen. Nalea droeg twee dozen Winchester munitie en Renco, die over een paar hydraulische armen beschikte, droeg drie zware kisten gedroogd voedsel.

'We hebben alles!' riep mams toen ze Boran zag zitten.

'Ook water?' vroeg de jongen, alsof hij het antwoord daarop niet wist.

'Het spijt me.' Ze maakte de deur van de cabine open.

'Mam, we zullen omkomen van de dorst!'

'We hebben nog iets meer dan twee liter, Boran. Als we

daar zuinig op zijn, halen we het wel tot aan de volgende uitspanning.'

Boran sprong van de motorkap en landde met beide voeten in het zand.

'Dat is nog niet eens 10 centiliter per persoon, per dag! En wie zegt dat er in de volgende uitspanning wél water is?'

Renco, die de conversatie had gevolgd, kwam tussenbeide.

'Ik zou niets liever doen dan jullie al het water geven dat jullie nodig hebben, maar als de bewoners van de uitspanning erachter komen dat ik water heb weggegeven, breekt er gegarandeerd een opstand uit. En dat is iets dat we ons niet kunnen veroorloven, zeker niet nu.'

'Worden jullie niet om de drie maanden opnieuw bevoorraad?'

'Niet meer, Boran. De Oostbron, die voor onze water-bevoorrading instond, is vernietigd.'

'Dat heb je me niet verteld', schrok Nalea.

'Zo'n vijf maanden geleden zijn de bevoorradingen ge-stopt', vertelde Renco. 'De tien tankwagens, die elke drie maanden steevast voor de poort stonden, bleven weg. Na twee weken heb ik een team uitgestuurd naar de Oostbron om te gaan kijken wat er scheelde. Onderweg zijn ze op de bende van de Cycloop gestoten en van de acht man zijn er maar drie teruggekeerd. Liever dan de hele installatie in handen van de bende te laten vallen, hebben de mensen van de Oostbron alles in de lucht laten vliegen. Er blijft niks meer van over. Ik hoop dat jullie nu begrijpen waarom we hier echt geen water kunnen missen.'

Nalea knikte en keek naar haar zoon. Wekenlang hadden ze uitgekeken naar uitspanning 29, die anders was dan alle andere, alleen om tot de ontdekking te komen dat het slechts een andere droge plek was onder de blakende zon. Met een zucht ging Boran op de bumper zitten en staarde tussen zijn blote knieën naar het zand.

'Wie is die Cycloop?' vroeg Nalea.

'Niemand weet zijn echte naam. Ze noemen hem zo naar de eenogige reus uit de Odyssee. Hij is de leider van de meest meedogenloze piratenbende uit de omstreken.'

'Hij heeft maar één oog?' vroeg Boran.

'Hij heeft geen ogen', zei Renco. 'Verloor ze allebei in een explosie. Hij liet een masker bouwen met een videocamera, die rechtstreeks met zijn hersenen is verbonden. Hij kan beter en verder zien dan welk menselijk wezen ook en hij is een uitstekend schutter. Hij is met zijn bende constant op zoek naar water, het doorschijnende goud. En wee je gebeente als hij tot de ontdekking komt dat je water hebt of zelfs maar weet waar het te vinden is. Hij zal niet rusten voor hij het in zijn bezit heeft en je een kogel door de kop heeft gejaagd. Mannen, vrouwen, kinderen. Hij maakt geen enkel onderscheid.'

Bij het woord kinderen keek hij Boran met zijn artificiële ogen zo aan, dat de jongen elk haartje op zijn lijf overeind voelde komen. Vandaar de wachters en de hoge muren, maar volstonden ze wel tegen deze legendarische Cycloop en zijn legertje ongeregeld?

Terwijl Nalea de kisten in de cabine zette, ging Renco naast Boran op de bumper zitten.

'Je lijkt op je grootvader, weet je dat?'

Boran keek verwonderd op.

'Ja, ik weet het,' ging Renco verder. 'Het is moeilijk voor jou om je bij het woord grootvader iemand anders in te beelden dan een oude man met een grijze baard en een gehoorprobleem. Maar ik heb hem zien opgroeien.'

'Iedereen is ooit een kind geweest', lachte Boran, die Renco's opmerking wel wat vreemd vond. '...behalve u, natuurlijk.

'Hoelang bent u eigenlijk al in onze familie?'

Renco glimlachte. 'Ik was een huwelijksgeschenk van de ouders toen je overgrootvader trouwde met Jessica, jouw overgrootmoeder. Tien jaar lang heb ik hen gediend... en hun zoon natuurlijk...'

'En toen brak de oorlog uit', vulde Boran aan.

Renco knikte. 'Erg lang heb ik jouw overgrootvader dus niet gekend.'

'Ik weet ook niet veel over hem', zei Boran. 'Zelfs papa heeft hem nooit gekend.'

Hierop trok hij de kraag van zijn T-shirt naar beneden en trok de ketting eruit, die hij steeds om zijn nek droeg. Aan het uiteinde hingen twee metalen plaatjes, die hij omhoog hield in de palm van zijn hand. Het waren twee platte, rechthoekige stukjes staal met sterk afgeronde hoeken, zodat ze bijna ovaal waren. In elk plaatje stond een naam geperst, een datum, een bloedgroep en een nummer:

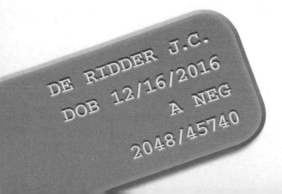

DE RIDDER J.C.
DOB 12/16/2016
A NEG
2048/45740

'Deze hondenpenningen heb ik van hem gekregen', zei Boran stil. 'Ik weet het', glimlachte Renco. 'En hij kreeg ze van zijn vader, jouw grootvader. De Ridder is ook jouw naam.'

Hij keek Boran nu intens aan. De jongen kon niet anders dan een sterke band te voelen met de artificiële mens naast zich.

'Als je wilt, kan ik je alles vertellen wat ik weet.'

Boran keek de man met grote ogen aan. 'Echt?'

'Vanavond. Ik beloof het je.'

Nalea onderbrak het gesprek en joeg hen van de bumper.

'Dus al die veiligheidsmaatregelen zijn alleen voor de bende van de Cycloop?' vroeg ze, terwijl ze de klemmen van de motorkap losmaakte.

'Was het maar waar', antwoordde Renco. 'Dat is niet de enige bende die de buurt onveilig maakt, wel de gevaarlijkste. Ze denken allemaal dat we hier zwemmen in het water, dat we het uit de grond oppompen. Heb je de grond hier al eens goed bekeken?' En als demonstratie schopte hij in het droge zand.

'Het grondwater zit hier minstens een kilometer diep en zit zo goed als zeker boven de vierhonderd rad. Dat is een dodelijke stralingsdosis. Als de Cycloop tot de ontdekking komt dat hier eigenlijk maar net genoeg is voor de bewoners, dan moordt hij iedereen uit.' Renco liep naar de andere kant van de truck en hielp Nalea om de zware motorkap naar voren te kantelen.

'Renco, ik heb nagedacht,' zei Nalea op ernstige toon. 'We vinden het verschrikkelijk van de Oostbron en ik hoop dat jullie snel een oplossing vinden, maar Boran heeft gelijk.

Wie zegt dat er in de volgende uitspanning wél water is? Als het niet zo is, ...Dan...'

Ze zweeg, want het viel haar nog steeds moeilijk om over de dood te spreken, zeker als die dichtbij was.

'Al wat we vragen zijn een paar jerrycans. We zijn toch meer dan alleen maar vrienden? Denk aan de pijn die je zou voelen als Boran en ik zouden sterven, Renco.'

'Pijn is een gevoel dat ik onmogelijk kan leren, omdat ik het alleen maar kan nabootsen door kortsluitingen te veroorzaken in mijn circuits. Dat is schadelijk.'

'Ik bedoel pijn vanbinnen, Renco. Verdriet, woede, machteloosheid wanneer je iemand verliest om wie je erg veel geeft. Het verlies van vriendschap en liefde. Hoe voelt dat, Renco?'

'Toen mijn meesters stierven had ik mezelf nog geen gevoelens aangeleerd, maar ik voelde wel iets vreemds toen je me daarstraks vertelde dat Dennis dood was. Ik zag flitsen, beelden van hem als kleine jongen en kreeg een foutmelding op sector Gamma Delta 9598 van mijn intelligentiebank. Is dat hoe pijn vanbinnen voelt?'

'Ongeveer', antwoordde Nalea om er vanaf te zijn.

Er viel een stilte en uiteindelijk nam Renco een beslissing waar hij al de hele dag mee worstelde. Hij wenkte moeder en zoon dichterbij en dempte zijn stem. 'Je hebt morgenvroeg ook nog werk aan de truck, zie ik. Als jullie vannacht bij mij blijven logeren, kan ik jullie misschien helpen.'

'Dat doen we maar al te graag', lachte Nalea.

Terwijl Nalea zich, gewapend met schroevendraaier en moersleutel, op de dieselmotor stortte, nam Renco Boran mee op een wandeling door de reusachtige boomgaard. Die nam bijna de helft van het hele domein in en het was het eerste groen dat Boran zag in maanden. Er waren zelfs zoveel bomen dat je erin kon verdwalen. Boran wist niet veel van planten en bomen, maar herkende toch de verschillende vruchten die ze droegen: appels, peren, pruimen, sinaasappels, noten, ... Halverwege de boomgaard liep een zandweggetje, dat leidde naar een oefenterrein voor de bewakers van de uitspanning. Boran zag houten borden met doelschijven erop geschilderd en aan de takken van de bomen hingen zandzakjes aan touwen als bewegende doelen. Verderop, uit het schietveld van het oefenterrein en gescheiden van de rest door een bakstenen muur, lagen de serres te schitteren in de zon. Achter het glas groeide een rijkdom aan groenten, zoals tomaten, kool en spruitjes. Over de hele boomgaard hing het gezellige geruis van de waterzuiveringsinstallatie.

'Hoe werkt-ie eigenlijk?' vroeg Boran toen ze voor het langwerpige gebouw met de hoge ramen bleven staan.

'Heel eenvoudig. Het afvalwater loopt door een keten van biologische filters, waar het gezuiverd wordt door bacteriën die het vuil opeten. Daarna wordt het water de toren ingepompt en daar nog eens gezuiverd voordat het teruggaat, de leidingen in. De bacteriën kunnen natuurlijk niet alles eten en het slib dat overblijft, wordt gebruikt als meststof voor de groentetuin en de fruitbomen.'

De bomen leken het inderdaad goed te doen met de biologische meststof en hun takken hingen door onder het gewicht van de vruchten.

'Waarom hebben jullie dan om de drie maanden vers water nodig?' vroeg Boran.

'Niet al het water komt weer in het zuiveringscircuit terecht', antwoordde Renco.

'Het grootste deel gaat verloren bij het besproeien van de gewassen.'

'Jullie systeem is dus niet waterdicht', lachte Boran.

'Een eenvoudige, doch zeer bijdehante woordspeling', antwoordde Renco machinaal.

Niet alleen voorzag deze uitspanning in haar eigen drinkwaterzuivering, ook elektriciteit werd ter plaatse opgewekt. Dat gebeurde in een ondergrondse miniwaterkrachtcentrale, waar een deel van het gezuiverde water door kleine turbines werd gepompt en zo genoeg stroom opwekte om de bewoners van uitspanning 29 en hun gasten een comfortabel leven te bieden. Het was Renco zelf die de miniwaterkrachtcentrale had ontworpen en na de dood van de vorige leider vonden de bewoners het niet meer dan logisch dat hij hun nieuwe leider werd. Dat bracht heel wat verantwoordelijkheid met zich mee, maar ook voorrechten, zoals het grootste huis in de uitspanning. Renco had ondertussen zichzelf al genoeg gevoelens aangeleerd om ervan te kunnen genieten zoals mensen dat deden. Bijna alles had hij geleerd van zijn oude meesters, Borans vader, grootvader en overgrootvader en het versterkte alleen maar de band tussen de machine en de jongen. Als je ze zo pratend en lachend naast elkaar zag lopen in de schaduw van de bomen, zou je gezworen hebben dat ze altijd al vrienden waren geweest.

's Avonds konden Boran en Nalea in Renco's huis hun kleren wassen en zelfs genieten van een verkwikkend bad, wat meer dan nodig was. Het was niettemin vreemd als je wist dat je morgen de weg op moest zonder één druppel water en met een wrang gevoel zag Boran het vuile water door de afvoer verdwijnen. Zolang het maar weer in het recyclingsysteem terechtkomt.

Hoewel hij nooit at of dronk, was de artificiële mens een uitstekend kok en hij verraste zijn twee gasten met een klein feestmaal ter ere van oude vriendschappen: geroosterde leguaan met groenten uit de moestuin en fruit uit de boomgaard, een recept dat Renco zelf had geprogrammeerd. Boran had al vaker leguaan gegeten, zo vaak zelfs dat het hem de neus uitkwam. Maar zoals Renco de beestjes kon klaarmaken, dat kon niemand en Boran wist niet dat leguaan zo lekker kon zijn.

Na het eten verhuisde het drietal naar het gezellige salonnetje en terwijl het haardvuur de avondkoelte verdreef, haalden ze herinneringen op aan vroeger. Boran probeerde steeds maar weer aan te sturen op zijn overgrootvader, maar mams had zo haar eigen plannen en het lukte haar uiteindelijk om de conversatie op de waterbevoorrading te brengen.

Toen Renco nogmaals in detail de werking van de zuiveringsinstallatie uit de doeken deed, voelde Boran zich als het vijfde wiel aan de wagen. Renco zou zijn belofte om hem meer over zijn overgrootvader te vertellen toch niet kunnen nakomen. Een beetje ontmoedigd wenste hij mams en Renco goedenacht en ging de kamer uit. Hij had zijn slaapzak uit de truck gehaald en uitgespreid in de lege kamer naast de keuken. Hij kleedde zich uit en kroop onder de wol. De vermoeidheid had zich de afgelopen dagen opgestapeld en voor het eerst in een lange tijd zou hij rustig kunnen slapen.

Nalea had het bed in de slaapkamer gekregen, want artificiële mensen sliepen toch nooit. Renco had dan ook de hele nacht om zijn belofte aan Boran na te komen en toen de nachtelijke stilte over de uitspanning was neergedaald, sloop hij stil de kamer binnen, en knielde geruisloos naast de slapende jongen. Hij legde zijn hand op Borans voorhoofd en groef diep in zijn digitale geheugenbanken naar herinneringen. Boran bewoog even in zijn slaap, terwijl zijn ogen onder zijn oogleden elke beweging in zijn droom volgden.

Het hoge gras in het veld zwiept in de wind en kriebelt zijn blote benen. Een konijntje dartelt vrolijk tussen de klaver. In de verte staan koeien te grazen onder het heerlijke zonnetje en beneden aan de heuvel strekt zich de stad uit, een woud van glazen torens, schitterend als diamanten in het zonlicht.

Een vrouwenstem roept zijn naam. Mama?

Boran rent naar de schuur, waar een mooie vrouw staat met haar handen aan haar mond om haar stem te versterken. Opeens ziet hij een andere jongen van zijn leeftijd naar haar toe rennen en hij realiseert zich dat ze niet 'Boran' roept, maar 'Robert-Jan'.

Zo heette mijn grootvader, denkt Boran.

Hij ziet hoe de vrouw de jongen in haar armen sluit alsof het de laatste keer is dat ze hem zal zien. Misschien is dat ook zo. Voor de verblindend witgekalkte muur van het huis staat een oude berk en in de schaduw van de boom zit een man in een rolstoel. Moeder en zoon rennen naar hem toe. Wetend dat niemand hem kan zien, komt Boran dichterbij. De opgewonden stem van de nieuwslezer op het kleine radiootje zweeft weg in de open lucht, maar de angstige toon van de man zegt genoeg. Het is de toon van een man die niet langer zijn neutrale masker kan dragen, omdat doodsangst zich van hem meester heeft gemaakt. Doodsangst voor het einde van de wereld.

Boran ziet hoe de man in de rolstoel een ketting om de nek van de jongen hangt. Het is de ketting met de hondenpenningen.

'Ze hebben mij geluk gebracht, zoon. Laat ze jou ook geluk brengen', zegt de man bijna plechtig.

Mijn overgrootvader, denkt Boran. Hij tast naar zijn borst, maar de ketting is verdwenen. Natuurlijk, hoe kan ze anders om de nek van de jongen hangen? Toch twijfelt hij of dit een droom is. Daarvoor voelt alles veel te echt aan. Zelfs de zachte zomerwind voelt hij langs zijn wangen blazen en spelen in zijn haar. Hij likt zijn droge lippen en voelt de vochtige warmte van zijn tong.

Dit is niet echt, denkt Boran. Het is een droom. Hij wil in zijn arm knijpen, maar plotseling beginnen de sirenes te loeien, een angstwekkend gehuil dat over de stad galmt en de magisch glanzende torens iets onaards geeft. Borans hart klopt in zijn keel, want de grens tussen droom en werkelijkheid is verdwenen. Hij ziet Robert-Jan hard wegrennen in de richting van het veld, de hondenpenningen tinkelend rond zijn nek. Hij huilt.

Moet ik ook vluchten? denkt Boran.

De man in de rolstoel neemt de hand van zijn vrouw en samen wachten ze in de schaduw van de berk.

Boran wil de jongen achterna gaan, maar hij komt niet vooruit. Hij roept zijn naam, schreeuwt de longen uit zijn lijf om boven het ijselijke geloei van de sirenes uit te komen, maar er komt geen geluid uit zijn mond.

Een verblindende lichtflits verzwelgt de hele stad en verandert in een allesvernietigende vuurstorm die met een ontzettende snelheid deze richting uit komt. De vuurwind bereikt de velden. De koeien

31

zijn verdwenen en het gras vliegt in brand. Borans overgrootouders omhelzen elkaar onder de eik en kussen elkaar innig, voordat hun lichamen in een milliseconde verkolen en door de schokgolf in stof uiteengeblazen worden. Al wat overblijft, zijn hun schaduwen tegen de stam van de boom.

Boran schrok wakker en keek verschrikt in de glazen ogen van Renco. Zijn schreeuw van angst werd gedempt door de grote synthetische hand op zijn mond.

'Stil, Boran,' fluisterde Renco. 'Het was een droom.' En voorzichtig nam hij zijn hand weg.

'Mijn overgrootvader... het Licht,' stamelde de jongen. 'Het was...'

'Ik weet het.'

'Het was verschrikkelijk.'

'Wat je hebt gezien was een computersimulatie, gebaseerd op wat Robert-Jan, jouw grootvader, me heeft verteld. Ik was op dat moment uitgeschakeld in de kelder omdat hij mijn langeafstandssensoren moest afstellen – hij was een slim kind, jouw grootvader. En ik zie dezelfde trekjes in jou terug.'

Boran zat rechtop en lachte gevleid. 'Wat weet je nog meer van hem?'

'Je bent toch niet te moe?'

De jongen schudde heftig zijn hoofd, en zijn warrige haardos viel voor zijn ogen.

Renco nam de hondenpenningen op Borans borst in zijn hand en hield ze omhoog.

'Weet je ook waar ze voor dienden?'

Weer schudde Boran zijn hoofd in ontkenning.

'Hondenpenningen zijn militaire identificatieplaatjes. Iedere soldaat droeg ze bij zich, zodat er geen twijfel zou bestaan over zijn identiteit wanneer hij zou sneuvelen. Maar jouw overgrootvader sneuvelde niet. Hij raakte gewond en mocht naar huis gaan. Het kan je vreemd lijken, maar dat was zijn geluk. Het gaf hem de kans om het leven van zijn zoon te redden en samen met zijn vrouw te sterven.'

'Heeft hij zijn zoon gered door die dingen rond zijn nek te hangen?' vroeg Boran ongelovig.

'Hij heeft Robert-Jan opgedragen om de dichtstbijzijnde atoomschuilkelder op te zoeken. Het was al wat hij kon doen, want hij was aan zijn rolstoel gekluisterd en ten dode opgeschreven. De jongen liep voor zijn leven, wetend dat hij zijn ouders nooit meer terug zou zien. Later zou Robert-Jan de hondenpenningen weer aan zijn zoon doorgeven en zo zijn ze uiteindelijk om jouw hals beland. Draag er zorg voor, Boran. Jouw vader, zijn vader en je overgrootvader leven erin voort.'

Boran glimlachte. Het voelde heerlijk om eindelijk meer te weten over een vaag familieverleden. Meer te weten over zijn familienaam en over de herkomst van zijn meest waardevolle bezit.

'Wat gebeurde er na het Licht?'

'De ogen van Robert-Jan waren het eerste wat ik zag toen hij me weer inschakelde, ongeveer een week na de Bom. Alles was weg: de stad, de mensen, de velden, het huis, ... Zijn ogen vergeet ik nooit meer, want hoewel er maar een week was verstreken tussen de laatste keer dat ik hem zag en de dag dat hij me weer aanzette, was hij veranderd. Alsof hij in één week tijd tien jaar ouder was geworden. Hij was geen jongetje meer, dat met zijn robot speelde. Hij was een man geworden in het lichaam van een jongen. Ik was zwaar beschadigd, maar hij heeft me weer helemaal hersteld, jouw grootvader. Waarom weet ik nog steeds niet.'

Boran zag een diepe emotie in Renco's ogen en hij wist dat, als de artificiële mens ervoor uitgerust was geweest, hij zeker zou huilen. Nu was er alleen de oneindige droefheid op het gezicht van de robot, en net als in de boomgaard gistermiddag, was ook nu de grens tussen mens en machine vrijwel volledig zoek. Boran sloeg zijn armen om Renco heen, zoals hij vroeger zo vaak met zijn vader had gedaan, en zei zacht: 'Jij was de laatste vriend die hij nog had. Hij wou niet alleen zijn.'

Het eerste daglicht brak al door toen Nalea hen beiden in de woonkamer vond, zittend met gekruiste benen onder het venster. Renco vertelde honderduit en Boran hing aan zijn lippen als een ijverige leerling.

'Hoelang zitten jullie hier al?' vroeg mams.

'De hele nacht!' lachte Boran ondeugend. 'Een artificiële mens heeft geen slaap nodig.'

'Nee, maar jij wel.'

'Ik heb hem over zijn familie verteld, Nalea. En voor we het wisten was het al weer dag. Mijn verontschuldigingen.'

Nalea's gezicht verzachtte. 'Ik hoop dat ik vandaag iets aan je heb, lieverd. Er is veel werk aan de truck.'

'Geen probleem ma-a-aaaa', Boran geeuwde zo hard dat je met gemak een sinaasappel in zijn mond kon passen.

2. Onverwachte ontmoeting

Mams was bijna helemaal verdwenen in de neus van de vrachtwagen. Alleen de rinkelende geluiden van gereedschap waarschuwden dat je maar beter de motorkap niet kon dichtslaan. Ondertussen was Boran druk in de weer met een groezelige doek om een motoronderdeel op te poetsen, waarvan hij geen flauw benul had waarvoor het diende.

'Fuck!'

Mams was uit de motor geklommen en hield een ander vreemd cilindervormig onderdeel in haar hand, dat ze uit het hart van de machine had gevist.

'Met die startermotor doen we geen duizend kilometer meer.'

Ze wierp het elektromotortje in het zand voor Borans voeten en de jongen wist wat hem te doen stond.

Iedere uitspanning had wel een schroothoop, waarin onfortuinlijke reizigers naar hartenlust mochten rommelen op zoek naar dat ene zeldzame onderdeel dat hun voertuig weer aan de praat zou krijgen. De schroothoop van uitspanning 29 lag in de ruïne van een oude kerk, zoals die gebouwen werden genoemd. Een soort tempel waar men vroeger een of andere god vereerde. De gebrandschilderde ramen hadden vanzelfsprekend de kernoorlog niet overleefd, maar de muren en het dak stonden nog wonderwel overeind. Het enorme gebouw was volgestouwd met ijzeren rekken waarop de meest onvoorstelbare troep stond uitgestald. Koplampen, oliepompen, luchtfilters, je bougiekabels, compressoren, alternators, ... Boran liep met de startermotor in zijn hand door de middenbeuk. Voorin de kerk, boven het altaar, was een lijn gespannen, waaraan versleten kleren hingen te drogen. Er vlak voor stond de tweewielige machine van de jongen met de kruisboog, gehuld in een mistige bundel zonlicht, die als een zoeklicht door de glasloze ramen straalde. Het witte wasbeertje zat op het marmeren altaar en bespiedde de nieuwkomer achterdochtig. Onder de brommer staken twee zongebruinde benen uit, die eindigden in een paar versleten baskets. Boran liep nieuwsgierig op de wonderlijke machine toe. Het ding was volledig computergestuurd en het instrumentenbord onder de glooiende voorruit had veel weg van de cockpit van een vliegtuig. De straalmotor glansde in het licht en... Boran schrok toen een jonge hand opeens onder de machine uitschoot en in het rond tastte over de vloer. Het wasbeertje sprong lenig van het altaar, nam een verroeste moersleutel in zijn bek en deponeerde hem netjes in de grijpende handpalm, die vervolgens weer onder de machine verdween.

Even bleef het stil, maar toen schoof de jongen onder zijn voertuig uit. Hij droeg een grauwe short, die voor onderbroek moest doorgaan. Zijn getaande gezicht blonk van het zweet en zat onder de olie, zijn lippen waren droog en gerimpeld en zijn zwarte lokken plakten tegen zijn voorhoofd.

'Jij weer!' snauwde hij toen hij Boran zag.

'Sorry, ik wou gewoon...'

36

'Jij gaat gewoon oprotten!' Toen zag de jongen het onderdeel in Borans hand.

'De startermotoren liggen daar.' Hij wapperde vaag met zijn hand naar de andere kant van de kerk. 'En als ik je nog één keer bij mijn machine zie, voer ik je ballen aan Bliksem!'

Het wasbeertje gromde vervaarlijk bij het horen van zijn naam. Boran zou het behoorlijk grappig gevonden hebben, maar wasberen konden ook erg lelijk bijten en hij had geen zin in medische verzorging, zelfs al was het maar aan een minder dierbaar lichaamsdeel. Zonder een woord ging hij verder op zoek naar een nieuwe startermotor.

Weer bij de truck aangekomen keek hij toe hoe mams het ding weer aan de vrachtwagenmotor bevestigde, maar zijn gedachten waren weer bij de vreemde jongen met zijn wasbeer, die Bliksem heette, en zijn fantastische machine. Hij dacht aan de woorden van Renco, - dat de jongen geen ouders meer had -, en Boran kon zich niet inbeelden hoe het zou zijn, mocht hij ook mams verliezen. Hij was pas zes toen zijn vader stierf, maar nu was hij bijna dubbel zo oud en het idee alleen al om de enige persoon te verliezen waar hij zielsveel van hield, vervulde hem met afgrijzen. Eigenlijk kon hij de jongen best begrijpen.

'Start jij hem even, lieverd?'

Boran hees zich in de bestuurdersstoel en startte de vrachtwagen. De nieuwe startermotor deed zijn werk en de antieke dieselmotor ratelde meteen op gang. Nu alles netjes gepoetst en geolied was, klonk hij ook bijzonder zuiver en krachtig. Nalea stak haar duim omhoog en gaf aan dat Boran de motor weer uit moest zetten. Toen hij weer uit de cabine wou klimmen, zag Boran twee jerrycans drinkwater op de brits achterin staan. Had mams Renco dan toch kunnen overhalen?

'Wat doet al dat water in de cabine?' vroeg hij aan zijn moeder toen hij naast haar kwam staan.

'Sst! Niet zo hard!' beet ze hem toe. 'Dat water krijgen we niet zomaar. We moeten er iets voor doen. Daarom reizen we verder naar het westen.'

'Het westen? Waarom?'

'Je zult langer leven als je minder vragen stelt, lieverd.'

Met een klap sloot ze de motorkap en meteen ook de discussie.

'Mag ik wat water?'

Mams glimlachte, maar schudde haar hoofd. 'Je weet dat dit water voor onderweg is.'

Ze haalde haar besmeurde handen door het zand op de grond en veegde ze toen schoon aan de smerige doek. Het zand absorbeerde het vet en schuurde de huid schoon. Dat voelde niet prettig aan, maar doeltreffend was het wel. Toen mams uit het zicht verdwenen was, klom Boran de cabine in, nam zijn ijzeren beker en vulde hem voor de helft met het drinkwater uit de jerrycans. Hij klom weer naar buiten en trippelde stil als een woestijnrat naar de ruïne van de kerk.

De jongen lag nog steeds onder zijn machine te sleutelen. Boran verborg de beker achter zijn rug, maar aarzelde om iets te zeggen. Hij moest wel gek zijn, want de wasbeer staarde hem venijnig, of misschien wel verlekkerd aan. Boran stond net op het punt om terug te keren, toen een luide vloek klonk en een grote bout onder de brommer uitrolde.

Daar was de tastende hand weer, maar Boran raapte de bout op voordat de wasbeer erbij kon. Het diertje gromde kwaad en beet in zijn sportschoen. Het leer was dik genoeg, maar Boran voelde toch de scherpe tandjes in zijn enkel.

'Bliksem! Verdorie! Lig je weer te...?' De jongen schoof ongeduldig onder de machine uit met zijn gezicht op onweer. Blijkbaar gingen de reparaties aan zijn tuig niet zoals gepland. Toen zag hij Boran, die de bout uitdagend omhoog hield.

'Fuck! Je hebt erom gevraagd!' schreeuwde hij met overslaande puberstem en hij stormde op Boran af. Hoewel zijn hele lijf schreeuwde om te vluchten, verroerde hij geen vin, liet de bout op de grond vallen voordat de jongen hem bereikte en toverde de beker met water achter zijn rug vandaan. De jongen stopte vlak voor hem en keek hem verbaasd aan.

'Je moet af en toe eens pauze nemen, anders word je vervelend', zei Boran.

De blik van de jongen schoot wantrouwend van Boran naar de beker en weer terug. De wasbeer keek afwachtend naar zijn baasje en naar de beker. Zou het soms soep met balletjes zijn? Boran nam zelf een slok als bewijs dat er niets mis was met het water. De jongen kon zijn ogen niet geloven, maar het water was te aanlokkelijk. Aarzelend nam hij Borans beker aan en nam voorzichtig een slok, gevolgd door een grotere. Hij veegde zijn mond met zijn onderarm en zette de beker op de grond voor de wasbeer, die meteen gulzig begon te slokken.

'Ben je soms verliefd op me, of zo?' vroeg de jongen terwijl hij Boran scheef aankeek.

'Je bent mijn type niet', antwoordde Boran met een grijns.

De jongen lachte voor het eerst en er verscheen een dubbele rij hagelwitte tanden.

'Als je iedereen wegjaagt die in de buurt van je machine komt, maak je nooit vrienden', vervolgde Boran.

Het wasbeertje had ondertussen de bout, die Boran had laten vallen, opgeraapt en stond op zijn achterpootjes met het ding tussen zijn voorpootjes geklemd. De jongen nam de bout aan en aaide het diertje over de kop.

'Ik heb al een vriend, zie je?'

'Ik bedoel iemand van je eigen soort.'

'Twintig liter kerosine, dát kan ik gebruiken', antwoordde de jongen. 'Mijn tank is bijna leeg, maar wil dat stuk schroot me kerosine geven? Nee hoor, want ik heb niks om te ruilen!'

Boran keek de jongen verontwaardigd aan. 'Dat stuk schroot is mijn vriend!'

De jongen lachte smalend. 'Jij hebt een robot als vriend? En dan kom je mij vertellen dat ik met mijn eigen soort moet omgaan?'

'Hij is een Model 4000 en hij heeft mijn grootvader gediend vóór de oorlog! Hij is praktisch familie!'

'Rare familie heb jij. Ik heb nooit veel van ijzerkoppen moeten hebben.'

'Hij is een artificiële mens!' verbeterde Boran hem en hij wou er nog aan toevoegen dat hij misschien wel iets kon regelen als de jongen zich niet zo minachtend over Renco zou uitlaten, maar de stem van zijn moeder riep zijn naam in de verte.

'Je mammie roept je', grijnsde de jongen. 'Bedankt voor het water.'

Nog voordat Boran iets kon antwoorden, had de jongen zich omgedraaid om weer aan zijn machine te gaan sleutelen.

Er zat niets anders op dan de lege beker mee te nemen en de aftocht te blazen.

'Hei!'

Boran draaide zich om en zag de jongen met uitgestoken hand voor hem staan.

'Ik ben Mattia', stelde hij zich voor. 'En dat is Bliksem', wees hij naar de wasbeer.

'Ik ben Boran De Ridder', zei Boran op zijn beurt en schudde Mattia's oliehand.

'Eentje met een achternaam', lachte Mattia. 'Zorg goed voor jezelf, Boran De Ridder.'

'Waar zat je toch?' vroeg mams ongerust toen haar zoon weer bij de truck aankwam. 'Het is bijna middag! We vertrekken over tien minuten!'

Er restte Boran nog net de tijd om afscheid te nemen van Renco en hem te bedanken voor alles. Daarna zette hij het op een rennen naar de opslagplaats, maar Mattia en Bliksem waren nergens te bekennen. Nu ja, een vriend zou Mattia toch nooit worden en toen Boran weer naast zijn moeder in de truck zat, kreeg hij spijt dat hij een rantsoen waardevol drinkwater met hem had gedeeld. Hij hoopte dat mams er nooit achter zou komen, want dan zou hij nog niet jarig zijn.

'Alle riemen vast, copiloot!' beval mams.

De oude Scania kwam op gang en spuwde grijsblauwe rook uit de schoorsteen achter de cabine. Renco wuifde hen na toen het gevaarte de poort uit reed, zijn mysterieuze bestemming in het westen tegemoet.

Na een halfuurtje al werd de hitte voelbaar achter het glas van de cabine en mams veegde om de minuut het zweet van haar voorhoofd. Af en toe keek Boran om naar de brits achterin met de jerrycans. Hij had al een paar pogingen ondernomen om meer te weten te komen over hun reisbestemming, maar mams had hem steevast geantwoord dat hij zijn vraagstukken nog niet opgelost had. De deal moest vannacht gesloten zijn, terwijl hij sliep, maar welk geheim kon zo groot zijn dat ze het zelfs niet met haar eigen zoon kon delen?

Na een uurtje rijden, zette Nalea de truck aan de kant voor een korte middagpauze. Naast de stoffige weg begon wat vroeger een groot woud moest geweest zijn, maar wat nu niet veel meer was dan een kale vlakte met hier en daar verdorde en verkoolde boomstronken.

In de schaduw van de vrachtwagen verorberden moeder en zoon een klein deel van de proviand die Renco hen had meegegeven. Met uiterste zorg verdeelde Nalea het water over de twee ijzeren bekers. Net genoeg om niet uit te drogen, wat Boran deed vermoeden dat ze nog een erg lange reis voor de boeg hadden.

Na het eten verkende Boran in zijn eentje de omgeving, terwijl mams zijn opgaven verbeterde die hij eindelijk had opgelost.

Terug in de truck kreeg hij er nieuwe: moeilijke, waar hij uren over zou doen. Het was duidelijk dat mams wilde beletten dat hij vervelende vragen zou stellen.

Boran droeg zijn hondenpenningen trots boven zijn T-shirt. De woorden van Renco hadden hem doen nadenken. Papa had ze hem gegeven de dag voordat hij vermoord werd, alsof hij wist dat hij zou sterven. Of hadden deze dingen echt een magische kracht, die hun drager beschermt? Als zijn vader ze die dag niet aan hem had gegeven, had hij dan misschien nog geleefd? Boran schudde het van zich af. Magie bestond niet en zijn vader was gewoon op de verkeerde plek geweest, op het verkeerde moment. Of hij de hondenpenningen nu had gedragen of niet, hij was hoe dan ook dood geweest.

De uren gingen tergend langzaam voorbij en Boran baalde grondig. Hij baalde van de vraagstukken, waar hij kop noch staart aan kon krijgen en hij baalde vooral van de geheimdoenerij van zijn moeder. Het was uren geleden dat ze nog iets tegen elkaar hadden gezegd. Het begon te schemeren en de bundels van de koplampen schenen over het hobbelige wegdek voor de truck. Het werd nu toch te donker om te werken. Boran kieperde verveeld de bladen met de vraagstukken in het handschoenenkastje en klemde het potlood tussen zijn tanden om het ritmisch op en neer te wippen.

'Sommige dingen kun je beter niet weten, Boran.'

De jongen schrok en ving het potlood op uit zijn mond.

'Wat?'

Mams keek hem aan. 'Wees gerust Boran. Als er iets is, waarvan ik vind dat je het moet weten, dan zal ik het je zeggen. Maar er zijn dingen die gevaarlijk zijn om te weten.' Ze keek weer voor zich uit naar het wegdek en gaapte.

'Hoe kan iets weten nu gevaarlijk zijn?' vroeg Boran. 'Het zit vanbinnen.' En hij tikte met zijn wijsvinger tegen zijn voorhoofd.

'Wat erin zit, kunnen ze er ook weer uit krijgen. Snap je?'

Boran haalde zijn schouders op en knikte. Mams glimlachte en gaapte opnieuw.

'Misschien is het beter dat we ergens stoppen, mam', stelde Boran voor.

Toen ze de truck aan de kant van de weg had gezet, kantelde mams haar stoel naar achter en trok een oude deken over zich heen. Boran sliep zoals steeds in zijn slaapzak op de brits achterin, die hij nu weliswaar moest delen met de twee jerrycans.

De kleffe hitte van de afgelopen dag bleef in de cabine hangen. Nalea had alle ramen opengezet om de nachtelijke koelte binnen te laten en Boran had zijn T-shirt en schoenen uitgetrokken, maar nog kon hij de slaap niet vatten. Met een zucht zat hij rechtop. Hoe laat het was, wist hij niet, want klokken bestonden niet meer. De mens leefde opnieuw op het ritme van de zon en de maan, zoals hij duizenden jaren ervoor al deed, en ook Boran voelde zijn dierlijke instinct ieder seizoen een beetje meer naar de oppervlakte komen. Net zoals ieder dier had de mens een biologische klok en het was net alsof die klok nu pas opgewonden was.

Het maanlicht scheen door de voorruit naar binnen en wierp een grijze sluier over het instrumentenbord en over mams. Boran rolde zijn deken op, klom heel stil in zijn stoel voorin en maakte het handschoenkastje open. Onder zijn vraagstukken vond hij de dynamolamp die mams altijd bij de hand hield. Boran stopte ze tussen zijn riem, opende geruisloos de deur aan de passagierskant en klom uit de cabine. Buiten wond hij de dynamolamp op en scheen met de felle licht-bundel in het rond.

De truck stond op een verwaarloosde asfaltweg, die door een weidse woestijnvlakte liep. In de bedding lag een uitgebrand autowrak, dat er erg spookachtig uitzag in het blauw-witte schijnsel van de lamp. Maar Boran was niet bang van spoken, het waren duisterwezens waar hij beducht voor was. Waar ze vandaan kwamen, was een van de grote raadsels. Vast stond dat ze zich overdag ophielden in donkere hoekjes tussen de ruïnes en verzot waren op mensenvlees. Zodra het donker was, kwamen ze tevoorschijn om te jagen, maar waagden zich daarbij nooit ver van hun schuilplaats. Op plekken waar er weinig beschutting was, maakten ze vaak primitieve schuilhutjes, maar Boran zag op het eerste gezicht niets wat daarop leek.

Hij ging op de bumper staan, hees zich omhoog tot op de schuin aflopende motorkap van de truck en kroop op handen en knieën verder omhoog tot vlak voor de voorruit. Daar ging hij zitten, wikkelde de warme deken om zich heen en kruiste zijn benen. Terwijl hij in het licht van de volle maan genoot van de koele avondbries, nestelde hij zich met zijn rug tegen de voorruit van de truck en knipte de dynamolamp uit. Mams had hem daar 's morgens al vaker teruggevonden, in een diepe slaap gedompeld.

En dat was deze keer niet anders geweest, was Boran niet uit zijn mijmeringen gerukt door het aanzwellende gesuis achter hem. Hij draaide zich om, stond op en keek over het dak van de cabine naar achter, waar de weg in de verte stijl naar beneden liep. Daar, bovenaan de volgende heuvel zag hij tientallen bewegende lichtjes schijnen. Wanneer elk lichtje de top bereikte, scheen het even kort in zijn ogen, waarna het aan de afdaling van de heuvel begon. Net mieren met fakkeltjes die over een steen naar beneden klauterden.

Mieren met motortjes, kleine tweetaktmotoren, maar ook zware diesels. Dat kon maar twee dingen betekenen: een karavaan op doortocht, of een piratenbende. Boran liet zich van de motorkap glijden, sprong op de grond en klom de cabine in.

'Mama! Mama!' Hij wist dat hij niet hard moest roepen, want mams sliep nooit vast en was met een ruk wakker. Haar rechterhand had in een reflex al de handgreep van haar Ruger beet.

'Een konvooi!'

Nalea zei niets, maar keek meteen in de zijspiegel, waar de lange sliert lichtjes op de heuvel weerkaatste.

'Shit!' was haar commentaar hierop. Meteen startte ze de truck, maar de motor leek ook te slapen. Hij sputterde wat en stierf weer uit.

Moeder en zoon keken elkaar aan alsof ze zich ervan wilden vergewissen dat ze niet droomden. Het geronk van de motoren groeide aan en achter de witte lichtjes zag Boran nu de silhouetten van de wagens en motoren.

Mams draaide het contactsleuteltje opnieuw om. Weer kwam de motor op gang om vervolgens weer uit te sterven. Stel je voor dat hij de oude startermotor had omgewisseld voor een exemplaar dat nog meer versleten was!

'Kom op, mam!' drong Boran angstig aan, terwijl hij zich weer aankleedde.

'Dat moet je niet tegen mij zeggen,' beet mams hem toe.

Nogmaals draaide mams aan het sleuteltje. Boran kneep zijn ogen stijf dicht en smeekte de oude Scania om haar best te doen. Hij sloeg zijn ogen verbaasd weer open toen de zware dieselmotor op gang denderde... en bleef draaien.

Mams trapte meteen het gaspedaal flink in en met gierende banden schoot de trekker vooruit. Boran werd hard in zijn stoel gedrukt. Met zijn oog op de zijspiegel zag hij de lichtjes nu gevaarlijk dichtbij komen.

'Sneller mam! Ze halen ons in!'

'Ik doe wat ik kan!' Nalea dreef haar truck tot het uiterste, maar een truck is geen sportwagen die optrekt tot honderd kilometer per uur in een paar seconden. Zestien ton in beweging krijgen gaat niet zomaar vanzelf en natuurlijk waren de lichte brommers en buggy's stukken sneller. Met een barbaars geschreeuw van hun berijders raasden de eerste voertuigen voorbij. Een piratenbende!

Boran wist wat hem te doen stond. Hij klom uit zijn stoel, tilde de jerrycans op de vloer tussen de stoelen en klapte de brits omhoog. Eronder was een bergruimte en tussen potten en pannen, een opgerold etui met gereedschap en de door Boran gekoesterde exemplaren van Tom Sawyer, Peter Pan en Harry Potter, lag de antieke Benelli riotgun van paps. Met één hand scheurde Boran een nieuwe doos hagelpatronen open en begon er zeven van in het geweer te laden. Hij had in de loop van de jaren geleerd dit blindelings te doen en hield ondertussen nog steeds zijn oog op de buitenspiegel waarin een omgebouwde buggy op rupsbanden langszij kwam rijden. Het voertuig was helemaal zwart en op de benzinetank prijkte een vreemd symbool: een cirkelzaag met in het midden een starend oog. De gehelmde bijrijder mikte met een raar kanon op de banden van de truck en met een dof gesis van een gasontlading werden tegelijkertijd vier stalen pijlen afgevuurd. De twee linker achterbanden explodeerden met een knal en de truck begon vervaarlijk te schudden.

Mams sleurde aan het stuur in een buitenmenselijke poging het gevaarte onder controle te houden, maar op hetzelfde moment begaven ook de banden aan de andere kant het. Ze waren omsingeld!

Onder het chassis schoten vonken vandaan en klonk het door merg en been snijdende geluid van metalen velgen die over het asfalt schuurden. Boran werd hard achteruit geslingerd. Mams rukte aan het doldraaiende stuurwiel. De buggy kwam ter hoogte van de cabine rijden en het geratel van de rupsbanden overstemde even het geronk van de motor.

Boran greep de riotgun die tegen de passagiersstoel was beland, pompte met twee handen een patroon in de kamer en steunde het zware wapen op de zijruit, terwijl hij zijn gestrekte benen schrap zette tegen de zijdeur. Het was de enige manier voor de jongen om min of meer gericht te kunnen schieten met het zware ding. Maar nog voor hij de trekker kon overhalen, sloegen vier stalen bouten door het plaatstaal van de zijdeur, centimeters van zijn benen. Boran liet zichzelf geen tijd om bang te zijn en haalde verbeten de trekker over. Het schot doorboorde in een regen van vonken de motor van het rupsvoertuig en slingerde Boran met riotgun en al tegen het instrumentenbord aan. Terwijl hij een nieuw patroon in de kamer pompte, keek hij naar zijn moeder, die nat van het zweet met alle macht de bandenloze truck onder controle trachtte te houden.

In de verte scheen een fel licht dat snel dichterbij kwam.

Een wegversperring, schoot het door Borans hoofd. Dwars over de weg, in de koplampen van de naderende truck, stonden twee zwarte buggy's met hetzelfde cirkelzaaglogo op hun flank. Vijf piraten stonden wijdbeens voor en op de voertuigen, hun wapens op de aanstormende mastodont gericht. Boran keek afwachtend naar zijn moeder.

Mams ontkoppelde en begon af te remmen, maar Boran klampte haar angstig aan.

'Nee! Gas geven, mam!'

Nalea schakelde weer naar een hogere versnelling en vloerde het gaspedaal. Stoppen zou de dood van hen beiden betekenen. In een krankzinnige situatie was hard doorrijden de enige kans op overleven. De motor haalde zwaar op en de bandenloze truck denderde met topsnelheid op de wegversperring af. De piraten richtten, mams hield haar koele blik op hen.

'Bukken!' schreeuwde ze boven het gebrul van de motor uit. Boran dook weg onder het instrumentenbord, een seconde voordat de piraten het vuur openden. De voorruit explodeerde in een hagel van scherpe glasbrokjes. Boran telde vijf kogelinslagen voordat de zestientonner zich met een geweldige dreun in de wegversperring boorde. De klap herleidde één van de buggy's tot een hoopje verwrongen metaal en zond brokstukken alle windstreken uit. Als een verfrommeld propje papier werd het voertuig van de weg geslingerd. De tweede buggy werd gegrepen op de neus van de Scania en omhoog gewipt, om vervolgens meters verder weer tegen het asfalt te smakken. De benzinetank barstte open en een vonk uit het vernielde elektrische systeem veranderde het voertuig in een vuurpoel die het nachtelijke tafereel in een oranje gloed hulde. Nalea sleurde aan het stuurwiel in een wanhopige poging om de brandende wrakstukken te ontwijken, maar de truck was onbestuurbaar geworden. Boran voelde hoe de vrachtwagen scherp naar rechts zwenkte. Een laatste dreun toen de zijkant van de truck de brandende buggy een zetje verkocht en het wrak tollend de bedding in zond.

Toen kwam de klap en alles werd donker.

Toen Boran weer bij bewustzijn kwam, wist hij eerst niet waar hij was. Zijn hoofd bonsde als een tamtam en de hele wereld om hem heen was een troebel waas. Lag de trekker nu op zijn kop? Nee, dat was hijzelf! Hij lag onder het instrumentenbord, aan het voeteinde van de passagierskant. Het maanlicht viel door de vernielde voorruit op de lege stoelen boven hem en deed de duizenden glasbrokjes op de vloer en de zittingen schitteren.

'Mam?'

Boran probeerde overeind te komen, maar zijn hele lijf deed pijn en zijn hoofd nog het meest. Toen hij zich moeizaam omhoog hees in de passagiersstoel leek het wel alsof de hele cabine begon te draaien. Hij bracht zijn hand naar zijn voorhoofd in een poging het duizelen te stoppen, maar trok snel terug toen hij een stekende pijn voelde. Hij keek wat verdwaasd naar het helrode bloed op zijn hand. Een knoop van angst trok in zijn maag en zijn ogen vulden zich met tranen, maar hij wiste ze meteen weer weg.

'Mama?'

Boran probeerde zich te oriënteren. De truck had zich met zijn neus in het zand geboord en de hele cabine helde naar voren in een hoek van tien graden. De zijdeur aan de bestuurderskant hing open, mams moest nog in leven zijn.

In de zijspiegel, die helemaal scheef hing, zag Boran drie mannen druk in de weer bij wat overbleef van de andere buggy. Een vierde man kwam erbij staan en hoewel het donker was, zag Boran duidelijk dat dit de leider moest zijn. Hij droeg een breed harnas, vervaardigd uit koetswerkonderdelen en riep streng bevelen naar de andere piraten. Zijn hoofd had een rare vorm, alsof hij een enorme bril droeg en toen de man zich omdraaide, stolde het bloed Boran in de aderen. In het gezicht van de man, op de plek waar normaal zijn ogen zaten, staarde één enkel rood licht zijn richting uit.

De Cycloop, schoot het door Borans hoofd en hij dook weer weg onder het instrumentenbord. Naast de pedalen lag de riotgun, maar het wapen was stuk. Hij was ook geen partij voor een hele bende piraten met automatische geweren. Nog voor hij een schot zou hebben gelost, zou hij tien kogels in zijn lijf hebben. Hij hoorde de donderende stem van de Cycloop bevelen roepen. Boran klauterde overeind en zag twee piraten op de truck afkomen. Op handen en voeten liet de jongen zich langs de passagiersdeur in het zand zakken en kroop tussen de wielen door onder de vrachtwagen. Net op tijd! De piraten klommen in de cabine en haalden alles overhoop. Boran kroop verder onder de truck door. Van hieruit zag hij de voertuigen op de weg staan en in het felle licht van de koplampen liepen schimmen druk heen en weer. Een geboeide gevangene werd ruw in de laadbak van een pick-up truck geduwd. Boran voelde zich ontzettend machteloos, maar wat moest hij beginnen zonder wapens? Maar dat was mams daar en ze stonden op het punt om haar weg te voeren! Nee, hij moest iets doen, anders zag hij haar misschien nooit meer terug. Stilletjes tussen de voertuigen door sluipen tot bij mams, ... ja, dat was een plan.

Boran krabbelde onder de truck uit en liep half gebukt naar de asfaltweg. Het wrak van de buggy verderop bood een goede schuilplaats. Hij was slechts een paar meter van de Scania verwijderd of er klonk geroep. De piraten in de cabine hadden hem gezien. Boran verstond niet wat ze riepen, maar de felle lichtbundel die plotseling in zijn ogen scheen was uitleg genoeg. Zo snel als hij kon zette hij het op een lopen, weg van de piraten en de truck, de zandvlakte in, maar de lichtbundel liet hem niet los en het volgende moment hoorde hij het doffe tikken van een automatisch geweer. De kogels floten om zijn oren en deden het zand achter zijn voeten opstuiven. Boran rende voor zijn leven, terwijl de angst door zijn lichaam raasde als een wild beest. De pijn in zijn hoofd smeekte hem om te stoppen, maar Boran voelde niks meer. Wat hem nu dreef, was het aanhoudende getik van het geweer, het gefluit van de kogels en de wil om te overleven.

Toen de harde klap tegen zijn linkerschouder hem uit zijn evenwicht sloeg, wist Boran dat hij geraakt was. Hij viel languit in het zand. Het vuren stopte en van alle kanten klonk opgewonden geschreeuw. Slechts één stem kon hij duidelijk verstaan: 'Boran!'

Het was mams, haar kreet was hoog, angstig, verstikt door tranen. Boran wou terugroepen dat hij nog leefde, maar het leek of zijn lichaam niet meer mee wilde, alsof het niets liever wilde dan in het zand te blijven liggen, wachtend op het einde. De hele situatie leek hem opeens erg onwerkelijk, net als in een droom, op de verschrikkelijke pijn na, die bij elke beweging heviger leek te worden. Voetstappen kwamen dichterbij en Boran zag door zijn tranen de leren laarzen van de man met het geweer.

'Het is maar een joch!'

Boran voelde ruwe, warme vingers in zijn nek.

'Hij leeft nog.'

'Niet lang meer.'

Boran voelde een hete geweerloop tegen zijn hoofd en sloot zijn ogen. Het zou snel gaan nu.

'Laat hem. Morgen is hij toch dood. Het is hier overdag 60 graden.'

De andere stem, die ongetwijfeld van de schutter was, zweeg. De loop verdween en de voetstappen verwijderden zich weer. Boran bleef liggen, zijn ogen stijf dichtgeknepen. Pas toen het laatste geronk van de motoren in de verte uitstierf, durfde hij ze weer te openen. De horizon kleurde in het oosten zacht oranje, de voorbode van een nieuwe, hete dag. Boran kroop overeind, steunend op zijn goede arm. De andere hield hij strak tegen zich aangeklemd, terwijl het bloed langs zijn elleboog in het zand drupte en er kleine, zwarte kratertjes maakte. Hij bereikte de truck en zakte uitgeput neer tegen de benzinetank. De cabine was helemaal overhoop gehaald en Boran vond zijn mooie boeken her en der verspreid in het zand, weggeworpen als waardeloze rommel.

Hij maakte zijn bandana los en bond hem om zijn arm, net boven de wond, om het bloeden te stoppen. Verlost van zijn vijanden en moederziel alleen, liet Boran nu zijn tranen de vrije loop en huilde zich in slaap.

Hoelang hij geslapen had wist Boran niet, maar hij moest toch zijn ogen afschermen tegen de felle zon, die al hoog aan de hemel brandde. Nog heviger brandde de schotwond in zijn bovenarm, een kloppende, stekende hitte, die tot in zijn elleboog schoot. Zijn onderarm en linkerhand waren koud en gevoelloos, doordat de bandana, die hij er gisteren omheen had gebonden, de bloedsomloop afsloot. Voorzichtig maakte hij de knoop wat losser en hij voelde een warme tintelende gloed door zijn arm stromen. Het bloeden leek gestopt. Gelukkig.

Zijn keel was kurkdroog en zijn lippen leken wel karton. De piraat had gelijk, hij zou toch dood gaan, dus waarom een kogel aan hem verspillen? Maar Boran was niet van plan om zich zomaar gewonnen te geven.

Natuurlijk hadden die smeerlappen alle proviand meegenomen, en zeker het water. Het enige dat hem nu nog restte was het water uit de truck zelf. Het reservoir van de sproeiers was leeg. Dat wist Boran, want het heette verspilling om het waardevolle vocht op de voorruit te sproeien, maar in de radiator zat koelwater. Door de klap hing de motorkap half uit haar hengsels, maar de neus van de truck zat diep in het zand en hoe Boran ook trok en sleurde met zijn ene arm, de motorkap bewoog geen millimeter.

'Fuck!' snikte hij en hij zakte uitgeput op zijn knieën naast het grote voorwiel.

Zijn hoofdwond speelde ook weer op en klopte op het ritme van zijn hartslag. Ook daarboven leek het of iemand een vuur had aangestoken, het teken van een opkomende infectie. Boran klom de cabine in en vond tussen de rommel de verbandkist die mams in de loop van de jaren zelf had samengesteld. Hij schrok toen hij een glimp van zijn eigen bebloede gezicht opving in de zijspiegel. Ja, hij zag er behoorlijk toegetakeld uit. Op de linkerkant van zijn gezicht zaten zwarte strepen gedroogd bloed, afkomstig uit een jaap boven zijn wenkbrauw en ook zijn bovenlip zat onder het bloed. Hij had gisteren niet eens gemerkt dat zijn neus bloedde. Toch zag het er allemaal veel erger uit dan het was.

Hij draaide zijn linkerschouder naar voren, zodat hij de schotwond in de spiegel kon zien. De kogel was er niet doorheen gegaan, maar had een hap uit zijn bovenarm genomen. Niet erg dus, maar het gloeide als gek.

Ontsmettingsmiddel was er natuurlijk niet; alleen een halfvolle fles pure alcohol en Boran hield ze peinzend in zijn hand. Nu was het niet het moment om bang te zijn. Het zou vreselijk prikken, maar het moest gebeuren. Hij ademde even diep, nam een prop watten en doordrenkte ze met de alcohol. Terwijl hij op zijn tanden beet, waste hij de wond schoon en hij vond het eigenlijk wel jammer dat er niemand was om te zien hoe moedig hij was. De wond begon weer een beetje te bloeden, maar hij bond ze stevig af met een drukverband. Ook de snijwond boven zijn wenkbrauw ontsmette hij met alcohol en met dezelfde hoeveelheid moed. En tenslotte, bij gebrek aan water, gebruikte hij het goedje dan ook maar om zijn gezicht te wassen. Boran keurde zijn werk in de spiegel en vond dat hij er minder zwaargewond uitzag dan daarnet.

In het handschoenenkastje vond hij een conservenblik met graankoekjes, die zijn moeder er al een paar maanden bewaarde. De koekjes waren krokant gebleven in het droge klimaat, maar hun lange verblijf met een besmeurde doek had hen de smaak van olie gegeven.

Boran klom weer uit de cabine en ging in het zand zitten, met zijn rug tegen het voorwiel. Eén voor één werkte hij de koekjes naar binnen en probeerde na te denken over wat hem te doen stond. Na de halve dagreis van gisteren was hij zo'n slordige driehonderd kilometer van de uitspanning verwijderd en het zou hem op zijn minst vijf dagen kosten om te voet terug te gaan. In de moordende hitte, zonder één druppel drinkwater, was dit je reinste zelfmoord. Maar hier maakte hij al helemaal geen kans en dus nam hij een wanhopige beslissing en krabbelde overeind. Hij verzamelde zijn leesboeken, die hij al zijn hele leven bezat, en legde ze naast de verbandkist in de truck, voor de eerlijke vinder. Het deed pijn om afscheid van ze te nemen, maar hij kon ze ook niet meenemen.

Het gebarsten asfalt droeg de littekens van gisteren: zwarte strepen van autobanden, uitgekraste lijnen van de velgen van de truck, brokstukken, zwartgeblakerde plekken, een verkoolde onderarm...

En daar stond Boran midden op de weg, zijn benen wat uit elkaar, zijn gewonde arm werkloos naast zijn lichaam. Vastberaden, maar doodsbang keek hij over de zinderende asfaltweg in de richting vanwaar hij met zijn moeder gekomen was, naar de horizon die het landschap bruusk afknipte daar waar de felblauwe lucht begon.

De langste reis begint met de eerste stap, dacht Boran toen hij aan de terugweg begon.

De droge, hete wind blies fijne zandkorreltjes in zijn gezicht, die prikkelden als duizenden naaldjes. De zon meedogenloos brandend op zijn hoofd, het hete asfalt onder zijn voeten, als de bakplaat van een oven... Al na driehonderd meter stopte hij. Het zweet prikte in zijn wonden, liep over zijn gezicht en doorweekte zijn kleren, en de jongen voelde zich als een leguaan, die lag te braden in eigen nat. Hij verloor vocht in een ontzettend tempo...

'Als je zo denkt, zul je het zeker niet halen', zei hij tegen zichzelf. Meteen zette hij er weer flink de pas in, terwijl hij steeds weer in zichzelf herhaalde: 'Ik zal het halen. Ik zal het halen!'. Maar al snel voelde hij hoe hij weer vaart minderde, tot hij stilstond.

Boran keek achterom en zag de truck als een minuscuul stipje in de verte. Nog even doorbijten en hij zou bij de plek komen waar ze gisteravond waren gestopt om te overnachten. Met dat doel voor ogen zette Boran zijn reis met hernieuwde moed verder, maar lang duurde het niet voor de dorst zich liet gelden. Zijn mond en lippen leken van zand en zijn tong voelde als een leren lap. Voor hem strekte zich alleen maar de zinderende asfaltweg uit, zover het oog kon zien. Het was genoeg om ieder mens de moed te doen verliezen. Iedere stap ging moeizamer en Boran voelde zich zwijmelen. Het was met hem gedaan.

Hij zag een groot meer voor zich. Een meer van fris, helder water... Boran nam een heerlijke duik en dronk met diepe teugen. En plotseling was het meer verdwenen, alleen het frisse water bleef en vulde zijn droge mond. Hij sloeg zijn ogen op en werd verblind door de zon. Iemand zat gehurkt over hem gebogen en goot water uit een drinkfles in zijn mond.

Boran schermde zijn ogen af met zijn goede arm om zijn redder te kunnen zien. Het was... een beest! De wasbeer staarde hem onbeschaamd aan en gromde vijandig.

'Af, Bliksem!' beval een jonge stem.

Bliksem? Maar dan... Boran ging moeizaam rechtop zitten.

'Mattia? W-wat doe jij hier?'

De jongen glimlachte een dubbele rij parelwitte tanden bloot.

'Je leven redden zo te zien. Waar is je moeder?'

'M-meegenomen. Ik wou terug naar de uitspanning...'

'In je eentje? Driehonderd vijfentwintig kilometer? Dat is niet dom, dat is debiel. Zelfs Bliksem weet beter!'

'Jaja, ik heb het wel begrepen, hoor!' onderbrak Boran hem beledigd.

'Trouwens, de uitspanning bestaat niet meer', voegde Mattia eraan toe en schroefde de dop weer op zijn lege drinkfles.

'Wat bedoel je?'

'Een paar uur na jullie vertrek stond de bende van de Cycloop aan de poort. Het was ieder voor zich.'

'En Renco?' vroeg Boran verschrikt.

Mattia haalde zijn schouders op en nam Borans linkerarm vast om het bloederige verband te bekijken.

'Erg?'

'Valt wel mee', antwoordde Boran, maar hij schreeuwde hard toen Mattia er aan kwam.

'Fuck! Klootzak! Ben je gek?' riep hij huilend.

'Sorry hoor! Ik ben geen dokter!' verontschuldigde Mattia zich, maar hij ging toch voorzichtiger te werk toen hij het verband losmaakte.

'Jij hebt een knoert van een bewaarengel, weet je dat?' vervolgde hij, toen hij de wond had blootgelegd. 'Heb je het ontsmet?'

Boran knikte.

'Goed. Anders kan het gaan ontsteken of krijg je koudvuur

en dan moet ik je hele arm eraf snijden.'

'Bedankt voor de inlichting', grijnsde Boran zuur.

'Waar is jullie truck?'

Boran wees in de richting waar hij vandaan kwam.

'Rijdt hij nog?'

Nu was het Borans beurt om zijn schouders op te halen. Als de motor het nog deed, zouden ze zonder banden toch niet ver geraken.

'Op mijn reactorbrommer zijn we toch veel sneller', besloot Mattia. Hij hielp Boran overeind en ondersteunde hem een eindje tot de jongen zeker was dat het alleen ging.

'Ik dacht dat je van Renco geen kerosine kreeg?' realiseerde Boran zich. 'Hoe ben je dan tot hier geraakt?'

'Soms moet je van de chaos gebruik maken om te pakken wat jou toekomt', antwoordde Mattia.

'Dat is diefstal!'

Mattia grinnikte en keek Boran hoofdschuddend aan.

'Dat is gezond verstand.' En hij tikte met zijn wijsvinger tegen zijn voorhoofd.

Boran ging achter Mattia in het zadel van de reactorbrommer zitten en keek opeens erg bedrukt.

'Er waren kinderen in de uitspanning, Mattia. Baby's.'

Mattia knikte somber. 'Het was gewoon een kwestie van dagen voor de Cycloop zou aanvallen. Hij heeft overal spionnen, weet je.'

'Daardoor wist hij dat we water hadden', redeneerde Boran hardop.

Mattia wou de starterknop indrukken, maar zijn hand stopte halverwege. Hij draaide zich om en keek Boran vreemd aan.

'Hoeveel hadden jullie bij?'

'Twee jerrycans van tien liter.'

'Vind je dat ook niet raar?'

'Wat zou ik er raar aan moeten vinden?'

'Dat de Cycloop jullie driehonderd kilometer achterna komt voor twintig liter water, terwijl hij er net vierhonderdduizend heeft buitgemaakt?'

Boran zweeg en Mattia schakelde de navigatiecomputer in op het instrumentenbord.

'Tenzij hij jouw mammie moest hebben.'

'Wat bedoel je?'

'De bende van de Cycloop neemt nooit gevangenen, ... behalve als ze levend meer waard zijn dan dood.' En met deze woorden drukte hij op de starterknop en de machine kwam op gang met een oorverdovend geraas.

3. Verloren herinneringen

Boran had nog nooit op een machine gezeten die zo snel kon gaan. Hij voelde de pure kracht in zijn hele lijf en hij hield Mattia stevig vast om er niet af te vallen. De hete wind sneed hem bijna de adem af en het opstuivende woestijnzand prikkelde zijn armen en gezicht. Bliksem loerde veilig over de rand van de zadeltas achterop naar het voorbijschietende landschap. Waar de truck een halve dag over had gedaan, deed de reactorbrommer in minder dan twee uur en in de late middag was Boran weer waar hij de dag voordien vertrokken was: de poort van de uitspanning.

De plek was bijna niet meer te herkennen. De reusachtige stalen poort stond wagenwijd open en werd geblokkeerd door het karkas van een uitgebrande auto. De huizen waren geplunderd en het grootste deel was uitgebrand. Er heerste een doodse stilte over het zachte ruisen van de koele avondwind en het zoemen van de insecten.

Mattia laadde zijn kruisboog en Boran liep een beetje aarzelend achter hem.

'Denk je dat ze er nog zijn?'

'Dat zullen we snel genoeg weten. Blijf dicht bij mij.'

Boran deed wat de oudere jongen hem opdroeg en volgde

hem door de verlaten straten en langs zwartgeblakerde muren. Overal lagen lijken, mannen en vrouwen die de uitspanning tot het bittere einde hadden verdedigd; hun gezichten nu bespikkeld met ijverige vliegen. Af en toe knielde Mattia even naast een lichaam en legde zijn hand in de nek, waarna hij steeds weer hoofdschuddend opstond.

'Waar zijn de kinderen?' vroeg Boran terwijl hij om zich heen keek.

Mattia haalde zijn schouders op. Misschien hadden een aantal volwassenen zich over hen ontfermd en waren ze op tijd kunnen ontkomen?

De boomgaard was er niet veel beter aan toe dan de rest van de uitspanning. De piraten hadden zich afgereageerd op de serres en er was geen enkel raam meer heel. De groenten en het fruit waren vertrapt en de watertoren lag verwrongen en geblutst op zijn zij. De grond in de boomgaard was herschapen in een modderpoel en de jongens keken machteloos toe hoe de laatste restjes van het kostbare vocht in het zand verdwenen. Bliksem ploeterde onwennig met zijn zwarte sokjes in de modder, die doorgroefd was met diepe bandensporen van de tankwagens die het water hadden overgepompt.

Boran duwde de deur van Renco's huis open. De schamele inboedel lag overhoop, alles was kort en klein geslagen en het keukentje was vernield. Bliksem trippelde nieuwsgierig voorop, zijn spitse snuit sniffend in de lucht.

'Je hoeft het gevaar niet te zoeken, Boran', zei Mattia. Hij maakte aanstalten om weer naar buiten te gaan, maar Boran ging verder binnen. Mattia zuchtte en volgde hem. Voor ze de woonkamer binnengingen, verzekerden ze zich ervan dat de kust veilig was. Ook hier was alles stukgeslagen, nergens een spoor van leven.

'Oh, fuck!' riep Mattia ineens ontzet uit. Onder de servieskast had hij een arm gevonden, maar toen hij zag dat er kabels en stangen uitstaken, in plaats van een bloederige stomp, ontspande hij een beetje. Boran daarentegen rende zonder een woord naar de oude kast en trok de deur open. Renco's hoofd lag op het bovenste rek, samen met de andere arm. Zijn benen waren onderin de kast gepropt en zijn lichaam was opengesneden en de elektronica binnenin vernield. Zijn ogen waren open en staarden Boran aan. Een groen, olieachtig mengsel sijpelde uit zijn mond, neus en oren.

'He-e-e-e-lp me-e-e-e Borrrrr-aaan.'

De jongens deinsden verschrikt achteruit toen het hoofd begon te spreken. Renco's digitale stemsynthese was stuk en zijn stuiterende, metaalachtige stem, ontdaan van elke menselijkheid, schoot van hoog naar laag als een puber.

'Renco! Je leeft nog!'

'Iiiiiiiiiiik ssssssmeek je! Sssssschak-k-k-k-kel me uuuuuuuuit!'

'We kunnen je herstellen, Renco', probeerde Boran hem te sussen. 'We nemen je onderdelen mee en we zoeken iemand die je kan herstellen!'

'Het issssss de pijn, Boraaaaaaan. De p-p-p-p-p-pijn.'

'Maar je kent geen pijn! Je hebt zelf gezegd dat pijn schadelijk is, dat je het alleen kunt voelen door kortsluitingen te veroorzaken in je circuits.'

'Wat denk je dat dit is?' wees Mattia op de knetterende draden, die uit Renco's hoofd hingen. Doe wat hij vraagt, Boran. Verlos hem uit zijn lijden.'

'Renco!' drong Boran aan. 'Vertel me wat mama moest doen in ruil voor het water!'

'D-d-d- - kaaaaarrrrt.'

'Wat? Welke kaart?'

Een vonk schoot uit Renco's linkeroor en de robot uitte een gekrijs dat angstwekkend veel op het gehuil van een baby leek.

'Laat hem gaan, Boran', zei Mattia zacht, maar Boran luisterde niet; wilde niet luisteren.

'Welke kaart?' drong hij aan.

'Z-z-zout-t-t. Drrrink-k-kwat-t-t-er.'

'Zout drinkwater?'

Boran keek naar Mattia, maar de oudere jongen schudde het hoofd.

'Schakel hem uit, Boran. Je rekt alleen zijn lijden.'

'We moeten iets kunnen doen. Hij is de enige die mijn grootvader heeft gekend. Al die herinneringen, de beelden, de dromen, ...'

'Ze zitten in j-j-j-j-jouw hoooooofd', stuiterde de artificiële mens. Er volgde een mechanische zucht, die Boran deed denken aan een gewond dier. Mams had vorig jaar met de truck een zwerfhond aangereden. Het beest lag te zieltogen langs de kant van de weg en jankte hartverscheurend, terwijl het Boran en Nalea smekend aankeek. Ondanks Borans smeekbeden had mams haar Ruger genomen en de hond met een welgemikt schot uit zijn lijden verlost. Boran zag dezelfde ogen in de glazen lenzen van Renco. Als de artificiële mens echt pijn leed, dan was het Borans taak om het te stoppen, zelfs al was het geen pijn zoals mensen van vlees en bloed die kennen.

Mattia leek zijn gedachten geraden te hebben en richtte zijn kruisboog.

'Mattia, wacht!'

Maar Mattia had de trekker al overgehaald. De stalen bout doorboorde Renco's voorhoofd met zo'n kracht, dat zijn schedel achteraan openbarstte in een explosie van glinsterende stukjes flinterdun siliciumstof: deeltjes van Renco's elektronische brein. Voor Boran was het een regen van verloren herinneringen. Renco was niet meer en zou nooit meer zijn.

Mattia liet zijn kruisboog zakken.

'Dank je, Mattia', zei Boran stil. Hij klemde de honden-penningen in zijn hand. Ze waren hem dierbaarder dan ooit.

De jongens begroeven de artificiële mens in de boom-gaard. Een waardige, menselijke begrafenis was het minste dat ze hem konden geven. De hele tijd zei Boran geen woord en Mattia voelde met hem mee. Hij moest iets bedenken om hem op te beuren.

De mannen van de Cycloop hadden het oefenterrein ook ontdekt en er zich op uitgeleefd. De doelschijf lag in twee stukken in het verdorde gras en het schuilhutje was herleid tot een hoop brandhout. De zandzakjes hingen nog steeds aan de takken. Waarschijnlijk wisten de piraten niet waar ze voor dienden en hadden ze ongemoeid gelaten. Bliksem was bovenop een boomstronk geklommen en genoot met zijn snuit in de lucht van de koelte die nog steeds tussen de bomen hing.

Mattia plantte zijn kruisboog met de neus in het zand, zette zijn voet in de beugel en trok de pees uit alle macht achteruit om ze achter het mechanisme te klemmen. Hij toverde een bout uit zijn gordel en legde hem in de groef, waarop hij Boran vroeg om een duw tegen een van de zandzakjes te geven. Dat deed de jongen en zodra hij weer veilig achter hem stond, zette Mattia de kolf van de kruisboog tegen zijn schouder en richtte het wapen zoals je een jacht-geweer richt, maar dichter bij zijn lichaam. Zijn blik volgde nauwgezet het wiegende zandzakje. Een korte klik, de stalen bout suisde door de lucht, reet het zandzakje volledig uiteen en plantte zich verderop met een doffe tik in de stam van de boom.

Al wat er van het doelwit overbleef was een slap stukje jute aan een touwtje. De inhoud lag eronder verspreid in het gras.

'Wauw!' riep Boran uit.

Mattia liet de boog zakken en keek tevreden naar het resultaat. Dat was vooral de glimlach die weer op Borans gezicht was verschenen.

'Jouw beurt.'

'De mijne?' vroeg Boran verbaasd.

Mattia hield hem zijn kruisboog voor en Boran nam het wapen aarzelend aan. Onder Mattia's aanwijzingen spande hij de boog, laadde de bout en legde aan. Hij mikte op een van de resterende zandzakjes en drukte af. Maar in plaats van recht in het zandzakje te gaan, suisde de bout totaal uit zijn koers en plantte zich in het zand.

Mattia keek smalend naar Borans resultaat.

'Mams hield altijd mijn armen vast bij het richten', probeerde Boran zijn schot te verklaren.

'Hield ze ook je pik vast bij het pissen?' lachte Mattia.

Het was eruit voor hij het goed en wel besefte en hij dook weg toen zijn kruisboog naar hem werd gekeild. Toen hij opkeek was Boran verdwenen.

'Shit!' vervloekte Mattia zichzelf.

Het was Bliksem die Boran het eerst vond, zittend op een houten balk voor de ingestorte kerk. De jongen staarde afwezig voor zich uit en keek verrast op toen de wasbeer aan zijn hand snuffelde. Nu zag hij Mattia ook. Zonder een woord ging hij naast Boran zitten. Die zei ook niks en liet Bliksem geduldig zijn hand likken.

'Dat was rot van me', zei Mattia stil. 'Het spijt me.'

Boran keek hem weer aan en Mattia zag zijn waterige ogen.

'Ik wil haar terug, Mattia.' Borans stem trilde en zijn linkeroog overstroomde langs zijn wang.

'We halen haar terug, Boran. Dat beloof ik.'

Boran veegde een beetje beschaamd zijn gezicht droog met zijn handen en stond op.

'Wel?' vroeg hij een beetje hautain neerkijkend op Mattia.

'Wel wat?'

'Ga je me nog leren schieten?'

Met zijn eigen armen ondersteund door die van Mattia, richtte Boran nu vastberaden op het wiegende zandzakje. Zijn wijsvinger rustte tegen de trekker, met net niet genoeg kracht om hem over te halen. Toen hij de bewegingen van het zandzakje kon voorspellen, wist Boran dat hij niet kon missen en haalde de trekker over. De bout doorboorde netjes het zandzakje, waardoor de inhoud nu in een dun straaltje naar de grond sijpelde.

'Niet slecht', prees Mattia terwijl hij Boran losliet.

'Niet slecht? Als dat de Cycloop was, dan had hij nu een gaatje in zijn pens!'

'Ja, maar ik zal er niet altijd zijn om je armen vast te houden.'

'En ik zal niet altijd een slappe baby blijven', lachte Boran.

De nacht viel en Boran, Mattia en Bliksem maakten een kampvuur in de boomgaard. Mattia had een paar leguanen willen schieten, maar kwam ontmoedigd terug met twee schorpioenen, die hij met Bliksems hulp had kunnen vangen.

Boran trok een grimas toen Mattia de wriemelende beestjes aan een scherpe stok reeg, maar goed doorbakken smaakten ze niet eens zo slecht.

Na het eten spreidde Mattia een deken gemaakt van hondenvellen uit naast het vuur.

'Mijn slaapzak ligt nog in de truck', zuchtte Boran.

'Eén van ons moet toch de wacht houden', zei Mattia. 'Maak me wakker als de maan boven de eik staat.' En met deze woorden trok hij zijn kleren uit en kroop onder de warme deken.

'Dan zullen wij de wacht maar houden, zeker?' zei Boran tegen de wasbeer. Bliksem zette zijn kopje schuin en draaide zich om, waarna hij bij Mattia onder de deken verdween.

'Ik vraag me af wat Renco met die kaart bedoelde', zei Boran terwijl hij naar de sterren staarde. 'En zout drinkwater, dat bestaat toch niet?'

Mattia sliep nog niet en draaide zich naar Boran.

'Hij lag in gruzelementen. Er kwam alleen wartaal uit. Breek er je hoofd niet over. Het belangrijkste is dat we nu kerosine vinden, zodat we de bende achterna kunnen.'

Boran keek ongerust op.

'Bedoel je dat we... achter de Cycloop aangaan?'

'Hoe wou je anders je moeder bevrijden? Elke minuut wordt de kans groter dat ze hem vertelt wat hij wil weten.'

'Dan ken je mijn moeder nog niet', zei Boran, maar erg zeker klonk het niet.

Toen hij Mattia vredig hoorde ademen, kroop hij wat dichter bij het vuur met zijn knieën tegen zijn borst. Mattia's kruisboog lag binnen handbereik, maar hij hoopte dat hij hem niet nodig zou hebben.

Boran schrok wakker toen iemand hem hard tegen zijn achterste schopte. Hij was in de loop van de nacht omgevallen en lag als een marmot opgerold in het zand.

Verschrikt krabbelde hij overeind, want Mattia keek streng op hem neer.

'Mooie wacht ben jij!'

'Shit! Sorry, Mattia. Ik ben in slaap gevallen.'

'Nee, werkelijk? Ze hadden ons al tien keer de keel over kunnen snijden! Je hebt geluk dat ik op tijd wakker ben geworden. Toen ik merkte dat je lag te snurken, heb ik het van je overgenomen.'

'Is er iets gebeurd?' mummelde Boran terwijl hij een geeuw trachtte te onderdrukken.

'Nee.'

'Wat sta je dan te zeuren?'

Mattia rolde met zijn ogen.

'Ik heb ondertussen de boel wat verkend.'

Hij wierp een stevige houten kruisboog in het zand voor Borans voeten.

'Voor mij?'

Mattia knikte. 'Onder de kerk ligt een heel arsenaal, genoeg om de vierde wereldoorlog te beginnen. Goed verstopt, maar niet goed genoeg. Alle vuurwapens zijn weg.'

'En kerosine?'

Mattia kneep er een zuur glimlachje uit. 'Vijf tanks van dertigduizend liter... leeg. Ze hebben alles gebruikt om de boel mee in de hens te steken.'

Mattia ging ontmoedigd op zijn deken zitten. Boran bestudeerde zijn nieuwe kruisboog in het licht van het vuur. Het was een prachtige boog, met een gloednieuwe synthetische pees, maar bovenal was hij erg licht en hij kon hem bijna met één arm richten. In een opgerold stuk doek, zaten tien stalen kruisboogbouten.

'Er is een grote stad zo'n tweehonderd kilometer hiervandaan', zei Boran.

'Perris', knikte Mattia op een toon alsof het noemen van de naam zelf een argument was om er niet naartoe te gaan.

'Wat is er mis mee?'

Mattia keek hem verbaasd aan. 'Wat is er mis mee? Als er een hel zou bestaan, dan komt dit gat er verdomd dichtbij. Het hele grondgebied is verdeeld over verschillende bendes, die constant oorlogje spelen en in het centrum zitten misdadigers van de ergste soort.'

'Het zit er vast ook vol duisterwezens', bedacht Boran.

Mattia knikte.

Mams zorgde steeds dat ze ver uit de buurt bleven van plekken waar deze monsters zich schuil hielden, maar dat had niet belet dat ze er op hun reizen toch al meer dan genoeg hadden ontmoet. Het waren afzichtelijke wezens met een groene geschubde huid, groen oplichtende oogjes en een vervaarlijk gebit met puntige tanden. Ze leefden meestal in kuddes en als je in hun hinderlaag viel, dan was het meestal snel afgelopen. Het was nog een goede reden om ver weg te blijven van de verwoeste steden.

'Hoeveel kerosine heb je nog?'

'Niet genoeg. Ik heb het grootste deel verbruikt door naar jou op zoek te gaan.'

'Nou, daar heb je het dan. We hebben geen keus, want zonder kerosine kunnen we toch niet verder!'

'Wat weet jij van Perris?'

'Misschien niet zoveel als jij. Maar ik weet wel dat ik door de hel wil gaan om mijn moeder terug te krijgen.'

'Goed. Jij je zin', besloot Mattia. 'Maar ik neem de leiding.'

Boran knikte. Hij had niet liever dan dat de oudere jongen de leiding nam, zeker als Perris was zoals Mattia beweerde.

'Het is belangrijk dat je de juiste mensen aanspreekt', vertelde Mattia, terwijl ze hun geïmproviseerde kamp opbraken.

'En hoe weet je of het de juiste zijn?'

'Zoiets voel je. Hier, drink op!'

Hij gaf Boran een halfvolle drinkfles.

'Maar dan hebben we niks meer!'

'Je wilt toch niet dat ze er in Perris achter komen dat we water bij ons hebben? Het is beter dat we het nu allemaal opdrinken. We hebben het nodig.' Mattia zette hierop de andere drinkfles aan zijn lippen en dronk hem bijna helemaal leeg. De rest goot hij in de palm van zijn hand zodat Bliksem zijn dorst kon lessen.

Boran schroefde nu ook de dop van zijn drinkfles en volgde Mattia's voorbeeld. Het was erg lang geleden dat hij nog zo had kunnen doordrinken. En het proefde als een hemelse oase.

Zodra hij op het vlakke wegdek kwam, activeerde Mattia de straalmotor en duwde met zijn duim de toerentalregelaar langzaam naar boven. De turbine onder Borans rechterbeen begon te gillen en de jongen voelde hoe hij achteruit werd geduwd door de versnelling. Met zijn goede arm omklemde hij stevig Mattia's middel. Met deze snelheid zouden ze er in minder dan een uur zijn.

Mattia was een en al concentratie en slalomde langs de autowrakken, die langs de autosnelweg en in de tunnels stonden. Hij nam niet de normale afrit, die direct naar het stadscentrum leidde, maar reed van de weg af. Even later zag Boran ook waarom: de weg was verderop gebarricadeerd met brokstukken en autowrakken, restanten van een of andere belegering. Mattia's keuze was ook niet ideaal, want de buitenwijken van Perris waren een heus hindernissenparcours. Autowrakken, boomstammen, brokstukken, meubilair... met die snelheid waren het dodelijke obstakels. Maar Mattia bleek een ervaren rijder en had volledige controle over zijn machine. Net toen Boran dacht dat de reis goed verliep, begon de straalmotor opeens te sputteren en gaf uiteindelijk helemaal de geest. Langzaam bolde de reactorbrommer tot stilstand.

'Shit! Shit! Fuck! Shit!'

'Start hem eens opnieuw?' vroeg Boran hoopvol.

'Het heeft geen zin.' Mattia wees naar het groen verlichte metertje dat op nul stond. Een rood lampje flitste met tussenpozen aan en uit. 'Kerosinepech'.

'Wat doen we nu?'

'Tenzij jij kerosine kunt pissen, zullen we moeten duwen. Het is nog een kleine vijftien kilometer. Tegen de middag zullen we er misschien zijn.'

Er zat inderdaad niets anders op. De jongens stapten af en samen duwden ze de zware reactorbrommer voort door de verlaten straten. Bliksem loerde uit de zadeltas als een kapitein op de brug van zijn schip. Gelukkig was het nog koel en aangezien ze allebei genoeg water gedronken hadden, woog de voettocht niet te zwaar.

De zon liet zich alweer gelden toen de vernielde torens van de stad in zicht kwamen en even later duwden Boran en Mattia de reactorbrommer door de spookachtige lanen van de stad, langs afbrokkelende gevels en met graffiti besmeurde muren. Hier en daar stonden brandende olievaten, die 's nachts de enige straatverlichting waren en een beetje warmte boden aan de minst fortuinlijke bewoners van de stad, die als beesten in holen en rioolpijpen leefden.

Alle huizen, winkels en kantoren waren decennia geleden geplunderd en de meeste andere gebouwen lagen in puin. Er was geen levende ziel te bekennen, maar toch had Boran het beklemmende gevoel dat ze door tientallen ogen werden gadegeslagen. Hij hoopte alleen dat het geen duisterwezenogen waren.

4. Een engel in de hel

Hoe dichter de jongens het centrum van de stad naderden, hoe meer volk ze tegenkwamen: ongure types, die de twee knapen grimmig aanstaarden en er niet voor zouden terugdeinzen om hen als schietschijf te gebruiken, gewoon voor de lol. Maar Boran zag ook bleke vrouwen met uitgemergelde kindjes en mensen die als zielige hoopjes ineengezakt lagen tegen een muur, wegterend aan stralingsziekte en wachtend op het verlossende moment van de dood.

Op de hoek van een grote winkelstraat ketende Mattia zijn reactorbrommer stevig vast aan een autowrak.

'Niemand aankijken', waarschuwde hij, terwijl hij Bliksem uit de zadeltas tilde. Boran bleef dicht bij hem, want de vijandige blikken maakten hem bang en radeloos en zodra hij zijn moeder had gevonden, wilde hij hier zo snel mogelijk weer weg.

De brede straten werden afgelijnd door uitgebrande ruïnes en waren bezaaid met puin en verroeste autowrakken.

'We moeten oppassen voor scherpschutters', waarschuwde Mattia. 'Ze maken er een sport van om vanuit de gebouwen te schieten op alles wat beweegt.'

Overal hing een misselijkmakende stank van verrotting door de lijken die her en der in de straten lagen. Onder een gekanteld reclamebord stak een blote voet uit, asgrauw en ontsierd met zwarte vlekken. Boran keerde zijn gezicht af toen hij een grote rat zag knagen aan de stomp.

Mattia riep Bliksem streng terug. Hij moest er niet aan denken dat zijn vriend een of andere dodelijke ziekte zou oplopen.

De sjieke kledingzaken met hun grote etalages boden nu onderdak aan mensen van allerlei slag, die zich verwarmden aan miezerige vuurtjes, gestookt in een ijzeren prullenbak of een olievat. De naakte en vaak half gesmolten mannequins keken neer op de ellende met een brede glimlach.

Op een plein bij een uitgebrand museum, hadden ze een adembenemend uitzicht over de verwoeste stad. Vlakbij lagen de resten van een immense ijzeren toren, die door de hitte door zijn onderstel was gezakt.

'Zin in een lekkere wip, jochies?'

Er was een dwerg naar hen toe gekomen, die twee geboeide meisjes van ongeveer vijftien jaar aan een touw meesleurde als hondjes.

'Voor een volle drinkfles krijgen jullie ze alle twee.'

'Scheer je weg, lul!' schold Mattia. Hij pakte Boran stevig bij de hand en liep in een grote boog om de meisjes heen. 'Als je daarop ingaat, is het gegarandeerd je laatste keer', zei hij tegen Boran. De meisjes hadden namelijk allebei de builenpest en waren ten dode opgeschreven. En zo ook iedereen die met hen in contact kwam.

Boran had medelijden met hen, maar Mattia schonk aan al die ellende geen aandacht. Het was nu eenmaal niet anders en wie medelijden toonde in deze wereld, zou niet lang leven.

'Bingo!'

Mattia wees naar een van de brede lanen die op het plein uitkwamen. Boran wist eerst niet waarover hij het had, maar toen zag hij de stoffige buggy staan, rechtover een gore kroeg. Het ding had een grotere straalmotor dan Mattia's reactorbrommer en op de zijkant van de motor was in sierlijke letters de naam 'LESLIE' geschilderd. Maar wat Boran tegelijkertijd met angst vervulde en met hoop, was het witte cirkelzaaglogo met het starende oog op de brandstoftank.

Mattia had het ook gezien, maar zei niets. Uiterst omzichtig slopen ze om de verlaten auto heen. Mattia tikte onopvallend met zijn vinger tegen de kerosinetank. Het doffe geluid toverde een grijns op zijn gezicht.

'Geef me die jerrycan, Bor!'

Hij wees naar de legergroene jerrycan, die met een touw aan het frame van de buggy was vastgesjord.

'Wat ben je van plan?'

'Wat denk je?'

'Ik denk dat je gek bent!'

'Hou liever een oogje in het zeil en geef me nu eindelijk die jerrycan!'

Boran voelde dat dit een slecht idee was, maar toch maakte hij de jerrycan los en gaf hem aan Mattia. De jongen toverde als een goochelaar een plastic darmpje uit zijn broekzak en liet het onopvallend in de kerosinetank glijden. Het andere uiteinde nam hij tussen zijn lippen en hij zoog tot Boran de brandstof door het darmpje naar boven zag floepen. Een flits van glanzend staal in het zonlicht en de helft van het plastic buisje viel op de grond. Mattia keek met een ruk op, het afgesneden uiteinde van het darmpje nog steeds tussen zijn lippen. Boran zag doodsbleek. Hij werd in een stevige wurggreep gehouden en hetzelfde vlijmscherpe mes dat het buisje had doorgesneden, zat nu tegen zijn keel aan.

'Kleine dieven!' sneerde een vrouwenstem. Boran kon niet zien wie hem in een dodelijke greep had, maar het feit dat het een vrouw was, vond hij toch een beetje geruststellend - een heel klein beetje.

Bliksem sprong bovenop de tank van de buggy en gromde zijn scherpe tandjes bloot naar de aanvalster.

Mattia dacht aan zijn kruisboog, maar hij zag dat de situatie te hachelijk was voor Boran. Dat mens was verdomd snel! Verslagen stak hij zijn handen in de lucht als teken dat hij zich overgaf.

'Hou dat mormel in toom, of ik maak er een muts van!' snauwde de vrouw opnieuw.

'Af, Bliksem!' beval Mattia.

Het diertje keek zijn baasje even verwonderd aan en sprong vervolgens op de grond. Toch lieten zijn gemaskerde kraaloogjes de vrouw niet los.

Ze had lang donkerbruin haar in een paardenstaart gebonden en droeg een kaki topje zonder bh - dat had Mattia meteen gezien. Maar haar strakke blik en haar gespierde lichaam lieten vermoeden dat ze geen doetje was. Mattia was al aan het broeden op een ontsnappingsplan, maar besloot dat het voorlopig beter was om zich naar haar bevelen te schikken.

Ze liet Boran los en duwde beide jongens ruw voor zich uit. Boran tastte naar zijn keel en schrok toen zijn vingers bebloed waren. Het mes was zo scherp dat hij niet eens had gevoeld dat het een klein sneetje onder zijn adamsappel had gemaakt.

'Doe wat ik zeg en geen trucjes!' beval de vrouw.

Ze bracht hen naar de kroeg aan de overkant van de straat. Dat was toch in elk geval wat het nu was, want de kapotte lichtreclame boven de deur had het over een reisbureau. Een mist van rook hing over de tafels en uit een kleine cassette-recorder, die met een stuk touw bijeen werd gehouden, schetterde loeiharde rockmuziek. De mannen aan de bar keken niet op toen de vrouw met haar twee jonge gevangenen binnen kwam. De meesten waren ook te dronken om nog te reageren.

Ze leidde de jongens naar een tafeltje achterin en beval hen om te gaan zitten. Boran en Mattia gehoorzaamden en namen naast elkaar plaats op een gammel bankje. Bliksem sprong op Mattia's schouder en begon weer te grommen, maar de jongen legde hem meteen het zwijgen op en zette de wasbeer naast zich op de bank. De vrouw ging tegenover de twee jongens zitten en Boran zag dat ze anders was dan het andere volk dat hier rondliep. Ze was niet ouder dan twintig en kon eigenlijk nog best een meisje genoemd worden. Ze borg haar grote mes weer op, maar haar rechterhand bleef onder de tafel. Met haar linkerhand rolde ze bijzonder handig een sigaret met een vreemd soort gras – tabak was allang niet meer te krijgen – en ze stak hem op met een lucifer, terwijl ze de beide knapen, en vooral Mattia, streng aanstaarde. De jongen staarde onbeschaamd terug.

'Ik ben niet bang van jou!' zei hij dapper.

78

Het meisje vertrok geen spier en antwoordde: 'Ik heb onder de tafel een Colt Anaconda tussen je benen gericht, zodat ze hier straks pruimenpuree kunnen serveren als je ook maar één verdachte beweging maakt. Ben je daar bang van?'

'Ik geloof je niet', sneerde Mattia, maar hij probeerde alleen maar de schijn op te houden, want hij kon er zich zo op het eerste gezicht niet van vergewissen of het waar was of niet.

Het meisje zei niets, maar lurkte erg sexy aan haar sigaret, waarna ze de rook nonchalant in zijn gezicht blies. De jongen probeerde zich met alle geweld in te houden, maar moest uiteindelijk toch hoesten. Bliksem dook met een piepend kuchje weg achter de rug van zijn baasje.

'Wat ga je met ons doen?' vroeg Boran, die zijn mond weer open durfde te doen nu het vreselijke mes was verdwenen.

Het meisje keerde zich nu naar hem en de scherpe rook prikte in zijn ogen en keel, waardoor hij geen woord meer kon uitbrengen. Ze toverde een glanzende Colt Anaconda van onder de tafel en deponeerde de revolver voor haar op het tafelblad zonder de greep te lossen. Mattia's mond viel open, want het was een kanjer van een vuurwapen met een loop van meer dan vijftien centimeter. Je kon zo de .44 Magnum kogels zien zitten in de cilinder.

'Dieven knal ik meestal hun stomme kop eraf...', zei het meisje, 'Of iets anders, want met een kaliber als dit kun je geen fijn werk verrichten.' Ze pauzeerde even om een nieuwe trek van haar sigaret te nemen en Boran keek gefixeerd naar de opgloeiende tip.

Ze blies de rook deze keer naar boven, waar hij wervelend langs de magere gloeilamp verdween, en keek dan weer naar haar vangst. Voor het eerst zagen de jongens haar mondhoeken omhoog gaan in een brede glimlach.

'Wees gerust. Ik dood geen kinderen', zei ze tenslotte.

Een enorme opluchting trok door Boran heen en hoewel hij het niet duidelijk zien kon, wist hij zeker dat Mattia hetzelfde voelde.

'Maar wat doen jullie hier in Perris?'

'Gaat je niks aan', antwoordde Mattia, die zich weer zeker voelde.

'Ook goed. Ik ken genoeg mensen die fortuinen neertellen op de slavenmarkt van Barkel voor jochies met zulke gave tandjes.'

Meteen sloten Boran en Mattia allebei hun mond.

'We zoeken jouw leider, de Cycloop', zei Boran ten slotte.

Het meisje keek de jonge knaap zo stomverbaasd aan, dat haar sigaret bijna uit haar mond viel. Toen begon ze te gieren van het lachen.

'Ik snap het al', schokte ze. 'De buggy, het logo, ... Die heb ik gepikt. Op zijn wagens staat mijn naam niet.'

'Jij heet Leslie!' besloot Mattia verrast.

'Wat een genie ben jij!' grijnsde Leslie.

'Jij hoort niet bij de bende?' vroeg Boran een beetje teleurgesteld.

'Ik ben hun ergste nachtmerrie. Een griet met hersens. Waarom willen jullie hem zo graag zien? Hij valt op vrouwen, hoor!'

'Hij heeft mijn moeder', zei Boran stil. 'En ik wil haar terug!'

Er viel een stilte, tenminste, als je het stil kon noemen in een kroeg als dit.

'Ik wist echt niet dat die buggy van jou was', zei Mattia op verontschuldigend toontje.

'Laat maar', zei Leslie nu zacht. 'Zeg me liever wie jullie zijn.'

De jongens stelden zich om de beurt voor.

'Zo, Mattia en Boran', sprak Leslie. 'Nu we elkaar kennen als collega-dieven, wil ik voorstellen om jullie te helpen.'

'Ons helpen? Waarom?' vroeg Boran.

'De vijanden van mijn vijanden zijn mijn vrienden', antwoordde ze.

'En hoe weten we of we jou wel kunnen vertrouwen?' vroeg Mattia.

'Heb ik je pruimpies eraf geschoten?'

'Euh nee, maar misschien heb je wel een veel ingewikkelder plan, om ons naar de Cycloop te brengen in ruil voor een beloning of zo.'

'En hoe weet Boran hier dat hij jou wel kan vertrouwen?'

'Hij heeft mijn leven gered', argumenteerde Boran.

Leslie knikte begrijpend. 'Voordat jullie over me oordelen, wil ik dat we elkaar beter leren kennen.'

'Lijkt me interessant!' glunderde Mattia met zijn blik op Leslies boezem. Maar Boran gaf hem een stomp.

'Zo bedoelt ze het niet, Mattia!'

Leslie glimlachte, keek om zich heen en dempte haar stem voordat ze verder ging.

'Wat denken jullie van een maaltijd met vlees, groenten

en fruit en zoveel water als jullie maar op kunnen?'

Een glimlach vulde Mattia's gezicht. 'Wie moeten we daarvoor vermoorden?'

'Niemand, maar jullie moeten wel van mijn kerosine afblijven.'

Even later reden Boran, Mattia en Bliksem met Leslie in haar buggy door de stad. De reactorbrommer was achterop stevig aan het frame bevestigd.

'Waar woon je?' schreeuwde Boran boven het gegil van de straalmotor uit.

'Dat zul je wel zien', schreeuwde Leslie terug.

Ze reden verder het centrum uit langs een grote asfaltweg vol putten, die ze bleven volgen tot ze bij een tunnel kwamen onder het oostelijke deel van de stad. Leslie stopte vlak voor de gapende ingang. De wind, die uit de opening blies, leek wel de ademhaling van een reusachtig monster, een diep gesuis dat echode langs de wanden. Boran en Mattia kregen kippenvel en dat was niet alleen van de koelte. Leslie haalde een schakelaar over en vijf krachtige halogeenstralers flitsten aan op de buggy en wierpen hun felle licht in de eerste tien meter van de tunnel.

'Vanaf hier moet ik jullie blinddoeken.'

'Blinddoeken? Waarom?'

'Het is niet dat ik jullie niet vertrouw, maar ik heb mijn schuilplaats tot nu toe perfect geheim weten te houden en ik zou willen dat het zo blijft.'

'We gaan heus niets verklappen, hoor', zei Mattia.

'Misschien niet opzettelijk, maar de Cycloop heeft overal spionnen.'

'En hoe weet je dan dat wij geen spionnen zijn?' vroeg Mattia.

'Spionnen vallen niet op', lachte Boran.

'Luister naar je kameraadje, Mattia. Je kunt nog wat van hem leren. Of je laat je blinddoeken en komt mee met Boran en mij, of je blijft hier alleen achter. De keuze is aan jou.'

'Je moet de juiste mensen vinden, Mattia', zei Boran. 'Dat heb je zelf gezegd.'

Dat was waar en Mattia realiseerde zich wat Boran allang wist: Leslie was misschien wel een raar persoontje, maar toch hoorde ze niet thuis tussen het uitschot van de stad. En als ze hier al iemand zouden vinden die ze konden vertrouwen, dan was zij het wel.

Mattia sloot zijn ogen en liet zich ook blinddoeken. Bliksem besnuffelde zijn been, alsof hij wou zeggen dat hij lekker geen blinddoek om hoefde.

Toen ze de tunnel inreden, voelden de jongens de koelte over zich heen vallen. Het zonlicht dat door de blinddoek filterde, maakte plaats voor absolute duisternis. Het gegil van de grote straalmotor galmde tegen de tunnelwanden en weerkaatste overal om hen heen.

'Zitten hier geen duisterwezens?' vroeg Mattia na een tijdje.

'Niet als ik erdoor rijd', antwoordde Leslie. 'Ze zijn bang van licht. Zonder mijn stralers krijg je me hier met geen stokken naar binnen.'

Mattia glimlachte, want deze onverschrokken, stoere meid was ergens bang van. Nu ja, je kwam ook niet veel mensen tegen die niet bang waren voor duisterwezens.

Mattia werd afgeleid door Borans haardos, die tegen zijn schouder zakte. Het deinen van de buggy had hem in slaap gewiegd. Op de tast legde hij zijn arm om de jongen, zodat hij niet zou omvallen door het geschok van de buggy.

Boran had nog nooit met muziek gedroomd en nu begeleidde een mooie, zachte melodie de beelden van zijn dromen. Toen hij wakker werd lag hij nog steeds in de buggy, maar iemand had een deken over hem heen gelegd. Hij wreef zijn ogen uit en zat rechtop. Dit kon niet anders dan een droom zijn. Ja, hij sliep nog, want wat hij zag was gewoon onvoorstelbaar.

De buggy stond middenin een prachtige theaterzaal, met de neus naar het podium alsof er elk moment een voorstelling zou beginnen. Maar de rode gordijnen hingen in repen naar beneden en het verguldsel van de versieringen bladderde af. In de muren zaten grote scheuren en gaten, waardoor fel daglicht naar binnen stroomde. Boran keek met open mond naar het prachtig beschilderde plafond boven zijn hoofd en hoewel het grootste deel van de schilderingen vergaan was, kon hij duidelijk figuren onderscheiden: bloemen, muziekinstrumenten en kinderen met vleugeltjes. De tere orgelmuziek uit zijn droom vulde de zaal, als een deel van het prachtige decor. Het melodietje klonk vertrouwd, maar tegelijkertijd erg vreemd. Boran vond dat het veel weg had van de wiegeliedjes die zijn moeder vroeger voor hem zong. Het zachte getinkel van ontelbare gepolijste glasfragmentjes in de monumentale kroonluchter begeleidde de orgelklanken als een magisch klokkenspel en de zich steeds herhalende melodie was bijna hypnotisch. Boran klom uit de wagen terwijl hij onbewust het deuntje neuriede. Nu zag hij de orgelpijpen, diep in de schaduwen verdoken, als een reusachtig geraamte dat zich angstvallig verborgen hield voor de vreemde indringer. Mams had Boran verteld over zalen als deze, maar nog nooit had hij er echt een gezien. Hier werden vroeger toneelstukken gespeeld of opera's met namen als *De Ring van de Nibelungen* en *La Traviata*. Mensen kwamen dan luisteren en zaten in zachte fluwelen stoelen. Wat moest die muziek hier mooi geklonken hebben! Maar de stoelen waren verdwenen en op het rode tapijt met vergulde bloemen stonden nu verroeste voertuigen van allerlei tonnage. Voor het podium stond een grote tankwagen, waaraan verschillende slangen waren gekoppeld die in gaten in de vloer verdwenen.

De adembenemende zaal had Boran afgeleid van het feit dat hij alleen was. Waar waren Mattia, Leslie en Bliksem? Hij liep naar het podium, terwijl hij vol verwondering om zich heen keek.

'Mattia? Leslie?' Zijn hoge stem galmde langs de versierde muren en gipsen engeltjes die hem nieuwsgierig aanstaarden. Er kwam geen antwoord.

Boran rende naast de orkestbak een trapje op tot op het podium. De vloer kraakte onder zijn voeten en even vreesde Boran dat de oude droge planken het zouden begeven. Achterin vond hij een deur die open stond. Hij liet de prachtige zaal achter zich en kwam in een lange gang terecht die naar de kleedkamers leidde. Hier was elektriciteit, in de vorm van zoemende buislampen in het plafond. De meeste werkten nog, maar andere naderden hun levenseinde en flitsten met onregelmatige tussenpozen aan en uit.

Plotseling plantten zich twee handen op zijn schouders en iemand riep heel hard 'Boe!'

Boran gilde en draaide zich met een ruk om. Natuurlijk was het Mattia en hij lag bijna dubbel van het lachen.

'Jij gilt als een meisje!' gierde hij plagerig.

'Jij lijkt op een meisje!' beet Boran hem kwaad toe.

'Dan zijn we vriendinnen', besloot Mattia met een hoog stemmetje. Dat ging hem niet zo goed af, want zijn stem sloeg krakend en piepend over.

'Waar is Leslie?' vroeg Boran glimlachend.

'In haar vel.'

'Nee, echt, waar is ze?'

'Kalm, hete brok. Ze is ons eten gaan doodmaken en ik mag de groenten schillen.' Dat laatste zei hij op een toon alsof het de belangrijkste taak ter wereld was.

'En?' vroeg Mattia op weg naar de keuken.

'En wat?'

'Wat vind je van haar?'

'Wie, Leslie?'

'Wie anders?'

Boran schokschouderde. 'Ik vind haar heel lief.'

'Ze is een moordgriet, Boran. Denk je dat ik een kans maak?'

Boran bleef staan en proestte het uit. 'Een kans op een blauwtje, ja. Waarom zou ze in jou geïnteresseerd zijn?'

'Jij weet niks van vrouwen af', verweet Mattia hem en liep verder.

Boran haalde hem in. 'Mattia, ze kan vast elke man krijgen die ze maar wil!'

'Ik ben een man!'

'Een man zonder haar op zijn benen', grinnikte Boran.

'Dat komt nog!' beet Mattia hem toe.

Toen ze de grote keuken binnenkwamen, stond Leslie bij het aanrecht en sneed bloederige hompen vlees in plakjes.

'Wauw!' zei Boran terwijl hij om zich heen keek. Het fornuis was afkomstig uit een restaurant en je kon er voor vijftig man tegelijk op koken. Erboven hingen potten en pannen, net als in een echte keuken.

'Nog een sterke kerel,' zei Leslie zonder van het vlees op te kijken. 'Jij mag de uitjes snijden, Boran, maar pas op voor je vingers.'

'Zal ik je armen vasthouden, vriendinnetje?' plaagde Mattia.

Boran stak met een oud overgeleverd gebaar zijn middelvinger uit naar Mattia en ging vervolgens de weerloze uitjes te lijf met het grote mes.

Leslie keek vreemd op bij Mattia's opmerking, maar besloot geen vragen te stellen.

Het eten was overheerlijk en ook Bliksem kreeg een kom boordevol lekkers, waar hij zich gulzig tegoed aan deed.

Boran durfde eerst niet naar de herkomst van het vlees te vragen, dat hij Leslie zo vakkundig had zien versnijden. Toen hij ervan proefde bleek het gewoon rat te zijn en nog iets dat hij niet echt kon thuisbrengen. Zijn nieuwsgierigheid kreeg de bovenhand.

'Wat zijn die grote brokken?'

'Wil je het echt weten?' vroeg Leslie met een geniepig lachje.

Boran knikte een beetje onzeker.

'Waf-waf', blafte ze met een brede grijns en stopte een groot stuk in haar mond.

Boran slikte even, maar het vlees was lekker en hij had zo'n honger, dat hij toch nog een extra stuk waf-waf op zijn bord nam.

Het beste van alles was dat ze zoveel water kregen als ze maar opkonden, tot ze het binnenin heen en weer voelden klotsten.

'Hoe kom je aan al die dingen?' vroeg Boran na het schoonlikken van zijn bord.

'Je moet slim zijn,' antwoordde Leslie. 'Slim om te leven, sluw om te overleven. Maar wat is jullie verhaal eigenlijk?'

'Ons verhaal is lang,' zei Mattia.

'We hebben tijd,' drong Leslie aan en ze leunde afwachtend achteruit in haar stoel.

'Vanaf het begin?' vroeg Boran.

'Hoe meer, hoe beter.'

En dus begon Boran te vertellen. Hoe hij met zijn moeder rondtrok in de oude vrachtwagen, hoe hij zijn vader was verloren toen hij zes was, over Renco en de uitspanning, over het water, hoe ze waren overvallen door de bende van de Cycloop, hoe Mattia zijn leven had gered en tenslotte over Renco's dood en zijn laatste woorden.

'En ik had de indruk dat jullie al jaren vrienden zijn', zei Leslie toen hij uitverteld was.

'Vrienden? Nee hoor', lachte Mattia. Hij zag niet hoe Boran verbaasd opkeek.

'Ik speel gewoon beschermengel, anders is hij dood voor hij het weet', verduidelijkte hij.

'Ik snap het', knikte Leslie begrijpend. 'En wat krijg je ervoor?'

'Wat bedoel je?' vroeg Mattia.

'Je gaat me toch niet vertellen dat je je leven waagt voor dit jongetje, zonder dat hij je er iets voor in ruil geeft?'

'Het... kan toch?'

Leslie glimlachte. 'Het kan zeker, Mattia. Als iemand erg veel om iemand anders geeft, kan het zeker.'

Ze liet Mattia alleen met zijn gedachten, draaide zich weer naar Boran en keek hem indringend aan.

'Die robot, waar je het over had...'

'Renco.'

'Renco, ja. Heeft hij nog iets anders gezegd voor hij stierf?'

Boran schudde nee. 'Hij smeekte alleen om hem uit te schakelen en toen ik hem vroeg waarom hij ons water had meegegeven, zei hij iets over een kaart en zout drinkwater.'

'Dat bestaat toch niet?' kwam Mattia tussen.

Leslie leunde weer achteruit in haar stoel.

'De legende', zei ze peinzend.

'Welke legende?' vroeg Boran.

'Niks belangrijks', glimlachte ze. 'Je woorden deden me er gewoon aan denken.'

Ze schonk een nieuw glas water in, maar toen Boran aandrong, ging ze verder.

'Het is een verhaal dat men vertelt om mensen hoop te geven in tijden waarin er geen meer is. Volgens de overlevering zou er aan het Westereind, bij de kust, een ontziltingsinstallatie zijn...'

'Wat is dat?'

'Een uitvinding uit de twintigste eeuw. Een installatie die het zout uit het zeewater haalt en het drinkbaar maakt. Het zou een oneindige bron van drinkwater betekenen, maar ontelbare avonturiers zijn er tevergeefs naar op zoek gegaan. Er zou zelfs een kaart bestaan, opgetekend kort na het Licht. Niemand weet waar de kaart is of wie ze heeft. Daarom is het ook een legende.'

'Maar wat als het waar is?' riep Boran opgewonden. 'Wat als Renco die kaart aan mijn moeder heeft gegeven?'

'Jij hebt een veel te grote fantasie', lachte Leslie. 'Maar we moeten haar hoe dan ook bij de Cycloop weghalen voor hij haar... voor hij van gedachten verandert.'

Na de afwas troonde Leslie de jongens en de wasbeer mee langs krakende trappen en muffe gangen met afbladderende muren, tot helemaal in de nok van het theater. In het schrale licht, dat door ontelbare kiertjes naar binnen viel, stonden verlepte decorstukken en kapotte rekwisieten te wachten op een voorstelling die nooit meer zou komen.

'We zitten hier vlak boven de zaal,' vertelde Leslie op bijna plechtige toon.

Dat had Boran al gezien, want in het midden van de grote ruimte zat een gat in de vloer, waarover een stalen balk was gemonteerd die door middel van een stevige ketting de enorme kristalluchter omhoog hield.

Ook deze vloer kraakte onder zijn voeten en Boran hoopte dat door de vochtige jaren van de nucleaire winter het hout niet was verrot. Het was een flink eind naar beneden.

Mattia kon de verleiding niet weerstaan en neigde wat aarzelend over het gat in de vloer om een blik naar beneden te werpen en hoewel hij nooit hoogtevrees had gehad, stokte zijn adem in zijn keel en kreeg hij onaangename kriebels in zijn buik, waardoor hij meteen weer twee stappen terugdeed.

Leslie zette een ladder tegen de muur waar een houten luik in het plafond zat.

'Val niet naar beneden', waarschuwde ze. 'Die vlekken krijg je moeilijk uit het tapijt.'

Mattia nam de altijd nieuwsgierige Bliksem in zijn armen en klom achter Boran en Leslie de ladder op.

Het luik in het plafond bracht hen in een ronde ruimte, met hoge ramen, waardoor de zon volop naar binnen scheen en men een adembenemend uitzicht had over de stad. Bij een van de ramen stond een langwerpige kijker op een drievoet.

'Ik hou ervan om 's nachts naar de sterren te kijken', verklaarde Leslie poëtisch.

Ze stelde de kijker in en wenkte Boran dichterbij. De jongen kneep één oog dicht en tuurde met het andere door het oculair. Hij zag een groep half verwoeste gebouwen liggen, ver buiten de stad, naast een met autowrakken bezaaide autosnelweg, die als een grijze slang door het verwoeste landschap kronkelde. Tussen de gebouwen stond een vreemdsoortige toren en ernaast lagen grote, roestige karkassen met stalen vleugels. Dat waren ongetwijfeld vliegtuigen en die gebouwen waren vast de ruïnes van een luchthaven.

Leslie draaide de kijker naar links en op een van de landingsbanen zag Boran drie zwarte tankwagens staan, omringd door gewapende piraten.

'Ze zitten in de luchthaven!' riep hij uit.

Leslie knikte. 'Al een hele tijd. Van daaruit coördineren ze hun aanvallen al maanden, ongestraft.'

'Tot wij komen', grijnsde Mattia.

'Loop niet te hard van stapel', temperde Leslie zijn enthousiasme. 'De luchthaven is zwaar bewaakt. Geen muis geraakt er binnen.'

'En twee jongens en een wasbeer?' vroeg Boran schaapachtig.

Ze glimlachte. 'Als ze Leslie kennen maken ze misschien een kans.'

Boran, Mattia en Bliksem volgden hun nieuwe bondgenote weer de trappen af, deze keer helemaal naar beneden tot in de donkere kelder onder het podium. Ook hier vielen oude decorstukken, kleren en rekwisieten ten prooi aan de tand des tijds. Aan het uiteinde van de kelder zat een zware stalen deur in de muur met een enorm hangslot. Leslie maakte het slot open met het sleuteltje dat ze om haar nek droeg en toen de deur knarsend opendraaide, vielen Boran en Mattia bijna om van verbazing. Onder het magere licht van een paar gloeilampjes lag een volledig wapenarsenaal uitgestald: tientallen metalen rekken bogen door onder het gewicht van zware kisten en munitie.

'Wauw!' bracht Mattia uit en hij greep meteen een M4 uit het rek, een automatisch wapen met granaatwerper van Amerikaanse makelij. Hij zette strijdvaardig de kolf tegen zijn schouder en mikte naar de vloer. De felrode stip van de laserzoeker scande over het beton, tot Leslie hem voorzichtig het wapen uit handen nam.

'Wat wou je doen? Je tenen eraf schieten?'

'Hij-hij is toch niet geladen?' stamelde Mattia.

'Tuurlijk is hij geladen, wat dacht je? Dat ik wapens verzamel als hobby?'

Boran grinnikte, maar Mattia kon er niet om lachen.

'Kom, zo'n ding is toch veel te groot. Ik heb iets veel beters voor jullie.'

Ze nam twee kleine doosjes van het dichtstbijzijnde rek en gaf ze aan de jongens.

Elk doosje bevatte een minuscuul blaaspijpje en vijf kleine, naaldscherpe pijltjes.

'Wat moeten we hier nu mee?' gromde Mattia, die nog steeds verlangend naar het vuurwapen keek.

'In deze pijltjes zit het gif van een tropische paddenstoelen-soort', verklaarde Leslie. 'Niet dodelijk, maar het verlamt je slachtoffer voor minstens tien minuten, afhankelijk van de dosis. Een heel doeltreffend wapen en bovendien erg gemak-kelijk te verbergen.'

'Het is perfect', zei Boran en hij liet het doosje netjes in zijn broekzak glijden.

'Mijn vader zou tevreden zijn', sprak Leslie. 'Hij is degene die de paddenstoelen heeft gekweekt.'

'Hij moet erg slim geweest zijn, jouw vader', zei Boran.

Leslie knikte, maar zei niets. Het deed pijn om opnieuw aan hem te denken.

Terug in de woonruimte rommelde Leslie in de kast en diepte een opgerolde kaart op. Het was niet echt een kaart, maar een plattegrond van het luchthavencomplex, die ze volledig uitrolde op de tafel. Boran legde zijn armen op het uiteinde, zodat de kaart niet weer dicht zou rollen.

'Er zijn achterpoortjes om binnen te komen', begon ze.

'Maar het zal erg gevaarlijk worden.'

Haar vinger dwaalde over de kaart, langs een rechte lijn.

'Op deze ijzeren omheining naast de autosnelweg zit niet eens prikkeldraad. Jullie kunnen er zo overheen.'

'Wij?' vroeg Boran.

'Tja, wie anders?'

'Ik dacht dat je met ons meeging?'

'De Cycloop kent mij. Ik ben hem al verschillende keren te slim af geweest. Ik zou de operatie alleen maar in gevaar brengen.'

'Bedoel je dat wij het helemaal alleen moeten zien te redden?' vroeg Mattia.

'Ik ga met jullie mee tot aan de luchthaven, verder niet. Maar ik blijf wel in de buurt, ook al zullen jullie me niet kunnen zien.'

Mattia fronste zijn wenkbrauwen. 'Hoe weten we dat jij er bent als we jou niet kunnen zien?'

Leslie lachte haar parelwitte tanden bloot. 'Wees gerust, jullie zullen weten dat ik er ben.'

'Waar wordt mijn moeder vastgehouden?' vroeg Boran, die ondertussen met zijn vinger de plattegrond verkende.

'Dat zullen jullie ook zelf moeten uitzoeken.' Leslie bekeek nauwgezet het plan en wees aan terwijl ze hardop nadacht. 'De luchthaven heeft het Licht redelijk goed doorstaan. Alleen het taxfree winkelcentrum en gates D en E zijn ingestort. De controletoren, hier, wordt als geschuttoren gebruikt. Van daaruit hebben ze een heel goed zicht en als de Cycloop zulke goede schutters heeft als ik heb horen beweren, dan kunnen ze van op driehonderd meter jullie pikkies eraf schieten.'

Ze pauzeerde en keek afwisselend naar Boran en Mattia, die wat bleekjes wegtrokken rond hun neus.

'Het beste is dat jullie via de bagagedoorvoer binnengaan', vervolgde ze. 'Van daar kunnen jullie ongezien in de verbindingshal komen, hier.'

Ze draaide zich naar Boran. 'Als jouw moeder echt zo waardevol is voor de Cycloop als we denken, dan zal hij haar dicht bij zich in de buurt willen.'

'In het hol van de leeuw', stelde Mattia bijna poëtisch.

Leslie kwam overeind en rolde de kaart weer op. 'Als jullie de domheid van zijn mannen kunnen uitbuiten, is het kinderspel, maar blijf wel uit de buurt van de Cycloop zelf.'

'Hoe weet je dat allemaal?' vroeg Boran, die met moeite zijn bewondering probeerde te verbergen.

'Ik heb zo mijn contacten', antwoordde Leslie mysterieus en ze tipte met het uiteinde van het opgerolde plan tegen Borans wipneus.

Een logeerkamer had Leslie niet, want de woonruimte diende ook meteen als slaapplaats. Maar Mattia's voorstel om met haar het bed te delen, onthaalde ze op een smalend lachje. Wel mochten ze de nacht doorbrengen in een stel oude theaterstoelen en terwijl de jongens zich klaarmaakten voor de nacht, bracht Leslie dekens. Ze had wel gezien dat Borans verband vervangen moest worden en had ook een oude schoenendoos bij zich met allerlei medische spulletjes. Mattia bond een van de dekens om en kleedde zich verder uit.

Boran ging lekker onderuit in de stoel zitten en hield Leslie zijn gewonde arm voor. Voorzichtig maakte ze het verband los en stopte even om Boran op Mattia te wijzen, die nu voor de gebarsten spiegel stond en in haar blikveld een schijnbaar toevallige body-buildersdemonstratie weggaf. Boran en Leslie moesten hun best doen om niet te lachen, maar toen Mattia zijn buikspieren opspande en de deken van zijn heupen slipte, proestten ze het uit. Met een knalrode kop trachtte de arme Mattia zijn waardigheid te hervinden en Leslie keek hem medelijdend aan. 'Ontelbare mannen hebben het al geprobeerd bij mij, maar voor mij telt wat vanbinnen zit.' En ze wees naar haar hartstreek. 'Je zult dus heel wat meer moeten laten zien, dan... euh... wat we nu hebben gezien, Mattia.'

De vernederde jongen ging mokkend in de andere theater-stoel zitten.

Boran giechelde nog steeds en dat leidde hem af van de pijn toen Leslie het verband van zijn schotwond haalde.

'Dat moet gehecht worden', zei Leslie op bedenkelijke toon.

'Kun jij dat?' vroeg de jongen een beetje ongerust.

Leslie stroopte haar broekspijp op en toonde een paar grote littekens. 'Die heb ik allemaal zelf opgelapt.'

'Wat als het niet wordt... opgelapt?'

'Dan wordt het een heel lelijk litteken, en dat zou zonde zijn voor zo'n leuke knul.'

Boran kreeg een kleur. Nog nooit had een meisje hem een complimentje gegeven, op zijn moeder na dan, maar die telde niet echt mee.

'Oké, doe maar', besloot hij na een korte pauze. Het leek wel of de glimlach die op zijn gezicht stond gebeiteld nooit meer weg zou gaan.

Mattia zat met gekruiste armen en een pruillip stikjaloers te wezen en wenste dat hij ook een schotwond had.

Een half uur en acht hechtingen later verbond Leslie de wond met steriel verband en beloonde Borans dapperheid met een kus. Ze had wel gemerkt hoe Mattia nijdig toekeek en terwijl Boran zijn arm keurde, ging ze naar de mokkende jongen toe en gaf hem ook een pakkerd.

Met een laatste waarschuwing aan Mattia's adres – Hij kon wel eens wat meer verliezen dan zijn waardigheid als hij iets probeerde! –, kroop Leslie onder de wol en knipte de elektrische lichten uit.

In het donker konden de jongens elkaars ogen zien glinsteren in het zwakke licht van de kerosinelamp. De witte veer met de donkere tip in Mattia's haar, gaf bijna licht.

'Waarom draag je die veer?' fluisterde Boran zacht.

'Dat is de staartveer van een Amerikaanse zeearend', antwoordde Mattia.

'Gekregen?'

'Van een vriend. Hij is dood.'

'Sorry...'

'Lamaar. Zijn naam was Tony. Hij had hem gekregen van een oude man, een Indiaan van wie hij de dochter had gered uit de handen van plunderaars die haar wilden verkrachten. Die kerels waren tot de tanden toe gewapend, maar Tony ging hen met zijn blote handen te lijf... en hij heeft gewonnen.'

'Hij redt de dochter van die kerel en al wat hij krijgt is een veer?' vroeg Boran verbaasd.

'Voor de Indianen is een arendsveer het symbool voor moed. Alleen echte krijgers dragen ze. Tony had me gezegd dat ik ze mocht hebben als er iets met hem zou gebeuren. We waren heel goede vrienden.'

Boran zag Mattia's ogen nu heel fel glinsteren.

'Tony was een toffe kerel', zei Boran zacht.

'Hij is de enige vriend die ik ooit heb gehad... buiten Bliksem natuurlijk.'

'En je ouders?'

'Iedereen waar ik om geef is dood.'

Er viel een vervelende stilte, die de kamer nog donkerder leek te maken.

'Dan is het beter voor mijn gezondheid dat we geen vrienden worden', zei Boran tenslotte half lachend.

'Jou laat ik niks overkomen, Boran', zei Mattia ernstig. 'Dat zweer ik.'

En in het donker, half verlicht door het maanlicht, reikten twee kersverse vrienden elkaar de hand.

5. HET HOL VAN DE LEEUW

Vijf volle jerrycans kerosine gingen in de tank van de reactorbrommer en toen Mattia zijn machine proefdraaide in de oude theaterzaal, glimlachte hij vol plezier.

'Ik dacht dat we niet aan je kerosine mochten komen?' vroeg Boran aan Leslie nadat Mattia de motor weer had afgezet.

'Niet zonder mijn toestemming', antwoordde ze. 'En dat geldt voor al mijn spullen.'

'Ook voor die?' wees Mattia met een brede grijns naar Leslies boezem.

'In het bijzonder voor die!' antwoordde ze met strenge blik.

Bij zonsopgang scheerden een eenzame buggy en een reactorbrommer door de avenues van wat een eeuw geleden het kloppende hart van de stad was. Maar de schouwburgen, bioscopen en cabarets waren nu niets meer dan lege omhulsels en waar eens het kleurige neonlicht de straat en de gebouwen feestelijk verlichtte, gaapte nu duisternis. Boran zat achterop de reactorbrommer en omklemde Mattia's middel. Bliksem zat voor zijn baasje op de kerosinetank en tuurde alert mee door de voorruit.

De uitgedroogde rivierbedding doorkruiste hun pad als een wijde, diepe afgrond en Mattia slipte tot stilstand naast de buggy op de kade. De naam van de rivier was lang vergeten. Zelfs het bordje aan de reling was helemaal afgebladderd.

Leslie had haar armen nonchalant over het stuur gelegd, maar haar zelfverzekerdheid was slechts schijn. Natuurlijk wist ze wel dat de rivier daar liep, ze was er zo vaak overheen gereden. Maar dat was langs de brug, die de bedding overspande en waarvan nu alleen nog de betonnen pijlers overeind stonden, wijzend in de lucht als de vingers van een reus. Het wegdek van de brug lag in grote brokken op de bodem en de machtige stalen spankabels deinden gebroken als touwtjes in de wind.

'Hoe geraken we hierover?' schreeuwde Mattia boven de draaiende motoren uit.

Leslie verloor niets van haar koelbloedigheid en dacht na. Tenslotte draaide ze zich naar Mattia om met een brede, onheilspellende grijns, die de jongen verbaasd deed terugkijken.

'Niet erover! Erdoor!' riep ze vol vuur.

'Wat!?'

'En denk eraan dat het niet verboden is om flink gas te geven!'

De buggy stoof weg in een wolk van stof en uitlaatgassen en verdween door een gat in de afsluiting.

'Hou je vast!' riep Mattia in Borans richting en hij trapte de reactorbrommer op zijn staart. Het voertuig gilde en schoot weg, de buggy achterna, over een smalle helling, die langs de kade naar beneden liep. Mattia vuurde zijn rijdier aan en volgde Leslies rode achterlicht tot op de bodem van de rivier, in de richting waarin ooit het water had gestroomd. De bodem was verhard en zat vol putten en hobbels, waardoor Boran zich goed moest vasthouden. Ook Bliksem zette zich schrap. Boran zag vreemde voorwerpen in de schaduw: net kleine hutjes, gemaakt van opeengestapelde planken en puin, schuilplaatsen tegen zon en wind. Wie woonde er nu in de bedding van een uitgedroogde rivier, dacht hij nog, maar ineens realiseerde hij zich wat voor hutjes het waren.

'Duisterwezens!' riep Mattia, alsof hij Borans gedachten kon lezen en tot zijn ontsteltenis zag Boran dat ze door een heel dorp van hutjes reden!

In de deuropening van één van de hutjes bewoog iets, een schaduw! In de ochtendschemering zag hij twee groene lichtjes schijnen, priemende oogjes in een monsterlijke kop.

Opeens klonk er een vreselijk gekrijs, dat door merg en been sneed. Boran voelde alle haartjes in zijn nek overeind komen. Bliksem piepte verschrikt en dook weg onder Mattia's T-shirt.

'Shit!' vloekte Mattia. De groene lichtjes werden talrijker en gruwelijk misvormde monsters maakten wilde gebaren naar de voorbij scheurende voertuigen.

Toen Boran een snelle blik achterom wierp, stokte hem de adem in de keel. Achter de reactorbrommer bewoog een dichte massa van honderden lichtjes. Van het schrikken liet hij Mattia los en verloor bijna zijn evenwicht. Maar de oudere jongen reageerde snel en trok hem met één hand terug in het zadel.

'Hou je vast!' riep Mattia. 'Dit is niet het moment om eraf te vallen!'

Boran sloeg zijn armen weer om Mattia's middel en beet op zijn tanden toen zijn schotwond protesteerde. Mattia zette de nabrander open en de reactorbrommer schoot vooruit, met een scherpe steekvlam. Daar hadden de duisterwezens niet van terug en ze moesten machteloos toezien hoe de twee lekkere hapjes in de verte verdwenen.

'Yippieee', gilde Mattia, maar dat was net iets te vroeg. De gloeiende turbine onder Borans been begon opeens te trillen en te sputteren. De bladen van de uitlaat waaierden weer in elkaar en de steekvlam doofde.

'Shit-oh shit-oh shit-oh shit!'

'Mattia! Wat gebeurt er?'

'Kloteding! Oververhit!'

De motor begon heviger te sputteren en met een metaalachtige klik gaf hij vervolgens helemaal de geest. De reactorbrommer minderde zienderogen snelheid. De oprit langs de oever aan de overkant, was nog ver en Boran zag de duisterwezens weer dichterbij komen. Hij hoorde hun slijmerige geknor boven het uitstervende gehuil van de straalmotor. De brommer bolde verder uit. Zodra ze helemaal stilvielen, zouden ze overrompeld worden door een hele horde bloeddorstige wezens. Borans hart klopte in zijn keel. Mattia had al zijn koelbloedigheid verloren en drukte als een bezetene op de rode trusterknop.

'Kom op, kom op, kom op!'

Maar al wat de motor uitbracht, was het zenuwachtige getik van afkoelend metaal. De reactorbrommer kwam helemaal stil te staan en Mattia zette één been op de grond om het gevaarte overeind te houden. Nu kwamen de duisterwezens van alle kanten afgestormd, grommend en kwijlend, met lekker mals mensenvlees in het vooruitzicht.

Vluchten zou dom zijn, want de monsters waren verbazend snel. De buggy van Leslie was allang uit het gezicht verdwenen en Boran vroeg zich af of ze wel had gemerkt dat ze niet meer volgden. Terwijl Mattia wanhopig knopjes indrukte en hendeltjes overhaalde, haakte Boran zijn voet in de beugel van zijn kruisboog en spande de pees met één arm op, vastbesloten om zijn huid en die van zijn nieuwe vriend duur te verkopen. Hoewel, met zijn ervaring in kruisboogschieten...

Een krakend schot weergalmde langs de hoge flatgebouwen. Nog één, en nóg één!

Eén voor één gingen de monsters neer. De rest vond het te heet worden onder de klauwen en ging er vandoor. Boran probeerde de onzichtbare schutter op te sporen, maar de straalmotor sloeg weer aan met een hels gekrijs en de reactorbrommer schoot weg met zo'n ruk dat hij zich weer ijlings aan Mattia moest vastgrijpen.

'Uit de weg, sukkels!' schreeuwde Mattia, terwijl hij twee achtergebleven duisterwezens ondersteboven reed.

Toen Boran een beetje bekomen was, gaf hij Mattia kwaad een stomp tegen zijn rug. 'Heb je nog meer van die verrassingen?'

'Tonnen', grijnsde Mattia.

Boven op de kade stond Leslie hen op te wachten naast haar buggy, sigaretje tussen de lippen en haar Colt losjes in haar rechterhand ter hoogte van haar dijen.

'Veel vriendjes gemaakt daar beneden?' vroeg ze olijk.

'Ja, het was erg leuk', antwoordde Mattia nurks. 'Ik wou altijd al eens voelen wat het is om bijna verscheurd te worden door tweehonderd duisterwezens.'

De rijvakken van de reusachtige vijfbaansweg waren volledig leeg. Hier en daar stond een eenzaam verroest auto-wrak, vaak nog met de geraamtes van de inzittenden erin, blij grijnzend voor zich uitstarend als lappenpoppen op vakantie.

Mattia kon hier volgas geven en met driehonderdvijftig kilometer per uur raasde de reactorbrommer over het asfalt. Boran hield zich nog steeds stevig vast terwijl de straalmotor zijn benen roosterde.

De zon weerkaatste op de gebogen kopjes van de lantaarn-palen. De borden die de weg moesten aanwijzen lagen vernield langs de kant, maar Boran zag de landingsstroken al en het zwartgeblakerde karkas van een passagiersvliegtuig. Het luchthavengebouw in de verte leek stil en verlaten, maar was dat allesbehalve.

Leslie stopte haar buggy in het midden van de autosnelweg en wachtte tot Boran en Mattia langszij kwamen.

'Hier scheiden onze wegen, jongens. Veel geluk, en denk erom: ik ben in de buurt.'

'Zien we je nog terug?' vroeg Boran.

'Ik hoop van niet,' antwoordde Leslie. 'Dat is het teken dat alles goed is gegaan en dat je samen met Mattia en je moeder zo ver mogelijk hiervandaan bent.'

Ze gaf de jongens elk een kus op hun voorhoofd, maar de pijn van het afscheid werd verlicht door een vreemd gevoel dat ze alle drie hadden. Zowel Leslie, Mattia, als Boran wisten dat ze elkaar snel genoeg terug zouden zien en dat voorspelde alleen maar onheil.

Toen de buggy rechtsomkeert had gemaakt en alles wat

nog aan Leslie deed herinneren het parfum was van verbrande kerosine in de lucht, keek Mattia over zijn schouder achterom naar Boran. Geen van beide jongens had woorden nodig om te begrijpen dat wat ze nu zouden ondernemen misschien wel het gevaarlijkste avontuur uit hun hele leven was. En of ze het zouden overleven was nog maar de vraag. Een ding wisten ze zeker, nu was het niet het moment om bang te zijn. De Cycloop rook angst op kilometers afstand, en leefde ervan.

De controletoren stak met zijn schuine, glasloze ramen boven het luchthavengebouw uit als een overmaatse paddenstoel. Met Leslies waarschuwing in het achterhoofd verborgen Boran en Mattia de reactorbrommer in de gracht tussen de autosnelweg en de omheining. Boran wou alles nog een beetje camoufleren, maar Mattia klom al uit de gracht naar boven. Hij liet het voertuig dan maar aan zijn lot over en klauterde omhoog langs de steile rand. De drie overblijvende gates strekten zich als insectenpoten uit over het tarmac. Eronder zat een rij vierkante openingen, afgeschermd met plastic flappen, waarlangs de bagage uit de vliegtuigen de luchthaven binnenging en waarlangs, volgens Leslie, twee jongens en een wasbeer best binnen konden geraken.

Mattia stond wijdbeens voor de stalen omheining en mikte zijn straal netjes door de verticale spijlen van de afsluiting.

'Ik heb liever een lege blaas als we nog eens in de problemen komen', verklaarde hij toen hij Boran zag.

'Je hoeft hen heus niet uit te dagen, hoor', wees Boran nerveus naar de controletoren.

Mattia glimlachte. 'Hij zit er nog aan, hoor. Dat zei ze

gewoon om ons bang te m...aaaaah!' De jongen vloog met een schok achteruit en zakte op zijn knieën terwijl hij met beide handen zijn geslacht omklemde. Bliksem rende bezorgd op zijn baasje toe.

Boran voelde een misselijkmakende angst opwellen en zijn blik schoot omhoog naar de controletoren. Hij zag niemand.

'Mattia! Alles... euh... in orde?' stamelde hij bezorgd.

'Er zit verdomme stroom op!' kreunde Mattia.

Een enorme opluchting verdreef Borans paniek en hij schoot in de lach.

'In plaats van pruimenpuree heb je nu gekookte pruimen', meesmuilde hij olijk.

'Ha-ha-ha, ik kom niet meer bij', bromde Mattia. 'Plas jij er maar eens tegen, dan zul je weten wat een lekker gevoel dat is!'

Hij stond moeizaam op. 'Net of er iemand heel hard in mijn ballen heeft getrapt.'

'Zal ik er een kusje op geven?' plaagde Boran.

'Ik zal jou straks eens een kusje geven!' dreigde Mattia met gebalde vuist. Maar toen de pijn een beetje wegtrok, kon hij er toch ook om lachen. Ook hij was opgelucht, want een scherpschutter die het op zijn edele delen had gemunt was ook zijn eerste gedachte geweest. Over de afsluiting klimmen was duidelijk uitgesloten. Mattia nam Bliksem in zijn armen om hem uit de buurt van het hek te houden en tuurde naar het gebouwencomplex in de verte.

'Het was te mooi geweest', zuchtte hij.

'Jij klinkt alsof je wilt opgeven!' zei Boran. 'Ik laat mij niet tegenhouden door zo'n stom elektrisch hek!'

'Wat wil je dan doen? Blazen tot het omver valt? Het is iets waar Leslie geen rekening mee heeft gehouden.'

'Dit is een gracht, Mattia', wees Boran naar de geul waar ze net uit waren geklommen.

'Een bril heb je in elk geval niet nodig, Borrie.'

'Een kanaal om regenwater af te voeren', verduidelijkte Boran.

'Je bedoelt water uit de lucht?'

Boran knikte. 'Vroeger viel er heel veel regen. Er moet een afvoersysteem zijn. Al wat we moeten doen is de gracht volgen tot we bij een afvoerbuis komen.'

'Denk je dat de Cycloop daar geen rekening mee heeft gehouden?'

'Het is in elk geval beter dan hier te staan wachten tot ze ons in het oog krijgen.'

En dus trokken de vrienden met Bliksem voorop door de bedding van de gracht, uit het zicht van mogelijke scherpschutters. Onderweg zagen ze de resten van dieren, die in een verkrampte houding tussen de spijlen van het elektrische hek hingen. Mattia liep nog steeds een beetje eigenaardig, maar de pijn was al een stuk minder.

Toen Boran het grijze uiteinde van een grote betonnen buis zag, ging hij sneller lopen. De afvoerbuis was een goede meter breed, ruim genoeg om hen erdoor te laten. Het verroeste hek dat de buis moest afsluiten, hing uit zijn hengsels en het kostte de jongens weinig moeite om het los te wrikken.

Bliksem trippelde voorop door de buis en Boran en Mattia kropen op handen en knieën achter hem aan. Al na een tiental meter kwamen ze in een groot vergaarbekken, waar ze konden staan. Aan de wand was een stalen ladder bevestigd, die leidde naar een rechthoekig rooster waardoor daglicht in onderbroken stralen op hun hoofden viel. Mattia nam Bliksem op en stond op het punt om naar boven te klimmen, maar Boran hield hem tegen. Hier beneden waren ze veilig en zo konden ze zo dicht mogelijk bij het luchthavengebouw komen. Boran leidde de weg door het buizennetwerk, vertrouwend op zijn oriëntatievermogen. In het volgende vergaarbekken wachtte hij Mattia en Bliksem op. Door het rooster boven hun hoofden was het dreigende silhouet van gate E te zien.

'Blijf hier, Bor!' beval Mattia en hij klom de stalen ladder op. Voorzichtig duwde hij het rooster open en toen hij er zich van verzekerd had dat de kust veilig was, wenkte hij Boran en kroop helemaal door het gat naar buiten.

Toen Boran met Bliksem onder één arm uit het afwateringssysteem kroop, speurde Mattia al in het rond met zijn kruisboog in de aanslag. Boran zette Bliksem op de grond en nam ook zijn kruisboog.

Toen zag hij de hoofden.

Ze staarden hem aan met wijd open, glazige ogen. Drie groteske mannenhoofden zonder lichaam, gespietst op houten staken, op hun gezichten korsten bloed en vuil. Ontelbare vliegen zoemden er zenuwachtig omheen en kropen in en uit neusgaten, monden en oren, waarin ze hun eitjes legden. Een schreeuw van ontzetting bleef achterin Borans keel steken. Hij moest kokhalzen, maar dwong zichzelf de andere kant op te kijken. De drie waren waarschijnlijk gisteravond omgebracht. Binnen een paar uur zouden de eerste vliegeneitjes uitkomen en zouden de wriemelende larven zich tegoed doen aan het dode vlees.

Onder de afgehakte hoofden hing een bord met het logo van een vliegtuigmaatschappij waarop het woord 'VERAADERS' stond geschreven in vers bloed.

'Dit konden wel eens Leslies contacten zijn', zei Mattia met een grimas.

Boran, asgrauw en nog steeds worstelend met een golf van misselijkheid, keek ongerust naar zijn oudere vriend.

'Denk je... dat hij weet dat we komen?'

Mattia haalde zijn schouders op. 'Wil je terugkeren?'

Boran schudde vastberaden nee en Mattia had geen ander antwoord verwacht.

De bagage-doorvoerruimte had al decennia lang geen menselijke ziel meer gezien. Het daglicht scheen door de plastic tochtflappen op reusachtige bergen stoffige koffers en tassen: alle bagage die binnenkwam op het moment van het Licht. De transportbanden stonden stil en onder een dikke laag stof en zand lagen nog meer antieke koffers, tassen, kleren en toiletgerief verspreid over de vloer. Geen levende ziel te bekennen.

Boran kroop achter Mattia en Bliksem op de stilstaande transportband, die via een smallere opening in de ingewanden van het luchthavengebouw verdween.

De jongens en de wasbeer gleden als twee sporttassen en een rugzakje op een schuin aflopende rolband naar beneden en landden in een hoopje op elkaar op een bredere transportband in wat de bagage-afhaalruimte werd genoemd.

Boran hupte van de band en keek nieuwsgierig om zich heen. Op het exacte moment van de bom hielden tientallen mensen hier nauwgezet de band in het oog, hopend dat hun koffers er wel degelijk bij zouden zijn en niet onderweg naar Hongkong. Nu was de zaal volledig verlaten, zelfs de resten van de reizigers leken met de tijd meegevoerd. De elektronische borden waren donker en gingen schuil onder sluiers van spinnenwebben en stof. Er hing een ijselijke stilte, waardoor het getrippel van Bliksems pootjes op de vloertegels bijna oorverdovend leek.

'Het staat mij hier niet aan', fluisterde Mattia zacht, alsof hij bang was de dode en rottende plek met zijn stem opnieuw tot leven te wekken.

Bliksem liep nieuwsgierig snuffend voorop met zijn twee mensenvriendjes in zijn kielzog, zijn zwartgeringde staart opgewonden heen en weer zwiepend. Ze liepen langs de balie waar normaal de douaneofficieren zaten en kwamen zo in de verbindingshal terecht, die Leslie had beschreven. Bliksem dook plotseling verschrikt weg achter Mattia's benen en de jongens knepen hun ogen tot spleetjes voor de vloedgolf van licht die op hen afkwam. De rechterzijde van de hal was over de hele lengte open en bood een prachtig uitzicht over de startbanen en de vliegtuigwrakken die er her en der verspreid lagen. Vroeger had hier een glazen wand gezeten, maar die was er door de schokgolf in één keer uitgeblazen. Miljoenen scherven glinsterden in een dikke laag op de vloer en kraakten onder hun voetzolen. Mattia tilde Bliksem weer op, zodat hij zijn pootjes niet zou bezeren. Boran staarde met open mond naar boven, want de plek herinnerde aan de prachtige theaterzaal waar Leslie woonde. Het plafond was zo hoog dat het bijna verdween in de mist van minuscule stofdeeltjes die in de lucht hing. Aan hun linkerkant waren restanten van winkels en een restaurant dat Pizza Hut heette. In het midden van de hal liep een rolpad.

Mattia greep Boran opeens stevig bij de arm en trok hem mee achter een reclamebord.

'Auw!' riep Boran, want Mattia had zijn arm stevig vast. Maar hij zweeg abrupt toen hij de twee mannen zag bij de stoeltjesrijen in gate E. Ze waren gewapend met automatische geweren en in een intens gesprek verwikkeld, waardoor ze de jonge indringers niet hadden opgemerkt.

'Ik denk dat ze alleen zijn', fluisterde Mattia in Borans oor. Hij had Bliksem neergezet, maar hield hem nog steeds in een losse greep bij zijn nekvel.

'Ze hebben ons niet gezien', antwoordde Boran.

En Mattia vond dat dit zo moest blijven, want muisstil legde hij zijn kruisboog aan, vastbesloten om de twee mannen naar de andere wereld te helpen. Boran hield hem nog net op tijd tegen.

'Leslie heeft ons die verdovingspijltjes niet voor niks meegegeven', fluisterde hij.

'Als die dingen niet werken, schieten die kerels ons overhoop, dat weet je toch?'

'Je had precies meer vertrouwen in wat ze onder haar kleren had zitten', beet Boran hem toe.

Mattia hing grommend zijn kruisboog weer op zijn rug en bekeek kritisch een van de minuscule pijltjes in het licht.

'Zorg dan maar dat je meteen de eerste keer raak schiet.'

'Ik de linkse, jij de rechtse', zei Boran en hij klemde het blaaspijpje tussen zijn lippen. Gelukkig stonden de twee piraten nu stil, wat het richten vergemakkelijkte. Een seconde later sloeg de linker piraat met zijn hand in zijn nek en onder het vervloeken van een mug viel hij voorover en bleef roerloos liggen. De andere piraat keek wat verbaasd naar zijn collega en zwaaide angstig met zijn geweer in het rond op zoek naar de aanvallers.

'Je hebt 'm gemist!' siste Boran tussen zijn tanden.

'Jij hebt 'm gemist!' antwoordde Mattia. 'Ik heb de rechtse geraakt!'

Boran sloeg geërgerd zijn hand voor zijn ogen. 'De linkse ligt op de grond! Je kent toch het verschil tussen links en rechts?'

'Een beetje', weerde Mattia zich, hoewel hij geen flauw benul had van wat Boran bedoelde. Tijd om te discussiëren was er echter niet, want de man met het geweer kwam hun richting uit. Boran stopte snel een nieuw pijltje in het blaaspijpje, maar toen hij vooroverleunde om te richten, zag de man hem. De jongen was sneller en voordat de piraat ook nog maar kon aanleggen, plantte het pijltje zich in het midden van zijn voorhoofd. Het volgende moment zakte hij door zijn benen als een marionet waarvan de touwtjes waren doorgeknipt.

De jongens bonden de twee bewusteloze piraten aan elkaar vast met een stuk kabel. Mattia nam een van de automatische geweren en controleerde het magazijn. Boran klikte het magazijn uit het andere geweer en liet de kogels kletterend op de grond vallen.

'Stommeling! Wat doe je nu?' riep Mattia uit. 'Denk je echt dat we hier levend uit kunnen geraken zonder vuurwapens?'

'We moeten laten zien dat we beter zijn dan zij, Mattia.'

'Dat wil ik je nog eens horen zeggen wanneer je in je eigen bloed ligt met vijftien kogels in je lijf. Die kerels geven geen zier om jouw gelul. Het is doden of gedood worden.' En met deze woorden duwde hij het geweer in Borans handen.

Door hun gebakkelei zagen de jongens niet dat Bliksem er stilletjes vanonder muisde. Toen Mattia zich omdraaide, zag hij zijn trouwe metgezel in een zijgang verdwijnen, enkele meters verderop.

'Rotbeest!'

Boran en Mattia renden de wasbeer achterna en kwamen in een grote wachtruimte terecht met een marmeren vloer en stijlvolle muurbekleding. In het midden stonden leren stoelen in groepjes van vier rond kleine tafeltjes en langs de muur, onder de gedoofde schermen met de aankomst- en vertrekgegevens, bevond zich een rij leeggeplunderde snoep- en drankautomaten. Helemaal aan het andere eind was een cafetaria, of liever een 'caf-ria', want verschillende letters van het uithangbord waren verdwenen.

Mattia had Bliksem al gevonden, hongerig snuffelend aan een klokhuis dat door de piraten was achtergelaten.

'Jij bent ook alleen maar een maag op pootjes', lachte de jongen, terwijl hij de wasbeer in zijn armen nam.

'Mattia! Kijk!' fluisterde Boran. Hij stond half gebukt voor een groot raam dat uitkeek op de lager gelegen vertrekhal, maar in plaats van reizigers, wemelde het er van de piraten. Het grootste deel lag nog te slapen en de weinige wakkere exemplaren waren begaan met het reinigen van hun wapens of probeerden iets te vangen in hun neus. Eén piraat zat in een hoekje van de incheckbalie balie zijn behoefte te doen.

Mattia telde: 'Zestien maffers, acht wakkers en één kakker. Dat zijn er samen, ... euh.' Hij begon op zijn vingers te tellen.

'Vijfentwintig', antwoordde Boran snel, zonder op te kijken.

'Zoveel pijltjes hebben we niet', zei Mattia en hij keek al verlangend naar het automatische geweer dat Boran op de stoel had achtergelaten.

'Zelfs met een geweer kunnen we het nooit van ze winnen, Matt.'

'Dan moeten we ervoor zorgen dat ze ons niet opmerken.'

Boran fronste zijn wenkbrauwen.

'We trekken de uniformen aan van die twee sukkels in de hal.'

Boran grinnikte. 'Heb je al eens goed naar jezelf gekeken, Matt? Je ziet er zelf amper dertien uit en jij wilt je vermommen als een volwassen piraat!'

'Als we stoer genoeg doen, valt het niet op.'

'Jij bent niet goed bij je hoofd!'

'Weet ik', antwoordde Mattia. 'Maar ik weet ook dat je je moeder niet in de steek wilt laten en dit is onze enige kans.'

Boran keek opnieuw door het raam naar de piraten in de vertrekhal en nam een besluit.

'Oké, we doen het.'

'Tuurlijk doen we het. Blijf hier bij Bliksem, terwijl ik de uniformen ga halen.'

En weg was Mattia met het geweer. Boran nam zijn kruisboog en ging naast Bliksem in de stoel zitten.

'Dat baasje van jou heeft wel lef', zei hij tegen het diertje.

Bliksem antwoordde niet, maar snuffelde tussen de kussens naar etensresten.

De twee piraten zaten nog steeds onbeweeglijk aan elkaar vastgebonden naast de zitjes in gate E. Het paddenstoelengif werkte uitstekend, maar voor de zekerheid injecteerde Mattia nog een dosis, voor hij ze losmaakte. De uniformen waren nog nooit gewassen en stonken verschrikkelijk.

'Ik en mijn goeie ideeën', bromde Mattia. Hij begon het smerige vest van een van de piraten los te knopen, maar verder dan dat kwam hij niet, want de koude loop van een pistool overtuigde hem ervan dat hij die vieze kleren nooit zou dragen.

Boran had het zich gemakkelijk gemaakt en lag languit in de leren stoel met zijn voeten op de lage tafel. Bliksem lag opgerold op zijn buik en liet zich gewillig aaien.

'Hoelang duurt het om twee slapende mannen uit te kleden?' vroeg Boran zich hardop af.

Bliksem antwoordde met een grommetje, waarmee hij de mensenjongen wilde aansporen om vooral niet te stoppen met aaien. Maar Borans hand bleef stil in Bliksems pels rusten. De jongen hield zijn adem in, want hij had iets gehoord en zijn vermoeden werd bevestigd toen Bliksem overeind schoot met gespitste oren, zijn snuit in de lucht.

'Jij hoort het ook, hè?' fluisterde Boran tegen de wasbeer.

Voetstappen! Nee, niet dichtbij, maar in elk geval dicht genoeg. Bliksem sprong van Borans buik op de vloer toen de jongen zijn kruisboog nam. Het geluid kwam uit de cafetaria. Hij hoorde nu ook het getinkel van flessen en glazen en zijn hart racete met honderd per uur. Er was iemand en hij stond er deze keer helemaal alleen voor, net als twee nachten geleden, en toen was hij er bijna het hachje bij ingeschoten.

Met zijn kruisboog voor zich uit en half gebukt, sloop Boran naar de cafetaria. Bij iedere stap veerde hij zacht op de zolen van zijn versleten sportschoenen, als een tijger die zijn prooi besluipt. Maar waarom voelde hij zich dan de prooi?

Op het eerste gezicht was de cafetaria verlaten, daglicht viel door de ramen op de lege tafels en stoelen. Maar Boran vertrouwde die eerste indruk niet en hield zijn boog klaar om te schieten bij het minste onraad. Toen zag hij het gezicht achter de bar en hij haalde meteen de trekker over. De stalen bout suisde weg en het gezicht vervormde krakend in grillige scherven die rinkelend op de vloer vielen. Boran kon niet geloven dat hij zo stom was geweest om op zijn eigen spiegelbeeld te schieten.

Een spottende lach deed hem met een ruk omkijken. Zijn ongeladen kruisboog was nu niet gevaarlijker dan een stuk dood hout, maar Boran hoopte dat zijn vijand dom genoeg zou zijn.

Hij zat op de rand van een tafeltje aan de overkant, een zwaargebouwde kerel met een glaasje whisky in zijn hand, ongetwijfeld zelfgestookt van alles wat hij had kunnen vinden. Het felle daglicht belichtte de helft van zijn gezicht, zodat hij op een harlekijn leek.

'Knap schot, knulletje', grijnsde de man. Zijn tanden waren geel en rot en zijn wang plooide langs de lijn van een stevig litteken.

Boran herlaadde zenuwachtig zijn kruisboog en richtte opnieuw op de man. Die had al die tijd gemoedelijk toegekeken en maakte geen aanstalten om naar zijn geweer te grijpen, dat naast hem op de zitbank lag.

'Ha-handen omhoog.' stamelde Boran, zo stoer hij maar kon.

Maar de man nipte rustig van zijn glas.

'Wil je soms dood?' riep Boran, die met de seconde onzekerder werd.

'Heb jij al iemand gedood?' vroeg de man.

'Tu-tuurlijk', stamelde de jongen. 'Al wel... euh... dertig man.'

'Hoe oud ben je?'

'Waarom vraagt u dat?'

De man glimlachte geamuseerd, omdat de jongen hem met 'u' aansprak.

'Jij hebt nog geen mens gedood', zei hij, alsof hij het in Borans ogen kon lezen. En misschien was dat ook wel zo.

Boran zweeg.

'Kom hier, ga zitten.' De piraat wees naar de lege stoel tegenover hem.

De jongen verroerde geen vin, maar hield de kruisboog met vaste hand op zijn doel gericht.

'Ik doe je niks. Ik zweer het.'

Bliksem stond zowat halverwege tussen Boran en de tafel waarop de vreemde man zat en wist niet goed wat hij moest doen. En dat was ook exact hoe Boran zich voelde, maar hij was niet van plan om op welk aanbod ook in te gaan. Toch liet hij zijn kruisboog zakken.

'Hoe heet je, jongen?' vroeg de man, terwijl hij de whisky in zijn glas liet rondcirkelen.

'Boran.'

'Ik ben Yann. Wat doe je hier, Boran?'

'Jullie hebben mijn moeder!' beet de jongen hem toe. Hij stopte even en vroeg dan: 'Bent u van de bende?'

De man knikte en even had Boran de neiging om zijn kruisboog weer op hem te richten.

'Je vraagt je af waarom ik je niet dood', zei de man die Yann heette.

Boran zei niets. Het was een van de duizend vragen, die door zijn hoofd schoten.

'Mijn broer heeft me bij de bende gebracht', ging de man verder. 'Het is fantastisch niet meer bang te hoeven zijn dat je op een dag omkomt van de dorst. Alles is er: eten, drinken, bescherming. Maar op een dag word je volwassen en voel je dat je verkeerd bezig bent. Wat geeft iemand het recht om mensen te vermoorden en hun water te stelen om een miezerig hoopje smeerlappen te onderhouden?'

Hij zuchtte vermoeid en nam een slok. Boran zette een stapje dichterbij.

'Mijn broer was een fantastische kerel', vervolgde Yann. 'Hij hield erg veel van me en heeft zich nooit thuis gevoeld in de bende.'

'Hij was een van Leslies contacten!' drong het tot Boran door.

De man schudde zijn hoofd. 'Ik ben een van Leslies contacten. Mijn broer heeft me willen beschermen en heeft het met zijn leven moeten bekopen, samen met twee vrienden van me.'

'Waarom vlucht je dan niet?' vroeg Boran.

Yann nam nog een slok van het goedje in zijn glas en keek hem triest aan.

'De enige uitweg uit de bende is de dood, Boran. Waar ik ook heen vlucht, de Cycloop zal me altijd weten vinden.'

Boran keek hem met grote ogen aan. De droefheid van de man trof hem diep.

Yann wees naar de kruisboog, die de jongen nu naar de vloer gericht hield.

'Ik zou je kunnen vragen om er met die prachtige kruisboog van jou een eind aan te maken, maar dat wil ik je niet aandoen. Je hebt nog niemand gedood, Boran, zelfs geen dier als ik het goed heb. Het siert je.'

Boran glimlachte een beetje. Hij was nu tot vlak bij het tafeltje gekomen en ging wat onwennig tegenover Yann op een stoel zitten.

Yann dronk zijn glas leeg en wiste zijn mond met de rug van zijn hand.

'Je moeder wordt vastgehouden in de toiletten hier vlak onder. Twee mannen houden de wacht. Samen kunnen we ze aan.'

'U wilt me helpen!?' vroeg Boran verrast.

'In je eentje is het zelfmoord. Ik heb niks meer te verliezen.'

'We zijn met twee...', zei Boran.

'Ja, ik zie het', lachte de man, terwijl hij naar de wasbeer keek aan de voeten van de knaap.

'Met drie, bedoel ik. Mijn vriend Mattia had een plan, ...'

'...maar is niet teruggekeerd', vulde Yann hem aan.

Boran knikte zwijgend.

'Vertrouw je me?' vroeg de piraat uiteindelijk.

Boran dacht even na en knikte opnieuw.

Ik vertrouw een piraat van de Cycloop, flitste het door zijn hoofd, maar het was te laat om zich nog te bedenken.

Mattia zat achter in een aftandse Jeep, stevig vastgebonden. Tegenover hem zat de piraat die hem had verrast met een antieke Luger uit de Eerste Wereldoorlog, een wapen dat hij waarschijnlijk uit een van de talrijke vernielde musea had gestolen. Ze reden over de landingsbanen naar een grote vliegtuigloods, zo'n honderd meter van het luchthavengebouw. Toen ze langs de vleugelloze romp van een Airbus A320 reden, zag Mattia in de verte een colonne voertuigen rijden. Twee buggy's met zwaar geschut vergezelden een Jeep, die op zijn beurt een uitgebrand wrak achter zich aan trok. Een schok ging door de jongen heen toen hij de sierlijke, half-vergane letters zag van de mooiste meisjesnaam die hij ooit had gehoord.

'Leslie', fluisterde hij haast onhoorbaar, en hij verdrong moeizaam zijn verdriet, want het laatste wat hij wou doen, was gaan janken voor de neus van zijn vijand. Leslie had wel degelijk woord gehouden en was in de buurt gebleven, tot het bittere einde. Een traan baande zich een weg naar beneden over Mattia's wang. Hij keek naar zijn voeten, zodat de piraat het niet zou zien. Leslie was knap en sexy, maar Mattia's gevoelens voor haar gingen veel dieper. Ja, hij was echt verliefd geweest.

De piraten in de vertrekhal keken even op toen ze hun maat Yann zagen binnenkomen. Er werden groeten uitge-wisseld, die aan dierlijk gegrom deden denken. Geen van hen schonk aandacht aan de kleine jongen, die hun makker als een hondje aan een touw achter zich aan sleepte. De handen van de knaap waren op zijn rug gebonden en hij beefde als een rietje. De tranen, die witte strepen over zijn vuile wangen trokken, hadden geen enkel effect op de piraten. Kinderen waren zielige slachtoffers.

'Vort, snertjoch!' bromde Yann en gaf zo'n ruk aan het touw dat Boran bijna zijn evenwicht verloor. De andere piraten gingen grijnzend verder met hun bezigheden, terwijl Yann met zijn vangst naar de toiletten sjokte, die dienst deden als gevangenis.

De twee piraten die de toiletruimte bewaakten, lieten hun wapens zakken toen ze zagen dat het een van hen was die de deur naderde.

'Een luchthavenrat!' grijnsde Yann, terwijl hij Boran voor zich uit duwde.

'Knal hem dan toch meteen zijn kop eraf!' stelde een van de twee bewakers voor.

'Dat is zijn mammie daarbinnen. We moeten de Cycloop over hem laten beslissen.'

Eén van de piraten draaide zich om, zodat hij de deur kon openmaken en dat was het teken voor Boran om in actie te komen. Zijn handen waren natuurlijk niet geboeid en hij hield er het blaaspijpje in verborgen. Nog voor de piraat met de sleutel goed en wel wist wat er gebeurde, lag hij bewusteloos op de vloer. Ondertussen verkocht Yann de andere piraat zo'n uppercut dat de man hard met zijn hoofd tegen de deurpost smakte en meteen buiten westen was. Yann verzamelde hun geweren en gaf er een aan Boran, die de sleutels ontfutselde uit de slappe hand van de bewusteloze piraat.

Het enige licht in de toiletruimte viel door de smalle raampjes boven de stalletjes. Onder de rij wastafels tegen de muur zat een schim, eenzaam in elkaar gedoken in een smalle zonnestraal. Boran zag mams opkijken, haar ogen vochtig van het huilen. Ze sprong meteen overeind en het volgende moment vlogen moeder en zoon elkaar in de armen.

'Oh! Lieveling! Mijn lieve, kleine Boran! Ik dacht dat je...'

Ze sloot haar jongen zo stevig in haar armen dat Boran dacht dat zijn ribben zouden breken.

'Ik ook, mam', zei hij met moeite, want Nalea's greep drukte alle lucht uit zijn longen.

Onverwacht liet ze hem los en duwde hem ruw weg, alsof ze gebeten was door een insect. Terwijl Boran op de grond viel, voelde hij het geweer uit zijn hand glijden.

'Mam! Nee!' riep hij, maar zijn woorden verdronken in een kogelsalvo. Yann viel in een mist van rode druppels op de tegelvloer en een donkere plas deinde onder hem uit.

'Hij heeft me geholpen!' schreeuwde Boran in tranen en hij rende naar Yann toe.

De man had zijn ogen open en keek de jongen aan met een blik die Boran koude rillingen gaf.

'Dank je', spraken zijn lippen onhoorbaar. Zijn ogen verstarden en Boran dacht even dat hij Yanns geest uit zijn lichaam zag ontsnappen, - nee, voelde ontsnappen -, dwars door hem heen.

'Hij is vrij', zei hij stil, maar hij wist niet of hij nu bedroefd of opgelucht moest zijn.

Het schot was gelukkig onopgemerkt gebleven. Executies gebeurden nu eenmaal elke dag.

Voorzichtig nam Boran zijn kruisboog uit Yanns verkrampte hand en stond op.

Maar Nalea pakte haar zoon brutaal bij de arm en duwde hem tegen de wastafel.

'Het was ongelooflijk stom van jou om hierheen te komen, Boran!'

'Wat!?' Haar woorden waren als een speer die dwars door Borans hart boorde.

'Je hebt gehoord wat ik zei!'

'Wel, jij bent even stom, mam!' riep Boran huilend. 'Want jij zou net hetzelfde doen voor mij!'

'Ik ben een volwassene én ik ben je moeder!'

'Maar ik zou je vrienden niet doodschieten!'

Boran begon te snikken, want het was hem opeens allemaal te veel.

Nalea zweeg en keek haar zoontje wat bedremmeld aan. De knaap had zijn leven gewaagd en de ergste verschrikkingen doorstaan om zijn moeder terug te krijgen. En het enige dat ze deed, was hem verwijten naar het hoofd slingeren.

Ze drukte Boran opnieuw tegen zich aan en zei zacht: 'Het spijt me, schat. Maar na alles wat ik heb doorgemaakt, ...' Ze liet hem los, keek hem in de ogen en wiste met haar vingers zijn tranen weg. 'Ik ben zo gelukkig dat we weer samen zijn...' Ze veegde zijn haar uit zijn ogen en drukte een kus op zijn voorhoofd.

'We smeren 'm, lieverd.'

'Niet zonder Mattia!'

'Wie?'

'Hij is mijn vriend', verklaarde Boran. 'Hij is waarschijnlijk gevangen genomen.'

'Dan is het toch te laat. Wat nu telt is hier levend weg zien te komen.'

'Nee, mam! We moeten hem helpen! We zijn vrienden! Hij zou voor mij net hetz...'

Pats! Boran kreeg een oorvijg. De eerste sinds lang.

Nalea had meteen spijt toen haar zoon haar geschrokken aankeek met zijn hand op zijn gloeiende wang, maar ze verontschuldigde zich niet.

'Ik wil er niks meer over horen!' zei ze op stille, maar strenge toon.

Boran kon maar niet begrijpen hoe die paar dagen gevangenschap zijn moeder zo hadden veranderd.

'Kun je overweg met dat ding?' wees ze naar zijn kruisboog.

Boran schudde nee.

'Goed, neem dan deze.' En ze gaf hem het automatische geweer waarmee ze daarnet Yann had gedood. Zelf nam ze het andere geweer en controleerde het magazijn.

'Blijf dicht achter me en doe wat ik je zeg!'

Verstikt door tranen, knikte Boran. In een kort, maar vreselijk moment wenste hij dat hij zijn moeder had laten stikken.

Toen ze uit de toiletruimte kwamen, lag de piraat die Boran met een pijltje had verdoofd, nog steeds in een hoopje op de grond. Zijn collega was verdwenen en dat voorspelde weinig goeds. Boran en Nalea hoorden geschreeuw en geroep en toen ze uit de zijgang kwamen, werden ze meteen onder vuur genomen. Nalea griste Boran bij zijn T-shirt en trok hem hardhandig mee achter de Lufthansa-balie. Met doffe explosies sloegen de kogels in de wand, en scherven glas en marmer rinkelden op de vloer.

Nalea sproeide op haar beurt blindelings een salvo in de vertrekhal en verschillende piraten storten neer.

'Erop of eronder!' riep mams verbeten, klaar om een uitval te doen. Maar in plaats van Borans arm te vinden, greep haar hand in het ijle.

'Dat zou ik maar niet doen, poppetje.'

Met een ruk draaide Nalea zich om en zag iets dat ze alleen maar in haar vreselijkste nachtmerries voor mogelijk had gehouden: haar kind in handen van de Cycloop.

Hij was een hallucinante verschijning, een boom van een vent, die hoog boven haar uit torende. Hij was kaal en de bovenste helft van zijn gezicht ging schuil onder een metalen frame, waarin een grote cameralens zacht zoemend heen en weer draaide – hij leek wel een wandelend fototoestel! De Cycloop hield Borans hoofd stevig vast met één hand over zijn mond en kin. Hij kon met het grootste gemak het kaakbeen van de jongen versplinteren als hij daar zin in had gehad. Maar de echte gruwel had hij vast in zijn andere hand: een glanzende stalen priem van wel vijftien centimeter, die hij horizontaal naast Borans linkeroor hield.

Nalea merkte nauwelijks de negentien lopen op, die nu op haar waren gericht en hield haar eigen wapen nog steeds op het hoofd van de eenogige leider gericht.

'Jij geeft heel veel om je zoontje, niet?' sprak de Cycloop bedaard.

'Als ik de trekker overhaal, moeten je mannetjes je hersenen in een emmer verzamelen', antwoordde Nalea koelbloedig.

De Cycloop zei niets, maar Nalea zag hoe de vlijmscherpe priem langzaam in Borans gehoorgang verdween.

'Wedden?'

De doodsbange jongen verroerde geen vin, want hij voelde de lange pin kriebelen in zijn oor als een verdwaald insect. Eén verkeerde beweging en het ding zou dwars door zijn trommelvlies gaan, zijn gehoorbeentjes verbrijzelen en zijn hersenen doorboren als zachte boter.

Nalea keek haar vijand strak in de lens, maar gooide tenslotte verslagen haar geweer op de grond. Een grijns verscheen op het gezicht van de Cycloop en Boran voelde tot zijn opluchting de scherpe pin uit zijn gehoorgang schuiven.

'Een verstandige beslissing, kindje.'

Vanuit de Jeep waarin ze werden weggevoerd, zag Boran een eenzaam diertje over de startbaan huppen. In Yanns plan was geen plaats geweest voor Bliksem en hij had de trouwe vriend van Mattia noodgedwongen aan zijn lot moeten overlaten. Als de wasbeer slim genoeg was om Leslie op te sporen, zou hulp niet lang op zich laten wachten, dacht Boran.

Hij wist toen nog niet wat Mattia wist. De Jeep reed langs twee immense stalen deuren de vliegtuigloods binnen en werd er onthaald met luid gejuich en geschreeuw. De loods was flets verlicht en toen Borans ogen gewend waren aan het duister, zag hij overal piraten om zich heen. Honderden grijnzende, vuile en bezwete gezichten, die hem aanstaarden met ogen vol waanzin. Boran had nooit gedacht dat de bende zoveel leden telde.

Van alle kanten werden schunnigheden geroepen toen de twee weerloze gevangenen uit de Jeep werden getrokken. Er hing een scherpe geur van zweet en ongewassen mannen- lijven, die Boran op slag misselijk maakte. Hij werd, samen met zijn moeder naar een gedeukte container achter in de loods gebracht. Een schurftige piraat maakte het hangslot open en verwijderde de zware ketting die de stalen deuren bijeenhield.

'Je hebt gezelschap, kleine!' schreeuwde hij naar binnen.

Boran herkende meteen Mattia's gezicht in het binnen- vallende licht. De jongen zat op de vloer, met zijn handen boven zijn hoofd vastgeketend aan een stalen ring in de achterwand. Over de hele binnenwand van de container waren zulke ringen aangebracht en Boran wist dat hij zich al snel in dezelfde positie zou bevinden.

'Ik zie dat je je moeder hebt bevrijd', grijnsde Mattia toen Boran werd vastgeketend tussen Mattia en zijn moeder in.

Het binnenvallende licht werd even verduisterd toen de Cycloop de container binnenstapte. Hij bleef staan voor de kersverse gevangenen, een enorm, dreigend silhouet in het tegenlicht.

'Wat een mooi gezinnetje. Ontroerend bijna. Misschien dat de tongen nu ook wat losser komen.'

Hij ging pal voor Boran staan en hurkte tot hij op ooghoogte was. Boran keek de gevreesde piratenleider recht in de lens. Hij kon nu zelfs de minuscule kabeltjes zien, die onder het stalen masker verdwenen. Het was slordig knutselwerk, maar blijkbaar werkte het uiterst precies.

'Of wil je me nu al vertellen waar je mammie de kaart heeft verstopt?'

De adem van de man stonk naar verrot vlees en tabak en Boran hield zijn adem in.

'Welke kaart?'

De Cycloop grijnsde. 'Dat weet je best, kleine man.'

'Ik weet niets af van een kaart, echt waar.'

'Hij vertelt de waarheid!' zei Nalea.

'Hou je mond!'

Maar Nalea zweeg niet.

'Luister', zei ze. 'Je mag met me doen wat je wilt, maar laat de kinderen gaan!'

'Jij vraagt veel, gezien de positie waarin je je bevindt.'

Hij stond op en keek naar zijn drie gevangenen tot zijn blik weer op Nalea rustte.

'Morgen zullen we zien of je nog altijd je mond kunt houden als we je zoontje op de pijnbank leggen.'

Nalea trok bleek weg. 'Steek één vinger naar hem uit en je zult de kaart nooit krijgen!' zei ze vastberaden, maar de angst klonk doorheen haar stem.

De Cycloop pakte haar kin beet met een hand, zodat haar lippen een langgerekte 'O' vormden en bracht haar gezicht dichter bij het zijne.

'Dat zien we dan wel als het zover is', zei hij beheerst. 'Vergeet niet dat ik altijd krijg wat ik wil.'

Hij liet haar los en zonder er iets aan toe te voegen, ging hij met zijn mannen de container uit. De zware deuren sloten zich met een klap en de gevangenen hoorden hoe ze stevig werden vergrendeld met rinkelende kettingen.

Er viel een stilte, enkel doorbroken door het gejoel van

de piraten in de loods.

'Heb jij echt de kaart van de ontziltingsinstallatie, mam?'

'Hou je mond, Boran. Vergeet niet waar we zijn.'

'Je hebt ze toch niet hier?'

'Denk je echt dat ik zo dom ben? Maar ik ga mijn mond niet houden als ze jou pijn doen. Jij bent oneindig veel meer waard dan een stomme kaart.'

'Het is geen stomme kaart!' protesteerde Mattia. 'Als de Cycloop ze vindt, krijgt hij volledige controle over het drinkwater.'

Nalea zuchtte.

'Zeg ons waar de kaart is, mama. Alsjeblieft', smeekte Boran.

Maar Nalea schudde het hoofd.

'De locatie van de kaart zit in mijn hoofd en daar moet ze blijven. Zolang de Cycloop niet heeft wat hij zoekt, zal hij ons laten leven.'

'Dat is bullshit!' zei Mattia. 'Hij wil alleen wat in je hoofd zit. En de rest is vlees om te folteren. Hij gaat ons een voor een in plakjes snijden, tot je het hem vertelt.'

'Kan Bliksem ons niet helpen?' stelde Boran voor.

'Ik weet niet eens waar hij is.'

'Hij loopt hier ergens rond. Hij kan misschien een boodschap overbrengen naar Leslie. Hij is toch slim genoeg? Al wat we moeten doen is hem hierheen prob...'

'Hou je kop, Boran!' beet Mattia hem toe.

Boran zweeg geschrokken.

'Hou gewoon je kop', herhaalde hij stiller, maar even nors. De vermelding van de naam Leslie deed Mattia pijn, maar hij wou Borans hoop niet stukslaan en zei verder niets.

De drie gevangenen probeerden te slapen, maar dat was niet gemakkelijk met het gebral en geschreeuw van de piraten op de achtergrond. Alle drie hoopten ze dat geen van die kerels het in een dronken bui in zijn hoofd zou halen een doelschijf op de container te schilderen en er zijn magazijnen op leeg te schieten.

7. De kruisboog en de appel

Boran werd ruw uit zijn slaap gerukt toen iemand zijn kettingen losmaakte. Vlak voor zijn gezicht grijnsde een stinkende, tandeloze piraat hem toe. Wat een manier om wakker te worden!

De drie gevangenen werden geboeid en onder luid gejoel en ritmisch getimmer op olievaten naar het midden van de vliegtuigloods gebracht. Daar, bovenop een oplegger zonder wielen, stond de Cycloop achter een geïmproviseerde tafel bestaande uit twee olievaten en een plastic golfplaat. Hij werd geflankeerd door twee uitverkoren lijfwachten.

Boran, Mattia en Nalea werden op hun knieën gedwongen op de harde betonvloer.

Na een lange stilte sprong de Cycloop van de oplegger en liep recht op Boran af, die tussen Mattia en zijn moeder geknield zat. De lens van de Cycloop draaide zacht zoemend rond om scherp te stellen op de jongen.

'Heb je nog iets te zeggen voor ik je toetakel?'

Boran keek de man strak aan en schudde dapper zijn hoofd heen en weer. Hij verwachtte dat de Cycloop opnieuw die vreselijke oorpriem tevoorschijn zou toveren om hem daarmee te martelen tot hij een vergiet was, maar de cameralens van de piratenleider focuste op het verband rond de linkerbovenarm van de jongen. Borans angstige blik volgde de enorme hand van de man naar de wond die Leslie zo vakkundig had dichtgenaaid.

'Doet het pijn?'

Zijn hand greep Borans verbonden arm vast als een tang en vol sadistisch plezier boorde de Cycloop zijn vingers in het bebloede verband. De pijn schoot als een gloeiend hete naald door Borans arm en de jongen schreeuwde het uit, maar hierdoor ging de smeerlap alleen maar harder knijpen, zodat het verband nu helrood kleurde en een bloeddruppel langs Borans arm naar beneden liep.

'Hou op!' schreeuwde Nalea met tranen in haar ogen.

'Ophouden?' vroeg de piratenleider verbaasd. 'Ik ben nog maar net begonnen!'

'Jij bent een lafaard, weet je dat!' riep Mattia.

'Hoe je bek!' brulde de Cycloop.

Maar Mattia hield zijn bek niet. Het ging tenslotte om zijn vriend en als hij Boran kon helpen door zijn bek niet te houden, dan zou hij dat verdorie doen!

'Jij bent zo laf dat je een heel leger hersendode sullen nodig hebt om de dingen te doen die jij niet durft', beet Mattia de Cycloop toe. 'Of misschien vind je het gewoon heel erg geil om stinkende, zweterige kerels om je heen te hebben? Iedere nacht een ander holvriendje dat je dan eens lekker...'

De enorme hand van de Cycloop was bliksemsnel en voor Mattia's ogen explodeerden duizenden sterren. Boran kneep in een reflex zijn ogen dicht toen warme bloed-druppels in zijn gezicht spatten en hij voelde Mattia tegen zich aan botsen. Nog nooit in zijn hele leven had Mattia zo'n klap gehad en het flitste door zijn hoofd dat de man met dezelfde kracht zijn nek had kunnen breken. Maar zijn opzwellende wang en de bloedsmaak in zijn mond wakkerden zijn woede alleen maar aan. De pijn verbijtend en met ware doodsverachting spuwde hij een bloederige rochel precies op de lens van het elektronische oog.

De Cycloop pakte Mattia's lange zwarte haar in zijn vuist en trok zijn hoofd naar achter, zodat de jongen verkrampt kreunde van de pijn. Maar Mattia hield al snel zijn mond toen hij het gekartelde staal van een jagersmes vlak onder zijn navel voelde.

'Doe dat nog één keer, smerige hond, en ik haal je open van je lul tot aan je strot!'

'Hou op!' snikte Nalea.

'Ga je praten?' snauwde de Cycloop haar toe.

'Dat had je gedacht, smeerlap! Maar als je ook maar een van de jongens iets doet, kan je de kaart op die vieze, vette buik van je schrijven!'

De Cycloop keek haar zwijgend aan, vol ingehouden woede, maar het vlijmscherpe jagersmes verdween weer in de schede.

'Laat de jongens vrij! Dit is tussen ons.'

'Hoe durf je mij bevelen te geven, teef!' bulderde de Cycloop.

'Ze weten niets! En zolang je hen hier houdt, zal ook jij niets te weten komen!'

De Cycloop zweeg en het leek waarachtig alsof hij op het punt stond toe te geven. Maar toen zag Boran een rare schittering achter die ene starende lens.

'Vrijheid is duur,' sprak hij bedaard. 'Ze zullen haar moeten verdienen.'

'Hoe?' vroeg Boran.

De Cycloop grijnsde hem breed toe. 'Met een spelletje!'

'Maak die twee kleuters los!' beval hij met herwonnen zelfvertrouwen.

Boran en Mattia werden losgemaakt.

'We gaan een oude legende tot leven brengen', sprak de Cycloop plechtig. 'Kennen jullie Willem Tell?'

Mattia schudde nee, maar Boran knikte. Hij had het verhaal over de Zwitserse vrijheidsstrijder wel tien keer opnieuw gelezen. Het verbaasde hem dat de Cycloop het ook gelezen had en ondanks alles kreeg hij toch een klein beetje respect voor de man. Even maar.

'Dan ken je ongetwijfeld ook de passage waarin Willem Tell door Gessler verplicht wordt een appel doormidden te schieten op het hoofd van zijn zoon?'

Weer knikte Boran en hij kreeg een vermoeden van wat hem te wachten stond.

'Perfect.' Hij gaf beide jongens hun kruisbogen terug, ongeladen natuurlijk, en greep Boran stevig bij de schouder om hem naar het andere uiteinde van de loods te brengen. Mattia werd naar de andere kant gebracht, zodat er tussen hen beiden een ruimte van zo'n dertig meter was. De jongens kregen elk een blozende rode appel op het hoofd geplaatst en een bout in hun kruisboog.

'Jullie zijn slimme kereltjes,' sprak de Cycloop met verheven stem, 'dus ik neem aan dat jullie al wel weten wat ik van jullie verwacht. Schiet een pijl door de appel op het hoofd van de ander en ik schenk jullie de vrijheid.'

'Je hebt gehoord wat ik zei!' riep Nalea. 'Als je de jongens ook maar iets...'

'Als ik hen ook maar iets zou doen', benadrukte de Cycloop. 'Wat er ook gebeurt, nu doen ze het elkaar aan.'

Nalea zweeg. Haar zoon kon niet met een kruisboog overweg en dat andere joch, dat Mattia heette, misschien nog minder. Ze sloot haar ogen, zodat wat komen zou, niet eeuwig op haar netvlies gebrand zou staan.

Mattia zag de angst en de onzekerheid in Borans ogen.

'Ik doe het niet!' zei Boran ineens.

'Denk eerst eens even na, voor je zoiets zegt', sprak de Cycloop, nog steeds op een akelig vriendelijke toon. 'Het zou toch vreselijk zijn als je mammie zou moeten toekijken hoe we jou en je vriendje heel traag in stukjes snijden?'

'Smeerlap!' siste Boran woedend tussen zijn tanden.

Hij keek naar Mattia en het leek of hij in zijn donkere ogen vertrouwen kon lezen. Hij had geen keus. Mattia zou ongetwijfeld raak schieten, maar hij? Het laatste dat hij had geraakt, was een spiegel. En nu moest hij in één keer een appel doorboren op het hoofd van zijn vriend, dertig meter verder. Mattia wist toch ook wel dat hij geen enkele kans maakte? Vanwaar dan dat vertrouwen in zijn blik?

Boran richtte het geladen wapen op zijn vriend, zijn armen bevend van angst. Hij probeerde zich alles voor de geest te halen wat zijn moeder hem tot nu toe had geleerd over wiskunde en fysica. Maar dit was geen dom vraagstuk op papier, maar een kwestie van leven en dood.

Boran slaagde erin om de boog stabiel te houden, maar het leek of het beven van zijn armen de lift naar beneden had genomen en zich nu in zijn knieën had genesteld. In zijn gedachten zag hij de stalen bout recht naar Mattia's gezicht suizen, en dan de vreselijke inslag... Hij richtte iets hoger en

Mattia deed hetzelfde. Beide vrienden staarden elkaar recht in de ogen, met de vreselijke moordwapens op elkaar gericht.

Een kort knikje van Mattia, een kort knikje van Boran. Dit was het teken. Boran ademde diep in en haalde de trekker over. De terugslag van de boog beukte tegen zijn schouder en vanaf dat moment leek het of alles rondom hem zich vertraagd afspeelde. Hij zag de dodelijke projectielen wegschieten, maar had de indruk dat hij zijn bout nog met gemak kon inhalen voor hij zijn doel bereikte. Hij zag hem recht op Mattia's gezicht af suizen en Mattia's bout kwam recht op hem af. Boran sloot zijn ogen, wachtend op het einde.

Met een vochtige plof spatten de twee appels tegelijkertijd uit elkaar. Borans bout bleef in de wand achter Mattia steken, een paar centimeter boven zijn hoofd. Boran opende zijn ogen en een stomverbaasde glimlach verscheen op zijn gezicht toen hij zag dat het hem gelukt was. Mattia liet een schreeuw van opluchting, ondanks de pijn in zijn gezwollen wang. Nalea sloeg ook haar ogen op en toen ze zag dat het hen gelukt was, begon ze te huilen van geluk.

Boran draaide zich naar de Cycloop en grijnsde de man triomfantelijk toe.

'Je kunt je nu maar beter aan je woord houden', zei hij dapper.

Maar de Cycloop grijnsde terug en de jongen voelde dat er iets niet pluis was.

'Ik heb gezegd dat de pijl door de appel heen moest, de appel zelf moest heel blijven.'

'Wat!? Maar dat is niet eerlijk!' Borans woorden verdronken haast in het bulderende gelach van de piraten. Meteen werden de jongens opnieuw in de boeien geklonken.

'Rotzak!' riep Nalea kwaad. 'Ze hebben hun vrijheid verdiend! Laat hen gaan!'

De Cycloop lachte. 'En jij lekker verder je mond houden? Geen denken aan!'

'De jongens zijn je niks waard!' riep Nalea wanhopig. 'Als je hen ook maar één haar krenkt, hou ik mijn mond en als je hen niet laat gaan ook. Aan jou de keuze.'

De piratenleider keek haar koud aan door die ene pupilloze lens. Onder het kale schedeldak was een tweestrijd aan de gang. Uiteindelijk nam de Cycloop een besluit.

'Goed, ik laat ze gaan. Maar jij kunt maar beter je woord houden.'

Nalea zweeg. Er klonk boegeroep van de aanwezige piraten en ook Boran en Mattia wisten niet of ze nu blij moesten zijn of sidderen van angst, want de Cycloop was onvoorspelbaar en vaak was je beter af met een kogel door je kop.

Toch werden de jongens naar dezelfde Jeep gebracht die hen naar de loods had gevoerd. Nalea rukte zich los en met haar handen geboeid op de rug en acht piraten achter haar aan, rende ze naar haar zoon toe. Ze drukte haar gezicht, nat van tranen, in Borans nek en de jongen omhelsde zijn moeder.

'Wonderlijke gedachten, Boran. Denk wonderlijke gedachten!' fluisterde ze in zijn oor, terwijl ze hem een kus gaf.

Meteen werd ze overmeesterd en de stomp van een geweerkolf in haar maag deed haar snikkend op de knieën zakken.

'Mam!' riep Boran. Maar een piraat tilde hem op en gooide hem ruw in de laadbak van de Jeep. Daar werd hij naast Mattia vastgeketend aan de zitbank. De stalen poorten van de loods rolden open met donderend geraas, waarop de Jeep onder een felle zon hard optrok en met gierende banden wegscheurde. Nog een laatste keer keek Boran achterom, maar zijn moeder zag hij niet meer.

Er lagen twee waterkruiken aan hun voeten in de laadbak en onder de bank lagen hun wapens. De hoop groeide dat de Cycloop dan toch de waarheid had gesproken en hen de vrijheid zou geven, maar waarom liet hij hen dan niet gewoon gaan en waarom waren ze vastgeketend?

Toen ze naar de startbaan draaiden, zagen de jongens ineens een wit pelsdiertje uit het dorre gras tevoorschijn springen.

'Bliksem!' riep Mattia dolgelukkig.

De wasbeer had zijn baasje herkend en begon heel hard te rennen, maar de auto versnelde en hij zou al snel moeten opgeven.

'Lopen, Bliksem!' riep Mattia zo hard hij kon.

'Lopen, Bliksem!' moedigde Boran het wasbeertje aan.

Het diertje hupte snel en lenig achter de Jeep aan, maar dreigde uitgeput te raken. Zijn rennende pootjes waren bijna een waas onder het pluizige lijfje en Boran zag nu pas echt waarom Mattia hem Bliksem had genoemd. Maar ook een bliksemschicht duurt maar heel even en de wasbeer verzwakte ziENDEROGEN en verloor meer en meer terrein.

Toen minderde de Jeep vaart om de weg op te draaien naar de bewaakte poort en Bliksem zag zijn kans schoon. Met een laatste uitbarsting van energie zette het diertje de sprint erin en net voordat de auto weer versnelde, nam hij een fantastische sprong, waardoor hij tussen Mattia's benen in de laadbak belandde. Meteen sprong het diertje hijgend op zijn lachende baasje en begon uitgebreid zijn gezicht te likken.

'Ik wist niet eens dat wasberen zo snel konden rennen', lachte Boran.

'Dat is omdat de meeste wasberen geen reden hebben om te rennen', antwoordde Mattia.

Met het herenigde drietal liet de Jeep de luchthaven achter zich en voor de passagiers begon een lange tocht onder de blakende zon. Zweetdruppels trokken strepen over hun gezicht, door korsten van vuil, zweet en bloed, en de dorst brandde in hun keel. Ook Bliksem lag uitgeput naast de drinkflessen met zijn kop tussen zijn uitgestrekte voorpootjes. Hij had geen enkel idee hoe hij de dop eraf moest schroeven en Boran en Mattia konden er niet bij, omdat ze waren vastgeketend.

'Leslie heeft ons lelijk in de steek gelaten', zuchtte Boran.

'Leslie is dood.'

Boran keek zijn vriend met wijd open ogen aan.

'Ik heb haar buggy gezien', vervolgde Mattia. 'Er was bijna niets meer van over, waarschijnlijk een raket of zo.'

'Hoe weet je dat het de hare was?' vroeg Boran.

'Haar naam stond erop, weet je nog?'

Boran voelde zijn maag samentrekken en tranen vulden zijn ogen. Hij kon het gewoon niet tegenhouden en begon te snikken. Mattia had zijn armen niet vrij, maar legde zijn hoofd tegen Borans schouder. Ook hij liet nu zijn tranen de vrije loop. Ondanks het feit dat ze haar maar kort hadden gekend, hadden ze allebei het gevoel dat ze een vriendin waren verloren.

Na vier eindeloze uren stopte de Jeep in een desolate zandvlakte, ver buiten de bewoonde gebieden. De piraten stapten uit en maakten de jongens los.

'Uitstappen, kleine etters!'

Ze schopten Boran en Mattia uit de laadbak, zodat de jongens languit in het hete zand ploften. Meteen sleurden de piraten hen weer bij hun kleren overeind en sleepten ze hardhandig naar een betonnen paal, die even verderop in het zand was geplant. Daar moesten ze in het zand gaan zitten en ze werden rug tegen rug, met hun armen om de paal, aan elkaar vastgeketend.

'Wat doen jullie nu?' riep Boran kwaad. 'De Cycloop heeft bevolen ons vrij te laten!'

Maar de piraten barstten luid in lachen uit, waardoor de jongens begrepen dat vrijlaten niet in het woordenboek van de bendeleider stond.

Toen de piraten de drinkflessen en de wapens uit de Jeep haalden, sprong een kwaad grommende Bliksem tevoorschijn en beet een van hen in de hand.

'Aaaahh! Fuck! Een rat!' De piraat sloeg met Borans kruisboog naar de wasbeer, maar Bliksem sprong lenig in het zand en zette zijn scherpe tandjes in de blote kuiten van de andere piraat. De man gilde als een speenvarken en schopte Bliksem weg, maar het diertje deed een nieuwe uitval. De andere piraat trok een pistool en vuurde.

BENG! BENG! Klonken de schoten door de dorre vlakte. De inslagen voor Bliksems poten deden het zand hoog opspatten.

'Klootzakken!' schreeuwde Mattia. 'Laat hem met rust!'

De andere piraat greep ook zijn wapen en vuurde eveneens

een salvo af op de wasbeer. Bliksem begreep hoe laat het was. Met dezelfde snelheid waarmee hij in de luchthaven de Jeep had ingehaald, schoot hij nu weg langs de zandduinen en verdween uit het zicht. De piraten borgen tevreden hun wapens op en concentreerden zich weer op de twee knapen. Ze hingen de waterkruiken vlak boven hun hoofden aan de paal en op zo'n anderhalve meter van hun voeten werden hun kruisbogen met de neuzen in het zand geplant.

'Zo. Jullie hebben drinkwater en wapens om jullie te verdedigen. Geniet maar eens goed van de buitenlucht.'

'Smeerlappen! Afgerukte hondenlullen!' schold Mattia woedend, maar de rovers stapten lachend in de Jeep.

Pas toen de stofwolk in de verte was verdwenen en de stilte over het tweetal neerdaalde, drong ook de realiteit tot hen door.

'Had hij ons maar meteen afgemaakt', zuchtte Mattia.

'We mogen de hoop niet opgeven', zei Boran van de andere kant van de paal.

'Ik heb geleerd om niet meer te hopen. Zo heb je minder kans om teleurgesteld te zijn als het niet uitkomt. Trouwens heb je al eens goed rondgekeken? De dichtstbijzijnde nederzetting ligt minstens twee- of driehonderd kilometer hier vandaan. Tegen de tijd dat iemand ons hier vindt, zijn we allang twee gebleekte geraamtes.'

Er viel een stilte.

Mattia's gekneusde wang klopte op het ritme van zijn hartslag en de hitte maakte het alleen maar erger. Nog steeds smaakte hij de zoute kopersmaak van bloed in zijn mond. De zandkorreltjes, die de wind in zijn gezicht blies, staken als minuscule naaldjes. Hij had eens gehoord dat men er

141

vroeger ijs oplegde om het zwellen te verminderen. Bevroren water, daar kon hij hier alleen maar van dromen.

Borans hersenen draaiden op volle toeren. Er moest een manier zijn om bij de drinkflessen te komen, die uitdagend boven hun hoofden hingen. Een duwtje zou volstaan om de kruiken van de paal te haken. Boran rukte aan zijn kettingen, maar zelfs als hij zich zo ver mogelijk uitstrekte, bleef hij met zijn hoofd net zo'n vijf centimeter onder de laagst hangende kruik. Hij trok harder en voelde de scherpe randen van de boeien in zijn huid snijden.

'Aaauw! Boran, wat voer je toch uit? Je doet me pijn!' riep Mattia.

Boran was vergeten dat ze aan elkaar waren vastgeketend. Met een ontgoocheld 'Sorry', zakte hij weer neer, zodat de kettingen ontspanden.

'We komen om van de dorst, Mattia. Met twee volle kruiken water twintig centimeter boven ons hoofd!'

'Water is voor de Cycloop net zoveel waard als voor ons', antwoordde Mattia. 'Misschien zitten ze wel vol pis.'

'Ik heb eens gehoord van een man die in de woestijn overleefde door zijn eigen pis te drinken', vertelde Boran.

Van aan de andere zijde klonk een kokhalzend geluid.

'Zou jij het soms niet doen, als je leven ervan afhing?'

'Hmm, misschien, maar dan alleen van mezelf en niet van een hoop schurftige piraten, die allerlei kleurrijke ziektes hebben. In één ding ben je geslaagd, Boran: ik heb al veel minder dorst.'

De middagzon stond nu hoog aan de hemel en Boran voelde de hete wind zacht in zijn oorschelpen blazen. Hij keek naar de hondenpenningen, die op zijn borst schitterden in de zon. Ze hadden zijn overgrootvader, zijn grootvader en zijn vader geluk gebracht, maar het leek wel of ze hun kracht hadden verloren.

'Ik geloof dat iemand ons al gevonden heeft', klonk het van Mattia's kant, 'kijk eens omhoog.'

Dus toch! Boran keek hoopvol naar de lucht, maar zag alleen maar twee grote zwarte vogels rondcirkelen. Hij kende die vogels met hun plompe lijf, hun lange nek en hun lelijke kale kop. Het waren gieren, aaseters, die de woestijn afschuimden op zoek naar karkassen van dode dieren. Ze vlogen geduldig rondjes tot hun lunch bezweek, om zich vervolgens op het feestmaal te storten. Boran liet ontmoedigd het hoofd zakken. Tot nu toe had het hem allemaal één groot avontuur geleken, net als in de boeken, waar de helden van de ene benarde situatie in de andere verzeild raakten en telkens weer op het nippertje aan de dood ontsnapten. En aan het eind van het verhaal kregen ze dan de mooie jonkvrouw en kon Boran het boek met een gerust hart wegleggen. Maar dit was het echte leven, dit was een echte hitte die de laatste beetjes uit hun vochtreserve als kleine zweetdruppeltjes deed verdampen. Dit waren echte kettingen. En het ergst van alles was de verschrikkelijke dorst die zich voor altijd in zijn keel genesteld leek te hebben. Boran wist dat er in het echte leven maar één oplossing was: wachten en hopen op redding tot de dood als een sluipend gif bezit zou nemen van hun lichamen.

'Ken jij een goeie grap?'

'Hou op, Matt.'

'Ik probeer je alleen maar af te leiden.'

'Ik heb geen afleiding nodig.'

'Als een insect tegen de voorruit van een auto te pletter vliegt, wat is het laatste dat door zijn hoofd gaat voor hij sterft?'

Boran zuchtte. 'Geen idee.'

'Zijn kont.'

In andere omstandigheden was Boran misschien niet meer bijgekomen van het lachen, maar nu had zijn lach meer iets van een leeglopende autoband.

'Die heb ik van Tony', voegde Mattia er trots aan toe. 'Jouw beurt.'

Maar Boran had geen zin om grappen te vertellen.

'Een veer en een grap. Wat heb je nog meer van hem?'

'Mooie herinneringen', antwoordde Mattia stil.

'Je mist hem, hè?'

Mattia zweeg even en Boran wist het antwoord.

'We waren bloedbroeders', ging Mattia na een poosje verder.

'Wat zijn dat?'

'Vrienden die elkaar voor eeuwig trouw zweren door elkaars bloed te vermengen.'

'Auw', zei Boran en hij hoorde Mattia lachen om zijn reactie. 'Ben ik een goeie vriend?'

'Dat is een domme vraag, Bor. Het is nog steeds jouw beurt om een grap te vertellen.'

'Ik ken wel het kortste verhaal ooit.'

'Het langste kan ook geen kwaad, we hebben toch tijd zat. Maar vertel maar.'

'De laatste overblijvende mens op aarde zat op een stoel in zijn woonkamer. Toen werd er op de deur geklopt...'

'Is dat alles?'

'Ja.'

'Wie was er dan aan de deur?'

'Dat is nu net het verhaal. Het gaat over de laatste man op aarde, maar als er op de deur wordt geklopt, is hij niet meer alleen en is het verhaal afgelopen.'

'Dat is stom. Ken jij echt geen grap? Liefst een aangebrande.'

'Het is jouw beurt weer', zei Boran. 'Trouwens, ik begin hier al een beetje aan te branden. Ruik je het niet?'

'Zeg het me als je een goudbruin korstje krijgt, Bor. Dan wil ik wel een stuk.'

Boran opende zijn ogen weer. Door de hitte en de vermoeidheid was hij ingedommeld. De zon brandde meedogenloos en Boran dacht, nog dronken van de slaap, dat hij letterlijk een uitgekookte jongen begon te worden. Hij dommelde opnieuw in met het beeld van een roterend spit in zijn hoofd, maar was op slag klaarwakker toen hij iets zag bewegen. Zijn ogen waren nog een beetje wazig, maar hij wist dat het geen droom was: op zijn linkerbeen zat een ratelslang. Het dier staarde hem venijnig aan en ratelde met zijn staart. Boran kon de naaldscherpe tanden van het reptiel zien. Nu ja, sterven moest hij toch, maar nu hij zo oog in oog met de dood stond, kwam zijn overlevingsdrang weer naar boven. Hij kon het reptiel niet wegschoppen, want het zou hem steeds een stapje voor zijn. Met een arendsblik keek hij toe hoe het dier langzaam naar zijn kruis gleed.

Als je me dan toch moet bijten, overal, maar niet daar, dacht de jongen. Het beest leek zijn gedachten te lezen en kronkelde hogerop naar zijn borst. Nog nooit had Boran een gevaarlijk dier van zo dichtbij gezien. Hij moest bijna scheel kijken om het reptiel in de ogen te kunnen staren.

Toen ging alles heel snel. De slang viel aan en Boran wendde snel zijn hoofd af, maar de pijnlijke naaldenprik bleef uit. Een flits van witte vacht schoot voorbij en daar stond Bliksem parmantig in het zand met het levenloze slangenlijf in zijn bebloede muil.

'Bliksem!' riep Boran opgelucht. De wasbeer dropte het dode reptiel op de grond en trippelde naar de jongen.

'Waar?' klonk het van Mattia's kant.

Maar Boran giechelde alleen, want het warme tongetje van de wasbeer kietelde zijn gezicht.

Mattia probeerde zich om te draaien en zag opeens de stofwolk bovenaan de heuvel.

'Boran! Kijk!'

Nog steeds grinnikend met Bliksem op zijn schoot, draaide Boran zich zoveel mogelijk in Mattia's richting en zag het nu ook: de stofwolk daalde langzaam de heuvel af en maakte het geluid van een motorfiets. Toen het voertuig naderde, zagen Boran en Mattia dat het een quad was, een motorfiets op vier wielen met dikke banden. Maar wie de berijder was, konden ze niet zien. Pas toen het voertuig naast hen stopte, zagen de jongens dat de bestuurder een meisje was, niet veel ouder dan Mattia. Ze droeg een kraakhelder wit T-shirt, zonder het minste spatje of vlekje. Haar jeans was gebleekt door herhaaldelijk wassen en haar leren laarzen glansden in de zon. Haar lange blonde haar was pas gewassen en werd bijeengehouden door een hoofdband, die zo wit was dat het bijna pijn deed aan de ogen. Borans eerste gedachte was dat ze een engel moest zijn.

Bliksem sprong bij haar op schoot, alsof ze een oude kennis was en het meisje gaf hem een heerlijke aaibeurt. De slimme wasbeer had hulp gezocht en gevonden. Een beetje zoals de eeuwenoude legende van Lassie, dacht Boran.

'Wat doe jij hier?' brieste Mattia naar het meisje. Blijkbaar waren ze geen vreemden voor elkaar, maar vrienden waren ze zeker niet.

'Ik dacht al dat ik deze lieve knuffel kende', zei het meisje, maar uit haar toon maakte Boran op dat ze het niet over Mattia had.

Het meisje zette de sputterende motor af met een draai aan het sleuteltje en stapte van haar quad. Bliksem sprong op de grond en rende naar zijn baasje. Hij bleef op een halve meter van Mattia staan op zijn achterste poten en keek de jongen met blinkende kraaloogjes aan.

'Verrader!' schold Mattia naar de wasbeer.

'Het sterke mannelijke geslacht, vastgeketend', grijnsde het meisje. 'Wat een heerlijk gezicht.'

Mattia grijnsde terug. 'Maak ons los of, het heerlijke gezicht gaat zich kwaad maken!'

'Stoere taal, voor zo'n kleine baby.'

'Jouw gewauwel mag er ook best zijn, kutwijf!' snauwde Mattia.

'Mattia, hou je mond of ze maakt ons niet los!' riep Boran naar achter.

'Ah, toch één verstandige jongen hier', sprak het meisje. Ze stapte naar Borans zijde van de paal. 'En nog een schatje ook', voegde ze er plagerig aan toe.

'Jij mag er ook best zijn', slijmde Boran lieftallig, want hij was vastbesloten om hier het koste wat het kost weg te komen.

Het meisje keek naar de dode slang aan haar voeten en tilde het slappe dier met één hand op.

'Je mag het knuffeldier van die lul dankbaar zijn, slangenjongen.'

'Ik heet Boran.'

'Ik ben Kia', stelde het meisje zich voor.

'Zou je me alsjeblieft los willen maken, Kia?' vroeg Boran poeslief.

Kia gaf de ketting waarmee de twee vrienden aan elkaar gekluisterd waren een bedenkelijke blik. 'Ik kan jou niet losmaken zonder die parasiet daar ook los te maken, maar ja... elk voordeel heeft een nadeel.'

Ze nam het pistool uit de holster op haar heup en knalde met een welgemikt schot de ketting stuk. Boran en Mattia bevrijdden zich van hun zware last en gingen opgelucht staan.

'Bedankt, Kia', zei Boran. 'Mattia valt heus wel mee, hoor, zodra je hem leert kennen.'

'Ik heb hem al leren kennen', antwoordde Kia en ze keek Mattia aan met een ijzige blik.

Ze ging terug naar haar quad, nam twee van de vier waterkruiken, die ze achterop meevoerde, en gooide ze in het zand.

Daarna klom ze weer op haar machine en startte de motor.

'Hé! Je kunt ons hier niet zomaar achterlaten!' schreeuwde Mattia.

Kia grijnsde vol sadistisch plezier en antwoordde: 'Dan weet je ook es hoe dat voelt!'

Zonder meer vuurde ze haar quad aan en raasde weg in een wolk van zand.

'Kreng!' schold Mattia in de richting van de stofwolk.

Boran zei niets, maar probeerde zich in te beelden wat een meisje zo kwaad kon krijgen. Hij haakte de drinkflessen van de Cycloop van de paal, schroefde de dop eraf en keerde ze om. Ze waren niet gevuld met pis, maar met zand. Mattia controleerde de inhoud van de twee kruiken die Kia had achtergelaten en nam meteen een slok.

'Jullie leken wel broer en zus', lachte Boran.

Mattia veegde zijn mond af en gaf de kruik aan Boran.

'Haar vader is Ken Rido', vertelde hij, 'één van de grote volksleiders van het westen. Hij was mijn grote idool toen ik klein was.'

'Lang geleden dus', lachte Boran voordat hij de kruik aan zijn lippen bracht om zijn dorst te lessen.

'Twee jaar', gaf Mattia toe.

'Wat heeft die Ken Rido dan gedaan?' vroeg Boran, terwijl hij de kruik teruggaf aan Mattia.

'Heeft je moeder nooit over hem verteld?'

Boran schudde zijn hoofd.

Mattia knielde naast Bliksem en vulde de palm van zijn hand met water om de wasbeer te laten drinken. 'Zo'n veertig jaar geleden is hij met honderdduizend man te voet door de woestijn getrokken op zoek naar een plek om een nieuwe stad te bouwen.'

Toen Bliksem zijn dorst had gelest, stond Mattia op en schroefde de dop weer zorgvuldig op de drinkfles, voordat hij zijn verhaal vervolgde.

'Twee jaar geleden was hij met Kia op doortocht naar het noorden en ze logeerden toevallig in dezelfde uitspanning als ik. Ik wou alles doen om in de buurt van Ken Rido te komen, maar zo'n vent ziet een jochie van elf gewoon niet staan. Kia zag me wel staan en... euh... toen heb ik het met haar aangemaakt.'

'Alleen om bij haar vader te komen?' vroeg Boran verontwaardigd.

Mattia haalde wat beschaamd zijn schouders op. 'Ze dacht dat ik het meende en ze wou dat ik voor altijd bij haar bleef.' Dat laatste sprak hij uit alsof hij de restanten van een leguaan beschreef, die onder de wielen van een tientonner was terecht gekomen.

'En dus heb je haar laten vallen', vulde Boran hoofd-schuddend aan.

'Ik was elf, hoor!' verdedigde Mattia zich.

'Ik ben ook elf en ik vind het een rotstreek!' zei Boran.

'Ja, maar nu ben ik ouder en...'

'...maak je haar uit voor kreng!' vulde Boran aan.

'Ze noemde me een lul!'

'Je had haar ook je excuses kunnen aanbieden!'

'Ze begon meteen te schelden!'

Boran zweeg en keek hoofdschuddend naar het vier-dubbele spoor dat de quad in het zand had achtergelaten.

'Heeft hij hem uiteindelijk gevonden?' vroeg hij na een poosje.

'Wat?'

'Ken Rido. Heeft hij een plek gevonden om zijn stad te bouwen?'

Mattia schokschouderde. 'Zal wel, zeker?'

'Heeft hij er toen niets over gezegd?'

'Zoiets ga je niet rondbazuinen, want dan zit je in een mum van tijd met kerels als de Cycloop op je dak.'

'Maar je kunt een hele stad toch niet geheim houden?'

Opnieuw haalde Mattia zijn schouders op. 'Misschien ligt ze ergens verborgen? In de Pyreneeën of zo...'

Boran had ondertussen een opgewonden glimlach gekregen, die kuiltjes in zijn wangen toverde.

'Ik denk niet dat Kia op haar quad helemaal uit de Pyreneeën is gekomen.'

Mattia werd op slag ernstig. 'Bedoel je...?'

Boran knikte. 'We hoeven alleen maar haar sporen in het zand te volgen. Dan moeten we vanzelf bij de stad uitkomen!'

Mattia glimlachte nu ook en gaf de kruik weer aan Boran.

'Dat is waarom jij de hersenen hebt en ik het knappe snuitje.'

'Oh ja?' grinnikte Boran. 'Dan noemde Kia mij daarnet waarschijnlijk ook een schatje omdat ik zulke mooie hersenen heb?'

Mattia wou antwoorden dat Kia geen smaak had, maar realiseerde zich dat hij daarmee ook zichzelf beledigde. De jongens raapten hun kruisbogen op en Mattia schoof zijn mes krachtdadig in de schede.

'Kom op, Boran-met-de-mooie-hersenen, we moeten de stad vinden. Tenzij je hier wortel wil schieten.'

Boran hing zijn kruisboog op zijn rug, schouderde de waterkruiken en volgde zijn vriend en de wasbeer tussen de bandensporen in het mulle zand naar de heuvel verderop.

8. DE ONFORTUINLIJKE REIZIGER

Toen ze na een uur lopen in het mulle zand de top van de heuvel bereikten, zonk Boran de moed in de schoenen. De wind had het grootste deel van de bandensporen alweer uitgewist en in het dal onder hen strekten zich kilometers en kilometers zinderende zandvlakte uit, in de verte overvloeiend in een luchtspiegeling die even de illusie gaf van een reusachtig meer. Betonnen brokstukken boden hier en daar toevlucht voor akelig grote schorpioenen en ander ongedierte. De twee jongens en de wasbeer hadden nog steeds het gezelschap van de twee gieren die hen hoog in de lucht nauwlettend in de gaten hielden. Ze hadden nog maar zo'n vijf kilometer afgelegd, maar je evenwicht bewaren in het wegschuivende zand vroeg extra inspanning, waardoor Boran nu al de vermoeidheid in zijn kuiten voelde.

Mattia liet zich uitgeput op zijn rug in het zand vallen en Boran ging naast hem zitten. Het geknor in zijn buik herinnerde hem eraan dat ze al bijna vierentwintig uur niets hadden gegeten.

'Hadden we nog maar wat van Leslie's waf-waf.'

'Hadden we Leslie nog maar', zuchtte Mattia. Hij schepte wat zand op in zijn ene hand en liet het verveeld in de andere stromen. Bliksem snuffelde verderop aan een stuk beton en deed er een plas tegen. Boran keek gefixeerd naar Mattia's schaduw in het zand, die een beetje langer was geworden, nu de zon weer aan het zakken was.

Maar toen stond Mattia alweer op en hij staarde vastberaden naar de oranje horizon.

'We moeten verder. Als we geen schuilplaats vinden voor de nacht, komen we op het menu van een of andere diersoort terecht.'

Boran stond ook op en volgde zijn vriend langs de heuvelflank naar beneden. Het ging in elk geval sneller dan bergopwaarts. Het werd nu ook koeler en aan de oostelijke kant van de hemel kwamen al sterren tevoorschijn.

Met zijn neus in de lucht merkte Boran niet dat Mattia onverwacht was gestopt en hij botste tegen hem aan.

'Wat scheelt er?' vroeg hij verwonderd.

'Sst! Voel je dat?'

'Wat?'

Mattia hurkte in het zand en legde zijn hand op de grond. Boran hurkte naast hem en zag in het vervagende licht de zandkorreltjes driftig heen en weer bewegen als minuscule insecten. Hij legde ook zijn hand in het zand en voelde wat Mattia bedoelde. De zandkorreltjes bewogen natuurlijk niet uit zichzelf, maar ze werden omhoog gewipt door haast onmerkbare trillingen, alsof diep onder de grond een kudde dieren voorbij rende.

'Een aardbeving?'

Mattia schudde zijn hoofd.

Beide jongens voelden hoe de trillingen weer langzaam uitstierven.

'Nee, geen aardbeving', bevestigde Mattia. Maar wat het exact was, wist hij evenmin.

Een lichtflits deed het tweetal opschrikken. Een bliksemstraal doorkliefde de dieporanje lucht, bijna onmiddellijk gevolgd door een knetterende donderslag. Mattia greep verschrikt Borans arm vast, maar de jongen lachte.

'Een elektrische ontlading tussen stofwolken in de lucht', verklaarde hij geleerd.

'Tuurlijk', snoefde Mattia, alsof hij het al die tijd had geweten en hij liet Borans arm weer los.

De zon was bijna helemaal onder toen ze bij de overblijfselen van een stad kwamen. Een stuk van een gevel stak half boven het zand uit met ramen en een betonnen luifel boven een deuropening, die nergens heen leidde. De perfecte schuilplaats.

Mattia schoot met zijn kruisboog één van de gieren, die nog altijd boven hun hoofden cirkelden, naar beneden.

'Ze vragen erom', zei hij droogjes en hij begon de enorme vogel te plukken.

Boran verzamelde hout om een vuurtje te maken, of liever een vuur, want het werd een feestmaal. De gierbouten smaakten heerlijk en werden doorgespoeld met water uit de drinkflessen van Kia. Bliksem worstelde met een borststuk dat bijna zo groot was als hijzelf. De rest van het karkas legden de jongens even verderop in het zand en ze keken toe hoe de andere gier zich tegoed deed aan de resten van zijn soortgenoot.

De deken van hondenhuiden was achtergebleven bij Mattia's reactorbrommer en dus kropen Boran en Mattia dicht tegen elkaar aan bij het vuur en staarden allebei dromerig naar de knetterende gensters.

'Vertel me eens over je ouders', vroeg Boran na een poosje.

'Wat wil je weten?'

'Gewoon, wat voor mensen het waren.'

Mattia lachte.

'Vind je dat zo belangrijk?'

'Ja, voor jou. Zo hou je de herinneringen levend.'

Er viel een stilte, terwijl Mattia nadacht.

'Wat deden ze bijvoorbeeld om te overleven?' vervolgde Boran.

'Ze verzamelden schroot', bekende Mattia een beetje beschaamd. 'Om te verkopen aan de smelterijen.'

Hij keek naar Boran en toen hij zag dat de jongen niet lachte, maar aandachtig luisterde, ging hij verder.

'Soms knapten we auto's of vrachtwagens op, die konden we dan ruilen tegen een voorraad voedsel en water. Toen ik acht werd, kreeg ik mijn reactorbrommer. Mijn pa had er twee jaar aan gewerkt, alsof hij wist dat ik hem nodig zou hebben. Dat ding had ons makkelijk een maandvoorraad water opgeleverd, maar hij gaf hem aan mij.'

Boran zag Mattia's ogen blinken, even maar, want de jongen wiste ze snel weer droog.

'Ken Rido zal ons wel helpen', stelde Boran hem gerust. 'Dan bevrijden we mijn moeder en halen jouw brommer terug.'

Mattia knikte een beetje afwezig. Hij wist wel beter, maar hij wilde Borans droom niet doorprikken, want het was het enige dat de jongen nog moed gaf om verder te gaan.

155

Bliksem lag al opgerold tussen hen in en ademde vredig.

'Ik hou eerst de wacht', veranderde Mattia van onderwerp. 'Ik maak je wakker over een uur of vier.' Boran knikte, maar de vermoeidheid had hem al overmeesterd. Het laatste dat hij gewaar werd, was hoe Mattia zijn arm over zijn schouder legde en hem tegen zich aan drukte. Nog nooit had hij zich zo veilig gevoeld zonder zijn moeder.

Het vuur was allang uit en in de schaduw van de betonnen luifel wrong Boran zich in allerlei bochten om het toch maar wat warmer te krijgen. Tot hij merkte dat de zon al een paar uur op was en hij alleen maar in het licht hoefde te gaan staan om weer helemaal op te warmen.

Maar waar was Mattia... en waarom had hij hem niet gewekt om de wacht over te nemen? Zelfs Bliksem was verdwenen! Misschien waren ze alleen op verkenning... maar daar lag Mattia's kruisboog! Hij zou er nooit alleen op uit trekken zonder zijn wapen! Boran voelde een misselijk-makende golf van paniek in hem opkomen, maar hij dwong zichzelf om kalm te blijven. Hij maakte zijn eigen kruisboog schietklaar en waagde voorzichtig een paar pasjes buiten de beschutting van de betonnen luifel.

Te laat merkte hij de schaduw op die ongelooflijk snel over hem heen vloog en het volgende moment werd hij hard in het zand geworpen en vastgepind door een zwaar gewicht op zijn rug. Een ijskoud jagersmes, scherp genoeg om hem een scheerbeurt te geven, drukte tegen zijn strottenhoofd. Van schrik had hij zijn kruisboog losgelaten en die lag nu buiten zijn bereik. Borans hersenen werkten op volle toeren, maar hij zag geen enkele manier om te ontsnappen.

'Je bent dood, slaapkop!'

Nog nooit had Boran zo'n opluchting gevoeld toen hij Mattia's stem hoorde. En daar stond Bliksem nieuwsgierig voor zijn neus, zich afvragend hoe de mensenjongen het had klaargespeeld om zich zo klein als een wasbeer te maken. Het mes verdween en Boran probeerde zich uit Mattia's greep te bevrijden. Hij draaide en wrong, draaide zich om en slaagde er uiteindelijk in om op zijn rug te rollen. Mattia zat nu wijdbeens bovenop zijn buik, met zijn knieën in het zand, en grijnsde hem breed toe. De plek op zijn wang, waar de Cycloop hem had geraakt, was al minder gezwollen en had nu een donkerpaarse kleur, die langs de randen netjes overvloeide in Mattia's koffie-met-melkhuid.

'Laat me los, Matt!' Boran probeerde zijn vriend van zich af te duwen, maar de oudere jongen greep zijn polsen vast en pinde ze in het zand aan weerszijden van zijn hoofd.

'Wat bezielt je!' riep Boran kwaad. 'Je bent ouder dan ik. Dat is niet eerlijk!'

'Ga je dat ook zeggen als een piraat je tegen de grond houdt?' lachte Mattia.

Dat was het dus, een verrassingstraining!

Boran overliep zijn opties. Alleen zijn benen waren nog vrij, maar meer dan alleen maar spartelen kon hij niet.

'Denk na, Boran! Dit is geen wiskunde of fysica. Dit is gewoon pure overlevingslogica.'

Boran probeerde opnieuw met zijn armen te wringen, maar hoewel Mattia niet groot was voor zijn leeftijd, was hij wel sterk.

'Ik geef het op', zuchtte Boran. Maar Mattia gaf niet op en bleef gemoedelijk zitten.

'Je moet je benen gebruiken, Bor. Buig je knieën, zet je voeten op de grond en stoot je bekken omhoog.'

Boran deed wat Mattia hem voorstelde en al snel had hij de jongen van zijn borst gegooid. Maar Mattia liet zijn polsen niet los en lachend rolden ze door het zand.

Aan het gestoei kwam een einde toen het te warm werd in de volle zon en de jongens noodgedwongen weer hun schuilplaats opzochten om af te koelen.

'Ik heb iets ontdekt', vertelde Mattia toen ze allebei weer op adem waren gekomen.

'Dat je sterker bent dan iemand van elf?' vroeg Boran.

Mattia gaf hem een plagerige tik tegen zijn achterhoofd.

'Kom mee, dan laat ik het je zien!'

Mattia's ontdekking lag een paar honderd meter verderop. Het wrak van een oude Volkswagen Golf lag voor de helft bedolven onder het zand. Alleen het deksel van de kofferbak en de achterwielen staken erbovenuit.

'Mooi, een auto', zei Boran droogjes. 'Nu zijn al onze zorgen voorbij.'

Mattia schonk geen aandacht aan Borans sarcasme. Hij kantelde de klep van de kofferbak open, zette hem vast met een brok beton en stak zijn hand in het zand waarmee de auto helemaal was opgevuld.

'Hou je mond en voel!'

Boran kwam nieuwsgierig dichterbij.

'Wat voel je?'

Mattia greep zijn hand en duwde hem in een gat in het zand tussen het frame van de auto. Uit de opening kwam een sterke luchtstroom, die de zandkorreltjes rondom liet opwaaien. Mattia begon verder te graven om het gat groter te maken en Bliksem peddelde ijverig mee met zijn voorpootjes. Boran ging dus ook maar aan het werk en het duurde niet lang voordat ze met hun drietjes de achterbank van de auto hadden blootgelegd. Een deel van het zand zakte weg in de diepte en een koele wind waaide hen uit de duisternis tegemoet. De zon scheen over hun rug op een rij treden die voor de neus van de wagen naar beneden gingen.

'Yes!' riep Mattia triomfantelijk. 'Haal onze spullen, Bor!'

'Wat? Je wilt er toch niet in gaan? Wat als er duisterwezens zitten?'

'Daar hebben we onze spullen voor nodig!' drong Mattia aan.

'We zoeken naar een stad!' wees Boran uit. 'Niet naar een gat!'

'Zie jij hier een stad in de buurt?'

Boran schudde zijn hoofd.

'We kunnen hier nog dagen rondploeteren tot ons drinkwater op is of we kunnen onze kans wagen.'

Boran knikte nu hij inzag dat Mattia gelijk had. De trillingen die ze gisteren hadden gevoeld waren een teken dat er wel degelijk iets was onder de grond. Bovendien was het er koel en waren ze beschut tegen de moordende zon.

Toen Boran opnieuw bij het autowrak kwam, beladen met de wapens en de drinkflessen, had Mattia zich, met Bliksem in zijn T-shirt gewikkeld, al door de binnenkant van de auto naar beneden gewerkt en hij liet zich door de voorruit, over de gedeukte motorkap op de treden zakken.

'Geef me de wapens, Bor!'

Boran reikte eerst de kruisbogen aan en liet vervolgens de drinkflessen zakken, om daarna zelf langs de stoelen van de auto naar beneden te klauteren. Even later stond hij naast Mattia en Bliksem op een trede en keek ook hij in de onbekende duisternis die voor hen lag.

Even nog hadden ze het zonlicht als bondgenoot, maar hoe dieper ze afdaalden, hoe donkerder het werd. Tot ze geen hand meer voor ogen zagen.

Verderop ontwaarden ze een lichtschijnsel onderaan de trap en ze kwamen in een grote ondergrondse ruimte terecht. Schrale buislampen wierpen hun zwakke licht op de muurtegels en de stempelautomaten naast het glazen loket. Zand had zich opgehoopt tegen de muren en de vitrines met vergeelde reclameposters. Boran tuurde in het loket naar binnen. De bewakingsmonitoren gingen schuil onder een laag stof. Het geld was weg, gestolen door iemand die gek genoeg was om te denken dat hij het nog zou kunnen gebruiken. De vervoerbewijzen lagen er nog.

'Ik snap niet dat de elektriciteit nog werkt', zei Boran terwijl hij naar de zoemende buislamp in het loket keek.

'Ik wel', antwoordde Mattia. 'We zijn op de goede weg.'

Achter de stempelmachines verdwenen twee roltrappen in de diepte. Een kille wind afkomstig van de perrons voerde een laagklinkend gesuis met zich mee, net alsof ze in de luchtwegen van een reusachtig monster waren beland. Het klonk inderdaad als één oneindige ademstoot, die griezelig galmde in onmetelijke diepten en die met ijskoude vingers door hun haar wroette. Het was dan ook met een klein hartje dat Boran en Mattia langs de stilstaande roltrappen naar het perron afdaalden. Ze wreven hun blote armen warm, want hoe dieper ze afdaalden, hoe kouder het werd, en meer nog dan gisteravond verlangden ze naar de deken van hondenhuiden die ze met de reactorbrommer hadden moeten achterlaten. Bliksem met zijn pluizige vacht leek helemaal geen last te hebben van de kou en rende zenuwachtig snuffelend voorop. Af en toe stopte hij even en draaide zijn kopje om te zien of zijn mensenvriendjes nog volgden.

Toen ze op het perron kwamen, stonden ze voor een nieuw probleem.

Welke kant moesten ze uit? De rails kwamen links uit de tunnel en gingen er rechts weer in, of was het andersom? Mattia maakte zijn wijsvinger nat in zijn mond en stak hem in de lucht.

'Ik stel voor dat we tegen de luchtstroom in lopen.'

'Maar waar komen we dan uit?'

Mattia haalde zijn schouders op. 'Hopelijk bij de stad van Ken Rido.'

Hij hurkte en met een flinke heupzwaai sprong hij van het perron op de sporen. Boran deed hetzelfde en vervoegde zijn vriend tussen de glimmende rails. Als laatste sprong Bliksem van het perron en met de wasbeer op kop liepen de drie vrienden de rechter tunnelmond in en lieten het station achter zich.

'Mijn moeder heeft me over dit soort tunnels verteld', zei Boran onder het lopen. 'Ze noemde het meteroo of zoiets. Het was een trein die onder de grond reed en mensen vervoerde.'

'Dat is dom', merkte Mattia op. 'Waarom hadden ze dan auto's?'

'Misschien was het een luxevoertuig voor de rijken. Mensen die de meteroo namen, waren overal veel sneller, terwijl mensen met de auto in de file stonden en overal te laat kwamen.'

'Met zo'n meteroo zouden we een flink stuk opschieten.'

Mattia keek Boran ineens verschrikt aan.

'Denk je dat...?'

Maar Boran lachte. 'Waarom zou hij nog rijden? Er is niemand meer om te vervoeren. Daarbij, zo'n meteroo rijdt op elektri...' Boran verstomde toen hij dacht aan de buislampen in het station. Hier in de tunnel hingen ook zulke lampen, op regelmatige afstand van elkaar, waardoor ze toch nog konden zien waar ze liepen en niet struikelden over de dwarsliggers. Mattia keek argwanend naar de stroomrail van de trein, die een halve meter boven de grond langs de bolle tunnelwand liep.

'Zou er stroom op staan?'

'Plas er eens tegen?' stelde Boran plagerig voor.

'Ik meen het, Boran. We kunnen maar beter voorzichtig zijn.'

Mattia had gelijk. Er was maar één spoor en de tunnel was net breed genoeg om een trein door te laten. Er was geen enkele uitweg, ze zouden geen schijn van kans maken.

'Euh, als het voor jou hetzelfde is, heb ik dan toch liever dat we geen meteroo tegenkomen', zei Boran.

'Anders zullen we flink vermageren', voegde Mattia eraan toe.

Uiteindelijk besloten de jongens dat het beter was voor hun zenuwen om er niet meer aan te denken. Maar dat was moeilijk, want ze liepen tussen glanzend gepolijste rails...

162

Rails roesten en worden dof als ze niet gebruikt worden. Boran had uitgerekend dat het gemiddeld driehonderdveertig meter lopen was van station naar station. Als leidraad voor zijn berekeningen telde hij de dwarsliggers tussen de rails, die op vaste afstanden van elkaar lagen. Ze waren exact honderdvierennegentig meter verwijderd van het vorige station – het vijfde al – toen Bliksem ineens snel vooruit spurtte en snuffelde aan een hoopje dat onder het lichtschijnsel van een buislamp lag. Boran raakte zijn tel kwijt toen hij achter Mattia aan hoste om te kijken wat de wasbeer had ontdekt. Toen ze dichterbij kwamen, zagen de jongens dat het geen eten was, zoals ze eerst hadden gedacht, maar menselijke resten! Gehuld in gescheurde lompen en half ineengezakt tegen de holle tunnelwand, lag een geraamte. De gapende, bruine schedel keek verbaasd naar de benige tenen van het rechterbeen. Het linkerbeen en een arm lagen aan de overkant naast de sporen. Aan de kleren was geknabbeld door ratten. Nu zag Boran ook de grote stok, die uit de mond van het geraamte stak... Nee, geen stok...

Mattia schoof de loop van het Winchester geweer voorzichtig tussen de afgebroken tanden uit en keek in het magazijn.

'Leeg.'

'Waarom stak het in zijn mond?' vroeg Boran zich af.

'Zelfmoord', antwoordde Mattia en wees naar de achterkant van de schedel, waaruit een groot stuk ontbrak. 'Hij heeft gewoon zijn geweer in zijn mond gestoken en zijn hersens eruit geknald.'

Boran rilde bij de gedachte. Tegen de tunnelwand onder het vale licht waren nog vaag donkere vlekken zichtbaar.

'Waarom?'

Mattia haalde zijn schouders op. 'Misschien had hij ontdekt dat hij verdwaald was en koos hij voor een snelle dood, liever dan te moeten omkomen van de dorst.'

Bliksem had naast het geraamte een stoffige rugzak ontdekt en stond op het punt om er helemaal in te kruipen. Mattia deed de rugzak af en maakte hem open. Bliksem keek hoopvol naar zijn baasje en de jongens zagen al snel waarom hij de wasbeer zo intrigeerde. Hij zat helemaal vol voedsel, dat nu weliswaar bedorven was. Mattia haalde er zelfs een halfvolle drinkfles uit.

'Een andere reden dus', besloot Mattia. 'Heeft hij nog munitie?'

Maar Boran had zijn hoofd niet meer bij de stoffige rugzak. Nu hij zo dicht bij het geraamte geknield zat, kon hij zijn blik moeilijk van de beenderen afhouden. Nieuwsgierig wreef hij met zijn wijsvinger over de diepe groeven in de ribben.

'Sporen van tanden', verklaarde Mattia met toenemende bezorgdheid.

'Ratten?'

Mattia schudde zijn hoofd. 'Nee, maar we weten nu wel waarom hij zelfmoord heeft gepleegd.'

Boran werd bijna misselijk van angst, want in zijn gedachten zag hij weer de duisterwezens in de rivierbedding op weg naar de luchthaven.

'Is-is hij... opgegeten?' vroeg Boran zacht.

'Hij heeft waarschijnlijk zijn hele magazijn leeggeschoten en toen hij zag dat ze te talrijk waren, heeft hij de laatste kogel voor zichzelf gehouden.'

'Mattia, we moeten terug!' zei Boran angstig.

'Daarbuiten kunnen we alleen maar doodgaan. Hier hebben we een kans.' Mattia glimlachte een beetje, een oprechte, geruststellende glimlach. 'Niet bang zijn, Boran. Het lukt ons wel.'

Boran knikte en wou dat hij Mattia kon geloven.

'Hé! Hij heeft er nog één!' riep Mattia ineens uit en trok de houten kolf van een ander geweer van onder de botten uit. Het hele geraamte zakte rammelend in elkaar en een wolk van stof waaide op.

'Mattia! Alsjeblieft!' riep Boran uit. 'Een beetje respect voor de doden!'

Maar Mattia luisterde niet en bestudeerde zorgvuldig het tweede geweer.

'Misschien zitten hier nog kogels in', zei hij opgewonden.

'Dat is een verdovingsgeweer', wist Boran. 'Ze gebruikten dat vroeger om op dieren te jagen zonder ze te doden. Misschien heeft hij verdovingspijltjes.'

Hij wroette in de kleren, die nu tussen de botten lagen, en vond in de linkerbroekzak drie kleine buisjes met een rood kwastje aan het ene uiteinde en een lange naald, afgeschermd met een plastic hoesje, aan het andere. De rechter broekzak bleek een kleine zaklamp te bevatten, die tegen elke verwachting in, nog werkte ook.

'Dan ligt hij hier nog maar een paar maanden, hoogstens', besloot Mattia, afgaande op de staat van de batterijen.

Boran ruilde de lamp voor het verdovingsgeweer, zodat Mattia kon bijlichten terwijl hij een pijltje in het magazijn laadde.

'Hoe weet je of dat verdovingsmiddel nog werkt?' vroeg Mattia.

'Eens proberen?' grijnsde Boran en hij richtte het wapen speels op Mattia's dijen.

Die danste verschrikt achteruit. 'Sufferd! Kijk toch uit waar je met dat ding zwaait! Je weet niet eens welke dosis erin zit!'

'Ik hoop genoeg om een duisterwezen onschadelijk te maken.'

'Ik hoop het ook. We hebben niet eens kogels om onszelf uit ons lijden te verlossen.'

'Dan hoop ik in elk geval dat we meer geluk hebben dan deze stakker hier', antwoordde Boran. Hij hing het verdovingsgeweer op zijn rug, bij zijn kruisboog.

Mattia deed de zaklamp weer uit om de batterijen te sparen en stopte ze tussen zijn gordel. De tunnel was net voldoende verlicht om niet op je gezicht te gaan. Zo liet het drietal de onfortuinlijke reiziger achter en zette de tocht voort.

9. Op het goede spoor

Bij het minste geluid, keek Mattia telkens weer schichtig achterom, alsof hij elk moment verwachtte de felle lichten van een trein te zien opdoemen. Boran probeerde hem gerust te stellen, maar Mattia had het steeds weer over een onbehaaglijk gevoel in zijn buik, dat hij voor het laatst had gehad op de dag dat Tony stierf.

Boran probeerde zichzelf in te prenten dat het wel toeval zou zijn geweest, maar toch waarschuwde een stemmetje diep binnenin om Mattia's voorgevoel niet als larie af te doen. Als het licht in de stations en de tunnels nog brandde, was het heel goed mogelijk dat er ook spanning stond op de geleidingsrail.

'Hoe weten we eigenlijk wanneer we in de buurt van die stad komen?' vroeg Boran.

Ze waren al halverwege tussen het achtste en het negende station en tot nu toe waren ze nog geen enkel spoor tegen-gekomen van enige beschaving, behalve dan de sporen waartussen ze liepen.

Mattia haalde zijn schouders op en zei: 'We zijn in elk geval op de goede weg.'

'Dat zeg je nu al acht stations lang. Misschien hadden we beter de linker tunnel gen...'

'Sst!' Mattia greep Boran ineens zo hard vast dat de jongen een gilletje gaf.

'Daar!' fluisterde hij tussen zijn tanden.

Boran volgde Mattia's uitgestrekte wijsvinger in de duisternis. Zijn adem stokte in zijn keel, want ongeveer vijf meter verderop gloeiden twee groene lichtjes, als de lampjes op een controlebord. Maar Boran wist dat het geen lampjes waren en in het zwakke licht ontwaarde hij het gedrongen lijf met lange armen en de grote, monsterachtige kop van een duisterwezen. Bliksem verschool zich angstig achter Mattia's benen.

'Het is er maar eentje', fluisterde de jongen geruststellend. Hij nam zijn kruisboog en legde aan, maar zag meteen dat hij zich had vergist. Tientallen, nee honderden lichtjes blonken in het duister en staarden hongerig hun richting uit.

Boran keek achterom en zijn angstige vermoeden werd bevestigd.

'Mattia! Ze zijn overal!'

Mattia zei niets, maar hield zijn kruisboog pal op de priemende lichtjes gericht. Boran koos voor het verdovingsgeweer. Hun wapens leken belachelijk, vergeleken met het grote aantal belagers, dat nu knorrend en kwijlend hun richting uitkwam.

Borans verstand draaide op volle toeren, zijn alerte blik flitste heen en weer op zoek naar een mogelijke uitweg. Veel zag hij natuurlijk niet, alleen de defecte buislampen langs de tunnelwand blonken zacht. Maar wacht! De duisternis! Dat was het...!

'Mattia, de zaklamp!' riep hij.

'Wat is ervan?'

'Ze kunnen niet tegen licht!'

Maar Mattia hield de naderende duisterwezens in zijn vizier. Boran griste toen zelf de zaklamp uit Mattia's gordel en knipte hem aan. De felle lichtbundel scheen op de duisterwezens en hun gekrijs sneed door merg en been. De monsters deinsden achteruit in wanhopige pogingen om het licht te vermijden. Boran draaide zich om en richtte zijn nieuwe wapen op de duisterwezens achter hem. Ook hier was het licht niet erg geliefd en trokken de belagers zich schreeuwend en knorrend terug.

'Boran, je bent een genie!' riep Mattia dolenthousiast.

Maar dat was net iets te vroeg geroepen, want wat Boran al had gevreesd, gebeurde: de lichtbundel verzwakte en doofde heel langzaam uit.

Hij tikte met zijn hand tegen de lamp, maar het licht bleef weg.

'Kloteding!'

De duisterwezens zagen dat het gevreesde lichtwapen de geest had gegeven en begonnen zich weer om hun maaltijd te groeperen.

Boran keilde woedend de zaklamp stuk tussen de rails en nam het verdovingsgeweer. Nooit in zijn leven had hij zo vurig verlangd naar twee volle batterijen.

De duisterwezens naderden van alle kanten. Eén van de monsters haalde uit naar Mattia en de jongen schoot het ding meteen een bout door de kop. Het beest viel dood tussen de sporen. Dit leek de woede van de anderen aan te wakkeren en met een slijmerig geknor stortten ze zich op Mattia, die net herlaadde. De jongen gaf een schreeuw en verdween onder een wriemelende massa donkergroene, puistige lijven.

Moedige Bliksem beet en krabde de monsters die zijn baasje overrompelden. Boran legde aan en vuurde een verdovingspijl in het achterste van één van de monsters. Het beest gleed uit de hoop en bleef roerloos liggen, maar zijn plaats werd onmiddellijk ingenomen door drie andere duisterwezens, die zich op de schreeuwende maaltijd stortten. Boran probeerde het wapen te herladen, maar werd zelf aangevallen door vijf andere duisterwezens en viel achterover tussen de rails. Wanhopig sloeg hij naar de monsters met de kolf van het geweer en probeerde hun messcherpe tanden te ontwijken, maar ze waren te sterk en te talrijk.

Net toen Boran op het punt stond zich gewonnen te geven, gebeurde het onvoorstelbare. Als bij toverslag hielden de duisterwezens hun maaltijd voor gezien en ze verdwenen even snel en geniepig als ze verschenen waren.

Nauwelijks van zijn verbazing bekomen, krabbelde Boran overeind. Buiten een paar oppervlakkige bijt- en schaafwonden, was hij ongedeerd. Het was pikdonker in de tunnel en de stilte was te snijden.

'Mattia?'

Geen antwoord. Boran hurkte neer en tastte over de grond tussen de rails op zoek naar zijn vriend.

'Mattia!'

Het waren wanhopige kreten, waar Boran geen antwoord op verwachtte. Ineens voelde hij iets ruws en slijmerigs en hij trok verschrikt zijn hand terug. Hij deinsde achteruit toen hij zich realiseerde dat het een dood duisterwezen was.

'Mattia! Geef antw...' Boran kon zijn zin niet afmaken, want een scherpe klauw greep hem bij de enkel. Hij verloor zijn evenwicht en viel op de grond. Het duisterwezen leefde nog, of liever, het was nooit dood geweest, want het was het monster dat Boran verdoofd had met een pijltje uit het geweer. Met een bloeddorstige schreeuw wierp het zich op de jongen. Boran weerde met zijn blote handen de kwijlende muil met de scherpe tanden af en dan... een vochtige plof. Hij voelde het duisterwezen voorover vallen en werd bijna verpletterd onder het logge gewicht. Het groene licht in de kleine oogjes doofde en de openhangende muil bleef centimeters van Borans gezicht hangen. Warm slijm droop op zijn voorhoofd en de walgelijke stank deed hem haast kokhalzen.

'Haal het van mij af! Help!' schreeuwde Boran naar zijn onzichtbare weldoener. Hij voelde hoe iemand het duisterwezen van hem af sleurde en in het flikkerende licht van een defecte buislamp zag hij Mattia's lachende gezicht. Hij hinkte wat en in zijn broekspijp ter hoogte van zijn rechter kuit zat een bloederige scheur.

'Ik heb je toch gezegd dat die verdovingspijltjes te oud zijn', zei Mattia hoofdschuddend.

Boran stond op en veegde het slijm van zijn gezicht.

'Smeerlap', grijnsde hij dankbaar.

Maar Mattia lachte niet meer en keek naar Bliksem, die onrustig zijn snuit in de lucht stak. Hij rook onraad.

'Wat is er?' vroeg Boran.

'Voel je die wind?'

'Van jou of van de tunnel?' grapte Boran nog, maar Mattia bracht zijn wijsvinger naar zijn lippen en gebaarde hem te zwijgen.

Nu voelde Boran het ook. De vertrouwde luchtstroom, die hen door de tunnel tegemoet waaide, had het gezelschap gekregen van een zwakke tegenwind uit de andere richting.

Boran knielde tussen de rails en legde zijn oor tegen de koude spoorstaaf. Dat had hij geleerd uit één van de vele boeken die hij had verslonden. Het spoor trilde en siste alsof het tot leven was gekomen en meteen wist Boran ook waarom de duisterwezens zo ijlings de vlucht hadden genomen.

Bliksem had dezelfde gezonde overlevingsdrang en was als een pijl uit een boog weggeschoten. Mattia trok Boran overeind en sleurde hem mee. Dat lukte natuurlijk niet zo best met zijn gewonde been. Het gesis van de rails overstemde nu de andere, ondertussen vertrouwde, geluiden.

'Ik wist het! Ik wist het!' riep Mattia wanhopig onder het rennen.

Boran zei niets en spaarde zijn adem. In zijn hoofd spookte op dat moment maar één gedachte: waarom had hij Mattia's voorgevoel niet ernstig genomen?

Het volgende station was nog lang niet in zicht en achter hen groeide het geraas steeds meer aan. Al lopend keek Boran achterom en hij zag een wit lichtschijnsel tegen de tunnelwand. Hij hoorde nu duidelijk het geknars van de wielen, ijselijk, metaal op metaal. Een vreselijk geluid dat hun trommelvliezen folterde.

De trein verscheen achter de bocht en de felle koplampen schenen in hun rug als de ogen van een reusachtig roofdier dat op zijn weerloze prooi afstevende.

Daar was het volgende station, een baken van licht, hooguit nog twintig meter.

'We halen het niet, Matt!' riep Boran angstig, maar het geraas van de trein was nu zo hevig dat hij zijn eigen stem

172

niet meer hoorde. En ineens was Mattia verdwenen van zijn zijde. Boran stopte, keek achterom en zag hem tussen de rails liggen. Snel rende hij terug. Mattia omklemde de wond aan zijn been.

'Laat me, Boran!'

'Ben je krankzinnig?'

Met al zijn kracht trok hij Mattia weer overeind. De aanstormende trein deed de hele tunnel daveren.

'Alsjeblieft, Boran! Het doet te veel pijn!' huilde Mattia.

'Bijt op je tanden!' schreeuwde Boran hem toe en trok hem mee.

Het station naderde snel, maar de trein nog veel sneller. Nog tien meter. Het gedaver was nu overal om hen heen. De hitte van de elektrische motoren blies in hun rug als hete adem en Boran verwachtte nu elk moment de fatale slag. Bliksem was nergens meer te bekennen. Of toch? Boran zag angstige oogjes blinken onder het overhangende uiteinde van het perron. Het was hun enige kans. Hij trok de hinkende Mattia opzij in de inham onder het perron en dook bovenop hem. Ze knepen allebei hun ogen stijf dicht toen de wielen voorbij rolden. Blauwe en gele vonken vlogen hen om de oren en een snerpend gekrijs pijnigde hun trommelvliezen. De geur van warme ozon uit de motoren was verstikkend. De trein leek eindeloos lang, maar uiteindelijk stierf het gedruis toch weg in de tunnel. Boran had zijn ogen nog steeds stijf dicht en durfde bijna niet te ademen.

'Lig je lekker?' klonk het nurks onder hem.

Boran rolde van Mattia af en zocht steun tegen het perron. Hij stond nog te trillen op zijn benen en voelde hoe zijn vriend op zijn beurt tegen hem aanleunde.

'Ik begin er spijt van te krijgen dat ik je leven heb gered', zei Mattia terwijl hij Bliksem in zijn armen nam.

'Nu al?' lachte Boran.

'Nee. Nu nog maar. Ieder verstandig mens had het allang opgegeven!'

Boran hielp Mattia het perron op en ondersteunde hem op weg naar de dichtstbijzijnde zitbank. Daar liet Mattia zich met een overdreven zucht tegen de muur zakken en legde zijn gewonde been languit over twee zitjes. Bliksem keek Boran stil aan met grote ogen, alsof hij wilde zeggen: 'Mijn baasje is gewond, help hem, alsjeblieft'.

Boran trok voorzichtig Mattia's gescheurde broekspijp omhoog en keek naar de wond. Een diepe haal liep over zijn rechterkuit, waarschijnlijk veroorzaakt door de klauwen van een duisterwezen. Het bloed welde eruit op en verzamelde zich in een donkerrode plas onder Mattia's been.

Boran maakte zijn bandana los en bond hem strak om Mattia's been om het bloeden te stoppen.

'Dat moet het voorlopig houden,' besloot hij, terwijl hij zijn kruisboog laadde.

'Waar ga je heen?' vroeg Mattia een beetje ongerust.

'Een andere weg zoeken. Je kunt toch wel even zonder mij?'

'Met dit been?'

Hij was inderdaad een makkelijke prooi en hoewel duisterwezens uit verlichte plaatsen wegbleven, was het best mogelijk dat er andere en misschien wel veel grotere gevaren loerden. Boran tilde de ketting met de honden-penningen over zijn hoofd en hing ze om Mattia's nek.

'Deze zijn nog van mijn overgrootvader geweest. Ze brengen geluk. Ik beloof zo snel mogelijk terug te zijn.'

Mattia bekeek de ijzeren plaatjes in zijn hand en glimlachte om de naïviteit van de kleine jongen. Maar het was het gebaar zelf dat hem geruststelde.

'Bedankt, Bor.'

'Niet weglopen, hè?'

Mattia gebaarde hem om voort te maken.

Toen Boran boven kwam, verschool hij zich achter een pilaar en keek nauwlettend rond. Dit station was stukken groter dan het eerste en nog beter verlicht, een getuige van menselijke aanwezigheid. Of toch tenminste van leven dat intelligenter was dan ratten of duisterwezens. De verbleekte borden vertelden dat hier drie spoorlijnen samenkwamen, wat meteen de grootte van het station verklaarde.

Links en rechts achter de stempelmachines vertrokken twee verlichte gangen naar de andere perrons. Boran koos voor de linker.

De wanden van de gang waren besmeurd met graffiti en Boran onthield nauwgezet alle details, zodat hij gemakkelijk de weg terug zou vinden. Maar hoe verder hij zich waagde, hoe meer hij het gevoel kreeg dat hij niet alleen was.

Waren dat voetstappen? Of was het de echo van zijn eigen schoenen op de tegelvloer? Hij draaide zich om met zijn kruisboog voor zich uit, maar de kil verlichte gang was leeg. Een rilling liep over zijn rug en Boran maakte zichzelf wijs dat het van de kou was.

Hoe verder hij de voetgangerstunnel inging, hoe duide- lijker het geluid werd. Het waren geen voetstappen, het leek meer op het gedender van een voorbijrijdende trein – wat hij nu maar al te goed kende. Nee, geen trein; het was een standvastig ritme van tromgeroffel.

Boem-daba-daba boem-boem-daba-daba daba-boemda-ba-daba.

Boran dacht aan de stammen die hij met mams op hun reizen was tegengekomen. Groepen wanhopige mensen die zich vastklampten aan rituelen en verzonnen goden in een poging om alles te verklaren. Ze sloegen aanstekelijke ritmes op grote zelfgemaakte drums en dansten wild rond gigantische vuren. Primitievelingen, had mams hen minachtend genoemd, maar voor Boran hadden ze iets magisch, iets waar hij heel graag deel van had willen uitmaken.

Maar het geluid van deze drums leek uit het diepste van de aarde te komen en werd versterkt door de betegelde gangen.

De tunnel liep dood: de uitwegen naar de andere perrons waren geblokkeerd door puin en verderop was de hele boel ingestort. In de linkermuur zat een opening die erg recent gemaakt leek te zijn. Met zijn vinger op de trekkerbeugel van zijn kruisboog gluurde Boran naar binnen. Het was pikdonker en een muffe geur van stof en droogte waaide in zijn gezicht. Zijn adem stokte in zijn keel, want daar bewoog iets! Maar nog voor hij kon schieten, was de schim verdwenen. Borans zintuigen stonden op scherp. Maar hij realiseerde zich ook dat de mensen – áls het mensen waren - die zich in deze gangen schuilhielden, hem misschien wel konden helpen om de weg naar de stad te vinden.

Voorzichtig waagde hij een stap door het gat in de muur

en schrok zich rot toen ineens overal licht aanflitste. Boran was ongemerkt langs een elektronisch oog gelopen.

'Een hartinfarct op mijn elfde!' zuchtte hij met zijn hand op zijn racende hart.

Voor hem lag een lange, smalle gang met betonnen muren. Alles leek gloednieuw, ten hoogste twintig of dertig jaar oud. Van na het Licht, dus. Aan het andere eind van de gang zat een brede stalen deur, die op het eerste gezicht niet te openen leek. Maar toen Boran dichterbij kwam, zag hij dat het een rolluik was en het koste hem weinig moeite om het omhoog te duwen. Een windstoot woelde door zijn lange haar en een zoete geur prikkelde zijn neusgaten, maar Boran was te verbaasd om dat op te merken.

Hij stond helemaal boven aan een stalen trap en zo'n tien meter lager strekte zich een opslagplaats uit, zo groot als een voetbalveld, volgestouwd met duizenden kisten, zakken, manden en kratten, waarvan sommige met vers fruit waren gevuld.

Aan het uiteinde van de opslagplaats zat nog een luik in de muur, waardoor de kisten waarschijnlijk van en naar de treinstellen werden gebracht.

Boran liep de trap af en begon aan een wandeling langs de stapels kisten. Op één ervan was een groot rood kruis gespoten. Zou het echt waar zijn?

Boran vond een koevoet en wrikte het deksel los. De inhoud toverde een glimlach op zijn gezicht. Stevige aluminium koffers met een volledige medische uitrusting: ontsmettings-middelen, antibiotica, verband, injectienaalden, medicijnen en een heleboel andere spullen waarvan de jongen zelfs geen flauw benul had waar ze voor dienden.

'Hier is de dokter', riep Boran vrolijk toen hij weer bij Mattia kwam. Die keek heel verbaasd naar de zware koffer die de jongen met zich meezeulde.

'Wat heb jij gedaan? Een ziekenhuis overvallen?'

'Beter', lachte Boran en hij wierp Mattia een blozende appel toe. Meteen zette de jongen zijn tanden erin. Bliksem keek verlekkerd naar het fruit, maar Boran had hem niet vergeten en gaf hem er ook een.

'Hieronder ligt de grootste voorraad voedsel die je ooit hebt gezien. Ik denk dat we erg dicht bij de stad van Ken Rido zijn.'

'Gat che'klaa't ke netegootgein', sputterde Mattia, maar toen hij zag dat Boran er geen fluit van had begrepen, kauwde hij snel en slikte het stuk appel door.

'Dat verklaart de meterootrein', herhaalde hij met lege mond.

Boran knikte. 'En dat verklaart ook waarom hij niet bij dit station stopte. Ergens moet een zijspoor lopen tot bij de opslagplaats en misschien van daar rechtstreeks naar de stad.'

'Dan moeten we straks maar eens een kijkje gaan nemen', stelde Mattia voor. 'Ik heb wel zin in nog zo'n appel.' En met deze woorden gooide hij het klokhuis netjes in de prullenbak zonder bodem, die naast de bank hing.

'Doe jij het of doe ik het?' vroeg Boran toen hij een gaasje met ontsmettingsmiddel had doordrenkt.

'Ik heb liever dat jij het doet.'

Gevleid door Mattia's vertrouwen, maakte Boran zijn bandana los waarmee hij Mattia's been had afgebonden, en ontsmette de wond.

Mattia trok een pijnlijke grimas, maar liet hem begaan.

'Er is ook slecht nieuws', ging Boran verder.

'Er is altijd slecht nieuws', zuchtte Mattia, 'zeker als er zulke lekkere appels zijn.'

'We zijn hier niet alleen. Ik heb iemand gezien.'

'Een mens?'

'Ik weet het niet. Het was donker en hij was snel.'

'Maar wij zijn gewapend!' Mattia nam zijn kruisboog en controleerde de spanning op de pees.

'Zit stil!'

'Sorry!'

Nadat Boran alles stevig had afgebonden met steriel verband, probeerde Mattia op te staan. Maar hij zakte meteen weer door zijn benen. Bezorgde Boran sloeg meteen zijn arm om zijn vriend heen om hem te ondersteunen. Pas toen hij Mattia zag lachen, wist hij dat hij was beetgenomen.

'Heel leuk, hoor', riep Boran kwaad en hij gaf Mattia een flinke por tegen zijn bovenarm.

'Sorry, dat was gemeen van mij. Maar je had je gezicht moeten zien.'

Boran gaf geen antwoord en sloot de koffer met het medische materiaal weer af.

'Je bent toch niet kwaad?'

Boran draaide zich om en keek Mattia doodernstig aan.

'Je had me kunnen vermoorden, Mattia. Ik ben geboren met een hartafwijking en alles wat we tot nu toe hebben meegemaakt, heeft mijn hart zwaar op de proef gesteld. Ik mag blij zijn als ik de achttien haal, maar als je zulke grappen blijft uithalen zit zelfs dat er niet voor mij in.'

Het effect van Borans bekentenis op Mattia was dat van

een auto die met tweehonderd per uur tegen een betonnen muur knalt. Het leek wel of hij op het punt stond om zelf een hartaanval te krijgen. Hij ging weer neer op de bank zitten en keek Boran ontzet aan.

'Shit, man! Ik voel me zo rot. Kun je me ooit vergeven?'

'Je kon het ook niet weten', antwoordde Boran stil en bond zijn bandana weer om zijn hoofd.

'Waarom heb je me dat nooit verteld?'

'Omdat het een even gruwelijke grap is als die die jij zonet met mij hebt uitgehaald.'

Hierop barstte hij in lachen uit.

'Klootzak!' riep Mattia uit. 'Dat is pas écht smakeloos!'

'Zie je wel dat ik het ook kan?' lachte Boran. 'Eén-één.'

'Oké, ik heb het begrepen. Vanaf nu geen smakeloze grappen meer.'

'Fuck, joh!' was het eerste wat Mattia uitbracht toen hij met Boran de opslagplaats binnenkwam. Beneden aangekomen, begon hij meteen zijn zakken vol te proppen met fruit en toen hij daarmee klaar was leek het wel of zijn achterste vooraan zat. Boran vond het echt geen gezicht en ze besloten om hier hun buiken rond te eten. Water was er nog genoeg in de kruiken die Kia hen had gegeven.

Mattia lag languit aan een klokhuis te sabbelen toen de drums opnieuw klonken. Meteen veerde hij op en ook Bliksem spitste verschrikt zijn puntige oortjes.

Boem-daba-daba boem-boem-daba-daba daba-boemda-ba-daba.

'Wat is dat?' Mattia keek onrustig om zich heen. Hier in de opslagplaats klonken de drums erg luid, alsof ze dichterbij waren gekomen. Of waren het Boran en Mattia, die nu dichter bij de drums waren?

'Dat was ik je vergeten te zeggen', lachte Boran.

'Dit staat me niet aan', zei Mattia, maar nauwelijks waren zijn woorden koud, of de drums stopten weer, even onverwacht als ze waren begonnen.

'Daarlangs komen we vast en zeker in de stad', wees Boran naar het stalen rolluik.

Mattia trok aan het handvat, maar het luik gaf geen krimp.

Ondertussen wrikte Boran een andere kist open en vond, in een zacht bed van schuimrubber, twee sterke dynamolampen. Hiermee zouden ze niets meer te vrezen hebben van de duisterwezens. Hij wond de lampen op en testte ze om de beurt. Toen richtte hij de lichtbundel op Mattia, die het knoppenpaneel naast het luik bestudeerde.

'Krijg je 'm open?'

'Misschien wel als je dat teringlicht uit mijn ogen houdt.'

Mattia besloot een gokje te wagen en drukte op de bovenste knop. Tot zijn verbazing rolde het zware luik denderend omhoog. Erachter lag een klein perron en de rails van wat ongetwijfeld een dienstlijn moest zijn.

'Na jou', bood Boran aan, meer voorzichtig dan galant.

'Vergeet het! Ik ga niet weer die tunnel in!' verkondigde Mattia vastberaden.

'Heb jij soms een beter plan?'

'Netjes wachten op de volgende trein en aan boord sluipen. Dan komen we er vanzelf.'

'Hoeveel treinen denk je dat hier per dag voorbijrijden?'

'Kan me niet schelen, maar ik zit liever erop, dan eronder.'

Mattia had gelijk. Ze mochten deze kans niet laten schieten. Als ze geluk hadden, was er een constante pendeldienst tussen de stad en de ondergrondse opslagplaats en moesten ze gewoon de tijd doden tot ze de volgende trein konden nemen, net zoals pendelaars een eeuw eerder hadden gedaan.

Boran ging op de betonnen rand langs de muur zitten, maar Mattia, ongeduldig als hij was, ging met Bliksem op verkenning uit.

'Niet te ver gaan!' riep Boran hem na, maar de jongen was al tussen de stapels kisten verdwenen. Hij nam dus nog maar eens een blozende appel en polijstte hem tegen zijn T-shirt. Hij had nog maar net zijn tanden in de vrucht gezet, toen Mattia hem riep: 'Hei, Bor! Kom eens kijken!'

Boran rende weer de opslagplaats in.

'Waar ben je?'

'Hier!' klonk het vanuit de massa kisten.

'Waar is hier?'

Boran slipte tot stilstand achter een stapel kratten onderaan de trap en zag Mattia en Bliksem in de hoek van de opslagruimte staan, voor een donker gat in de muur.

'Wat heb je gevonden?' vroeg Boran toen hij bij hen kwam.

'Iemand heeft een hap uit de muur genomen', zei Mattia droogjes. Hij liet een luide boer met appelgeur, die echode in het gat als het gebrul van een duisterwezen. De uitgegraven gang die achter het gat begon, liep ongetwijfeld een flink eind door.

Boran en Mattia keken elkaar aan alsof ze de volgende stap op elkaars gezicht zochten. Het was Mattia die de knoop doorhakte en zijn lamp aanknipte. De felle lichtbundel verscheurde de duisternis en Boran zag verschillende angstwekkend grote spinnen ijlings wegvluchten. De webben, die in slierten van het plafond en de wanden hingen, waren bespikkeld met de restanten van uitgezogen insecten en deinden zachtjes mee in de wind.

'Je bent toch niet bang van spinnen?' grijnsde Mattia.

'Jij misschien?' vroeg Boran lachend.

Als bewijs, nam Mattia één van de diertjes bij de poten en hield het plagerig voor Borans neus. De jongen deinsde terug.

'Zie je wel?'

'Ik wil gewoon niet gebeten worden!' verdedigde Boran zich. 'Je weet niet eens welke soort het is.'

Mattia liet het diertje verschrikt vallen, toen opeens de drums weer begonnen.

Boem-daba-daba boem-boem-daba-daba daba-boemdaba-daba.

Het klonk veel luider en scherper dan voorheen en deze keer hoorden de jongens duidelijk dat het geluid uit de donkere tunnel kwam. Het waren ook geen normale drums, gemaakt van dierenhuiden, maar duidelijk olievaten, die geteisterd werden door ijzeren staven. Het aanstekelijke ritme getuigde van menselijke intelligentie, maar was die vredelievend?

Boran keek Mattia afwachtend aan. 'Dit kan heel goed een geheime doorgang naar de stad zijn. We hoeven dan zelfs niet op de meteroo te wachten.'

'Wacht!' zei Mattia en uit zijn broekzak diepte hij een verweerde euro op. 'Kruis: we gaan de tunnel in. Munt: we nemen de trein.'

Hij knipte het geldstuk omhoog met zijn duim, plukte het uit de lucht en sloeg het met een klap op de rug van zijn linkerhand. Het was kruis, maar hun aandacht werd afgeleid door het gedaver dat dichterbij kwam. Stof daalde neer in de gang en de spinnen klampten zich stevig vast aan hun deinende webben. Gesis en geknars van stalen wielen op de rails.

'Ik denk dat we de oplossing al weten', lachte Mattia opgelucht, terwijl hij zijn euro weer in zijn broekzak liet glippen.

Ze gristen hun spullen bij elkaar en verstopten zich achter een stel olievaten, vlak bij het perron.

'Waar is Bliksem?' riep Mattia ineens. In hun haast hadden ze de wasbeer uit het oog verloren.

'Ik moet hem zoeken!'

'Blijf hier!' beval Boran, want voor het perron kwamen de met graffiti bekladde wagons knarsend tot stilstand.

De deuren schoven open en vijf mannen in smetteloos witte uniformen stapten in fikse militaire tred de opslagplaats binnen. Twee van hen hadden automatische geweren en keken nors in het rond. De commandant van het groepje droeg een wit petje en een groene band rond zijn rechter bovenarm. Uit de holster aan zijn middel stak de zwarte kolf van een Beretta pistool. Met één armbeweging hield hij zijn mannen staande en keek naar de afgekloven klokhuizen op de vloer voor zijn voeten.

'Shit,' vloekte Mattia binnensmonds.

De commandant keek nu speurend in het rond en Boran kon wel raden wat hij dacht. De half opgegeten appel op de betonnen richel bij het perron was nog geen vijf minuten oud en dus nog niet bruin gekleurd zoals de andere.

'Zoek de dief!' beval de commandant angstwekkend bedaard en de vier anderen begonnen de hele opslagplaats uit te kammen.

'Ze maken ons af', fluisterde Boran doodsbang.

'Stil blijven', beval Mattia.

De jongens knepen allebei hun lippen stijf op elkaar toen een van de mannen de olievaten passeerde. Een hoog kreetje klonk achter de kisten vandaan en Mattia voelde het bloed stollen in zijn aderen.

Eén van de witte soldaten kwam triomfantelijk tevoorschijn met Bliksem bij het nekvel. Hij hees het angstige diertje met één hand omhoog en hield het de commandant voor, alsof hij hem zijn jas aangaf.

De commandant grijnsde goedkeurend en nam zijn Beretta.

'We moeten eens grondig werk maken van ongediertebestrijding', zei hij, terwijl hij zijn vuurwapen op Bliksems kopje richtte.

De soldaat die de wasbeer vasthield, probeerde hem zo ver mogelijk van zich af te houden, zodat zijn witte uniform niet besmeurd zou worden.

En voordat Boran het goed en wel besefte, sprong Mattia van achter de vaten tevoorschijn met geladen kruisboog.

'Laat hem los!' schreeuwde hij woedend en hij richtte zijn boog heldhaftig op de commandant.

Die grijnsde toen hij het joch met het primitieve wapen zag.

'Kijk es aan, dief nummer twee!' Hij richtte zijn Beretta zonder pardon op de jongen, maar Mattia haalde de trekker van zijn kruisboog al over. De bout plantte zich met een misselijke plof in het dijbeen van de soldaat die Bliksem vasthield. De man liet het diertje met een schreeuw los en greep met beide handen naar de stalen pin die uit zijn been stak. De wasbeer landde op zijn pootjes en beet de verbaasde commandant meteen in de rechterkuit, voordat hij op Mattia kon schieten. Het pistool ging af met een knal en de kogel boorde zich in het ijzeren vat, waarachter Boran zich schuilhield.

De jongen keek geschokt naar het gat, waaruit nu dikke smeerolie sijpelde.

Ineens greep iemand zijn hand, en het volgende moment strompelde hij achter Mattia aan tussen de kisten door, met vier van de vijf witte soldaten op de hielen. Met Bliksem voorop vluchtte het drietal de donkere gang in. Ze zagen geen hand voor ogen, maar ze bleven rennen, zo hard ze konden. Boran voelde de spinnenwebben in zijn haar en zijn gezicht kleven en de diertjes botsten tegen zijn gezicht als kleine bolletjes met harige poten. Hij voelde ze over zijn armen kruipen en in zijn kleren. Hij voelde ze kriebelen in zijn haar en in zijn nek, maar hij kon niet stoppen. Hij moest blijven rennen. Met een harde smak botste hij tegen een muur aan en viel op de grond. Mattia knipte de lamp aan en hielp hem lachend overeind.

'Haal ze van me af! Haal ze van me af!' gilde Boran, terwijl hij met zijn handen de grote zwarte spinnen van zijn kleren en zijn lichaam sloeg.

'Sorry, geen tijd!' zei Mattia, want achter hen klonken voetstappen en geschreeuw. Hij greep Boran weer bij de hand en trok hem een zijgang in, die zo'n tien meter verder op een splitsing uitkwam.

'Welke kant?'

'Li-euh... rechts!' stamelde Boran, nog steeds worstelend met de spinnen in zijn haar.

Mattia, die nog altijd het onderscheid niet kende tussen links en rechts, nam de linkergang. Er volgden nog meer splitsingen en algauw verloor Boran elk gevoel voor oriëntatie.

'Mattia, wa...' Maar Mattia snoerde hem de mond.

De jongens luisterden stil, maar hoorden niets, buiten het suizen van de wind. Boran voelde Bliksems zachte pels tegen zijn been.

'We zijn ze kwijt', fluisterde Mattia.

'Waar zijn we?' vroeg Boran toen Mattia's hand van zijn mond verdween.

Mattia scheen met de lamp in het rond, op massa's uit-gehouwen rots en nog meer spinnenwebben. Voor hen liep de gang dood, maar rechts van hen begon een zijgang, die even verder weer op een splitsing uitliep.

'Mattia, dit is een doolhof!' zei Boran ontzet, terwijl hij twee spinnen uit zijn haar schudde.

'Kalm, joh! Elke doolhof heeft een uitgang.'

'Die moeten we dan wel eerst vinden!'

'Positief denken, Bor. Kom mee!'

Boran sjokte achter Mattia en Bliksem aan, de rechter splitsing in.

'Hadden we nu maar een kompas', zuchtte hij onder het lopen. Hij zag zo het oude kompas aan de zonneklep in de cabine van de Scania hangen. Waarom had hij er niet aan gedacht om het mee te nemen?

De drums begonnen weer. Vervaarlijk dichtbij en erg akelig in de donkere, muffe tunnels.

Boem-daba-daba boem-boem-daba-daba daba-boemda-ba-daba.

Even kreeg Mattia het idee om de richting van het geluid te volgen, maar het gedreun leek van alle kanten te komen. Daarom stelde Boran voor om op het volume af te gaan. Hoe luider de klank, hoe dichter ze bij de bron waren en misschien wel bij de uitgang. Met herwonnen enthousiasme vervolgden ze hun zoektocht: twee felle lichtbundels, als verloren dwaallichtjes in de donkere gangen.

Na ontelbare hoeken en bochten kwamen Boran en Mattia in een gang die wat breder was dan alle andere.

'Ik geloof dat we op de goede weg zijn,' zei Mattia opnieuw en deze keer klonk hij echt hoopvol.

Toen stopten de drums weer en de jongens verloren de enige referentie die ze hadden.

'Kun jij je mond niet houden?' bromde Boran, alsof Mattia's opmerking een of andere vloek over hen had doen neerdalen.

Wat verderop kwamen ze bij een kruispunt.

'Als we een fout maken, komen we hier nooit meer uit!' zuchtte Boran wanhopig.

'Gooien we op?' vroeg Mattia.

Maar Boran had deze keer geen zin om zijn lot in handen te leggen van een doffe euro. Hij wilde hier zo snel mogelijk uit en had er op dat moment alles voor gegeven om weer boven de grond in de blakende zon te kunnen lopen.

'Links', besloot hij vastberaden en hij trok Mattia mee.

Het leek in elk geval geen slechte keuze, want ze kwamen in een kamer terecht, en niet weer in de zoveelste uitzichtloze gang. Maar toen Mattia's lichtbundel in de hoek op een geraamte viel, zonk de jongens de moed in de schoenen.

'Nog iemand die het niet heeft gehaald.'

Mattia hoorde de trilling in Borans stem en een korte snik.

'Laten we wat uitrusten', stelde hij voor. 'Zodra de trommels weer beginnen, gaan we verder.'

'Waarom heb ik het gevoel dat onze vriend hier net hetzelfde heeft gedacht?' zei Boran, terwijl hij naar het geraamte keek.

'Omdat je een zwartkijker bent.' Mattia reikte hem een blozende perzik aan en de jongen keek verbaasd naar de vrucht.

'Hoeveel heb je er?'

'Vier', antwoordde Mattia trots en toverde de vruchten uit de wijde zakken van zijn rafelige legerbroek.

'We moeten er zuinig op zijn.'

Bliksem verkende ondertussen alle hoekjes van de kamer en bleef in het midden staan met zijn snuit in de lucht. Hij keek even naar de twee jongens en uitte een kort blafje, waarna hij de gang in trippelde. Even later kwam hij weer de kamer in en snuffelde opnieuw nerveus aan de lucht.

'Wat scheelt er, Bliksem?' vroeg Mattia.

De wasbeer snufte, trippelde terug naar de deuropening en bleef hen van daar met zijn kraaloogjes aanstaren.

'Hij wil ons iets laten zien', zei Mattia.

Toen de wasbeer zag dat de jongens zijn richting uit-kwamen, stak hij opnieuw zijn snuit in de lucht. Mattia deed hetzelfde en snoof een paar keer heel diep, waardoor Boran in de lach schoot. Mattia glimlachte nu ook, want de wind in de gangen voerde een zwakke, zoete geur met zich mee.

Bliksem liep verder en de jongens volgden hem, langs hoeken en bochten. Het leek wel of de wasbeer de weg hier kende.

'Ik geloof dat hij de uitgang heeft gevonden!' riep Mattia vol hernieuwde moed.

En daar kwam al een fel licht in zicht, dat hen lokte als motten naar een kaars.

Groot was hun verrassing toen ze niet uitkwamen in de grote opslagplaats, maar in een kleinere ruimte. Ook hier stonden massa's kisten, maar niet netjes gestapeld zoals in de eerste opslagruimte. Dozen, zakken, kisten, ... alles stond kriskras door elkaar. De jongens knipten de lampen uit, want hier was licht genoeg. Er hing ook een frisse lucht, geparfumeerd met de geur van vers fruit.

'Voor één keer heeft je maag ons leven gered', complimenteerde Mattia zijn vierpotige vriendje en hij gaf de wasbeer een van de perziken uit zijn broekzak.

Boran nam er zelf twee uit een van de kisten en zette zijn tanden erin.

De meeste kisten waren open en waren tot de rand gevuld met voedsel, vers en gedroogd. Een kist, gevuld met blikken, was aan de zijkant versierd met een kinderlijke tekening van een conservenblik.

'Dit is geen opslagplaats', dacht Boran hardop. 'Dit zijn gestolen spullen!'

'Wie heeft ze dan gestolen?' vroeg Mattia.

'Ik denk dat we daar snel zullen achterkomen', zei Boran zuur. Hij liet zijn perzik op de grond vallen en stak zijn armen omhoog. Mattia kreeg meteen zin om hetzelfde te doen, toen hij het kleine kind zag en het krachtige semiautomatische aanvalsgeweer dat het op hen gericht hield.

Bliksem gromde kwaad, maar Mattia riep hem streng tot de orde.

Het jongetje was amper vijf of zes jaar oud en misschien maar een paar centimeter groter dan het geweer dat hij vastklemde. Hij droeg een primitieve lendendoek, had warrig rood haar en zijn gezicht was kleurig beschilderd als dat van een Indiaan.

'Dat is gevaarlijk, weet je dat?' begon Boran op een kleuterklastoontje, maar het kind hield zijn blik en zijn wapen onbeweeglijk op hen gericht.

'O, ik denk dat hij dat ook wel weet', fluisterde Mattia. Hij neigde zijn hoofd naar Borans oor en voegde eraan toe: 'Samen kunnen we hem wel aan.'

Maar het jongetje grijnsde alsof hij ieder woord had verstaan en keek opzij, naar een meisje van ongeveer acht dat opeens naast hem was komen staan. Ook zij hield een automatisch wapen in haar handen. De vuurkracht was verdubbeld en de hoop van Boran en Mattia om hieruit te ontsnappen tot nul herleid.

Nog meer kinderen kwamen achter de kisten tevoorschijn, allemaal even vuil en tot de tanden gewapend. De leider was misschien een jaar of twee ouder dan Mattia en stapte statig op zijn gevangenen af.

'Je moet je kleuterklas aan de leiband houden of er gebeuren ongelukken', zei Mattia tegen de oudere jongen.

Die vertrok geen spier, maar nam zelf het woord.

'Zijn jullie van de Onderstad?'

'De wat?' vroeg Boran.

'Jullie zijn dus gewone dieven', stelde de jongen vast, op een toon alsof dat minder erg was.

'Wij hebben niks gestolen', riep Mattia kwaad. 'Jullie daarentegen...' Hij keek veelbetekenend naar de kisten en zakken.

'Dat behoort ons toe!' antwoordde de jongen. 'Ken Rido is het ons verschuldigd!'

'Wie zijn jullie?' vroeg Mattia, niet van plan om over zich heen te laten lopen door een bende kleuters.

'Wij zijn de tunnelkinderen en jullie zijn onze gevangenen.'

Nog voor Mattia hierop kon antwoorden, werden hem zijn kruisboog en zijn mes afgenomen en twee kleuters die amper tot aan zijn middel kwamen, klikten ijzeren handboeien om zijn polsen. Boran onderging hetzelfde lot en Bliksem werd in het nauw gedreven en onder een net gevangen. Onder escorte van het kindercommando werden ze door een netwerk van gangen en tunnels naar het dorp gebracht. Honderden beschilderde gezichtjes bespiedden hen vanuit donkere gaten in de muur. Kleine kinderhandjes, gewapend met ijzeren staven, teisterden geblutste olievaten.

Boem-daba-daba boem-boem-daba-daba daba-boemda-ba-daba.

'Straks moeten we nog dansen ook', merkte Mattia droogjes op.

Bij een uitgehouwen gat in de muur stonden ze stil. Hun handboeien werden weer losgemaakt en de jongens werden naar binnen geduwd. Ze kwamen terecht in een grot, nauwelijks groter dan een paar vierkante meter.

'Dat kunnen jullie niet maken!' riep Mattia kwaad, maar de leider van de Tunnelkinderen grijnsde hen toe en sloeg de gammele traliedeur voor het gat dicht. Twee kleuters posteerden zich aan weerszijden van de poort, met geweren die ze noodgedwongen tegen de muur moesten zetten, omdat ze te zwaar waren.

'We moeten hieruit zien te geraken', verkondigde Mattia overbodig. Maar hoe ze dat aan de dag zouden leggen, was een raadsel.

Boran stond op en ging naar de traliedeur. De kleuters keken zo nors en gedisciplineerd voor zich uit, dat het op de lachspieren werkte.

'Hei, pssst!' probeerde Boran hun aandacht te trekken, maar de kinderen reageerden niet.

Mattia bestudeerde ondertussen het blikje bonen dat hen tot voedsel moest dienen. De tunnelkinderen hadden het niet eens opengemaakt en hij probeerde er een gat in te krijgen door het hard tegen de puntige rotswand te slaan. Toen dat niet lukte, keilde hij het conservenblik gefrustreerd tegen de muur. Het ding barstte open en de witte bonen en tomatensaus sijpelden langs de wand naar beneden als bloederige ingewanden.

Boran kwam weer naast hem zitten en hield hem een perzik voor, die hij daarnet uit de mand had genomen. Ook Mattia toverde twee perziken uit zijn broekzak.

'Verhongeren zullen we niet', lachte hij.

Maar Boran kreeg opeens een inval. Het was gewaagd, maar het proberen waard.

Hij nam de perziken van Mattia over en ging ermee naar de tralies. Daar, vlakbij de kleuters, nam hij een flinke hap uit een van de vruchten en slurpte het koele sap op. Het resultaat liet niet lang op zich wachten. De twee kleuters keken om en hun norse gezichtjes kregen meteen een erg hongerige uitdrukking. Mattia had Borans plan geraden en deed ook mee, waarbij hij het sap zelfs uitgebreid over zijn kin liet lopen. Boran legde de twee resterende perziken voor de tralies op de grond. De kleuters bukten zich en strekten aarzelende handjes uit naar de vruchten. Uiteindelijk graaiden ze snel de perziken weg en begonnen gulzig te eten.

'Jullie zijn dus Tunnelkinderen, hè?' begon Boran op een lief toontje.

Het leek wel of de kleuters hun discipline waren vergeten en ze knikten nu met volle mondjes.

'Vraag hen iets dat we nog niet weten', drong Mattia aan.

'Geduld!' siste Boran hem toe en hij ging dichter bij de kinderen staan.

'Ik ben Boran en dat is Mattia. Hoe heten jullie?'

De kinderen stopten met kauwen en keken de jongen onzeker aan.

'Ik denk niet dat ze een naam hebben', zei Mattia.

'Sentia', zei het meisje. 'En dat broertje Deni', wees ze naar het kleinere jongetje naast haar.

'Zo Sentia', glimlachte Boran. 'Mooie naam.'

Mattia rolde geërgerd met zijn ogen. Geduld had hij nooit gehad, zeker niet met kleuters. Maar Boran wel en hij kwam erachter dat de vijftienjarige leider van de Tunnelkinderen Mik heette en de groep met ijzeren hand regeerde, niet als een tiran, maar als een vader.

'Waar zijn jullie ouders?' vroeg Boran ten slotte.

Sentia keek hem niet-begrijpend aan.

'Heb jij een mama en een papa?' verduidelijkte hij.

Sentia knikte eerst ja, maar schudde onmiddellijk daarop nee.

'Iedereen heeft een mama en een papa', zei Boran.

Sentia keek de oudere jongen diep bedroefd aan. 'In Onderstad geen plaats...'

Maar net toen ze meer zou vertellen, verscheen Mik met een dozijn van zijn kinderen in zijn kielzog. Sentia en Deni verstopten snel de perziken achter hun rug, maar hij had het wel gezien. Mik maakte de ketting los en opende de deur van de cel.

'Door ons om te kopen, zullen jullie hier niet weg komen.'

'Je hebt het recht niet om ons op te sluiten!' riep Boran kwaad.

'Zwijg!' riep Mik. Zijn stem, die al een beetje volwassenheid bezat, snoerde ook de jongere kinderen de mond. Hij raapte een van de afgekloven perzikpitten op.

'Jullie worden schuldig bevonden aan diefstal en ik heb de bewijzen hier. Jullie zullen sterven op de sporen!'

'We zijn daarnet bijna gestorven op de sporen, lul!' riep Mattia kwaad. 'En daarna bijna in dat rotlabyrint van jullie, nadat we moesten vluchten voor...'

'Hou je mond!' riep Mik.

'Laat ons gaan!' beval Mattia.

Het haalde niets uit. Boran en Mattia werden opnieuw geboeid en naar de plek van de terechtstelling gebracht. Na een flinke klim langs honderden uitgehouwen treden, kwamen ze bij een gat in de vloer. Onder het gat, zo'n zes meter lager, liepen de glimmende rails waartussen ze eerder hadden gelopen.

'De IJzeren Mol van de Onderstad zal jullie verslinden. Hebben jullie nog een laatste wens?'

'Dat je ons losmaakt en laat gaan?' vroeg Mattia naïef. Hij had alle hoop verloren, want in de verte klonk al het gedruis van de aanstormende meteroo die de tunnelkinderen de IJzeren Mol noemden.

'Ik heb nog een laatste wens', zei Boran koelbloedig. 'Dat je eerst naar ons verhaal luistert, voordat je ons veroordeelt!'

'Geen tijd!' snauwde Mik. De trein kwam nu hoorbaar dichterbij en zou in luttele seconden onder het gat doorrijden. Het zou een snelle dood zijn.

'Gooi ze erin!' beval Mik.

'Wacht!' schreeuwde Boran boven het geraas van de trein. 'Willen jullie je ouders niet terugzien?' Mik gaf de kinderen teken om te wachten en keek Boran stomverbaasd aan.

'Wat zeg je?'

'Je ouders, Mik. Waarom hebben ze je verstoten?'

Mik staarde Boran met grote ogen aan.

Onder hen raasden de laatste wagons voorbij. Maar Mik herstelde zich.

'Goed afleidingsmanoeuvre!' siste hij. 'De volgende IJzeren Mol is voor jullie.'

'Waarom is er geen plaats voor jullie in de Onderstad?' vroeg Boran.

Weer verloor Mik, heel even maar, zijn stoere masker.

'Dat... dat gaat je niks aan, dief!'

'Misschien kunnen we helpen', stelde Boran voor.

'Kan jij soms de wetten van de Onderstad veranderen?' vroeg Mik.

'Mijn vriend hier kent Ken Rido persoonlijk', zei Boran.

'Ja, maak het nog wat erger', zuchtte Mattia.

Maar Boran stoorde zich niet aan hem.

'We zijn op weg naar de Onderstad om hem te spreken', ging hij verder. 'En als we iets voor jullie kunnen doen...'

'Jullie kunnen niks doen. En als jullie denken van wel, dan kennen jullie Ken Rido niet', snauwde Mik.

'Waarom haten jullie hem?' vroeg Boran.

Er viel een stilte onder de kinderen en Miks gezicht kreeg een trieste uitdrukking.

'Omdat hij ons dood wil', zei hij ten slotte.

'Hij doodt kinderen?' vroeg Boran verbijsterd.

'Kom mee, dan vertel ik het jullie', sprak Mik nu bedaard.

'Betekent dat dat we vrijgesproken zijn?' vroeg Mattia hoopvol.

'De volgende IJzeren Mol komt als de grote speer een hele cirkel heeft gemaakt.' Mik wees naar een grote stationsklok, die aan de wand was bevestigd achter het gat. De wijzer liep in de verkeerde richting. 'Tot dan zijn jullie mijn gasten.'

Boran en Mattia protesteerden niet, want nu hadden ze meer tijd om met een plan voor de dag te komen. Met een kleuterescorte voor en achter zich, volgden ze de oudere jongen door het rijk van de Tunnelkinderen. Vanuit openingen in de muur fonkelenden honderden oogjes als diamanten in het licht van de fakkels.

Na een wirwar van trappen en gangen kwamen ze in een open, fel verlichte ruimte, waar nog eens honderden kinderen hen opwachtten. Ze begonnen alweer driftig op olievaten te rammen toen hun leider binnenkwam, maar met één handbeweging liet Mik hen ophouden.

Hij leidde zijn twee gasten naar een afgedankte wagon, die het grootste deel van de zaal innam. Het voertuig had geen onderstel meer en het hele interieur was gesloopt. Binnenin wees Mik naar een rij stoelen waarin Boran en Mattia mochten plaatsnemen.

Vanuit een hoekje werd Mattia ineens besprongen door een witte schicht. De jongen ving de wasbeer lachend op en liet het dolgelukkige diertje zijn gezicht likken.

'Jullie weten blijkbaar niet veel over de Onderstad en de barbaarse wetten die Ken Rido heeft ingevoerd', begon Mik.

Boran en Mattia gaven dat toe.

'De Onderstad is volledig onder de grond gebouwd. Er is tekort aan voedsel en drinkwater. Daarom wordt de bevolking streng gecontroleerd, en daar dient de min-één-plus-één-wet voor. Er mag pas een kind geboren worden, als iemand anders sterft. Iedereen die een kind wil, moet een speciale vergunning aanvragen en komt op een lange wachtlijst terecht. Mensen die toch een kind krijgen zonder vergunning, worden gestraft. Ze moeten dan de keuze maken tussen hun eigen leven en dat van hun kind. Sommigen besluiten te sterven om hun kind een kans te geven, maar anderen vinden het dat niet waard. De baby's worden 's nachts in de tunnels achtergelaten, als voer voor de duisterwezens.'

'Maar dat is verschrikkelijk', riep Boran uit.

Mik knikte. 'Dat vond mijn moeder ook. Ze was illegaal zwanger en wist dat haar kind hetzelfde lot zou ondergaan. Daarom besloot ze te vluchten. Ze verstopte zich in de tunnels en haalde de baby's weg, die achtergelaten werden. Ze bracht ze zelf groot, ver weg van de Onderstad. Ze is dood en nu zijn wij het die de kinderen redden van de duisterwezens.'

'Je liegt!' riep Mattia uit. 'Ken Rido doet zoiets niet! Hij heeft zelf een kind!'

'Denk je dat hij een vergunning heeft moeten aanvragen en op de wachtlijst heeft moeten staan? Hij is verdomme de leider! De Onderstad is gebouwd op leugens, onrechtvaardigheid en kinderlijken! Ken Rido is de grootste smeerlap die er bestaat.'

'Ik ben er zeker van dat hij het even verschrikkelijk vindt', zei Boran, 'maar hij heeft geen keus. Anders brengt hij de hele stad in gevaar.'

Mik leek niet te luisteren en keek naar de klok, die in de wagon aan de wand hing. Die stond gelijk met de klok boven het gat over de sporen. Wat het exacte uur was, wist niemand meer. Dit was de tijd die in het rijk van de Tunnelkinderen heerste.

'Nog vijf streepjes voor jullie executie', sprak Mik. 'Je zei dat je ons misschien kon helpen?'

Boran knikte. 'Nu ik het hele verhaal gehoord heb, weet ik het zeker, maar dan mag je ons niet voor de IJzeren Mol gooien.'

'Dat valt te bezien', antwoordde Mik.

'Heb jij al gehoord van de ontziltingsinstallatie van het Westereind?'

Mik schudde zijn hoofd.

'Het is een machine die drinkwater haalt uit de zee', verduidelijkte Boran. 'Als Ken Rido daar een stad bouwt, is er genoeg drinkwater voor jullie en voor veel meer kinderen en kan er voedsel geteeld worden. Dan zijn er geen gekke wetten meer nodig.'

'Waar ligt die installatie?' vroeg Mik.

'Dat weet alleen mijn moeder.'

'En om haar te bevrijden hebben we de hulp van Ken Rido nodig', voegde Mattia eraan toe. 'Breng ons naar de Onderstad en wij zorgen ervoor dat jullie je ouders terugzien. Wat denk je?'

'Ik denk dat ik jullie nooit meer terugzie.'

'Misschien kunnen we je er niet van overtuigen dat we ons woord zullen houden, maar je zult ons moeten vertrouwen.'

Mik zweeg en dacht na. Uiteindelijk vulde een glimlach zijn stuurse gezicht, want in zijn gedachten ontvouwde zich een waaier van mogelijkheden. Een plan, waar hij al jaren op broedde en dat hij nu eindelijk kon uitvoeren, maar dat mochten Boran en Mattia natuurlijk niet weten.

'Goed, jullie hebben een deal', besloot hij. 'Maar zorg dat Ken Rido zijn hele leger inzet.'

'Een leger? Is het groot?' vroeg Boran.

'Bijna vijfhonderd man.'

'Jij bent gek!' riep Mattia uit.

Maar Boran glunderde. Natuurlijk zouden ze Ken Rido overhalen om zijn hele leger in te zetten! Zoiets verwachtte de Cycloop niet. Hij knikte vurig ja en hoewel Mattia op dat moment dacht dat Boran een schroefje of vijf had los zitten, bezegelden de jongens hun overeenkomst met een handdruk.

10. De Onderstad

Gewapend met hun kruisbogen en met sterke dynamo-lampen, volgden Boran, Mattia en Bliksem Mik door de tunnels van een oude lijn. Deze sporen waren verroest en al jaren niet meer gebruikt, en dat had Mattia ten slotte kunnen overhalen om opnieuw de tunnel in te duiken. Maar het stikte er van de duisterwezens. Boran voelde hun aanwezigheid en zag de groene lichtjes in het duister priemen, maar ze durfden niet aan te vallen, afgeschrikt door de felle lampen die de jongens bij zich droegen. Bliksem liep dicht bij Mattia en gromde naar de bewegende figuren in het duister.

Na wel een uur lopen kwam het viertal bij een verbreding. Hier kwamen maar liefst drie lijnen samen in een net van wissels.

'Volg de tunnel rechtdoor en je komt vanzelf bij de Onderstad uit', wees Mik.

'Bedankt', zei Boran.

Ze gaven de lampen aan Mik, want dit gedeelte van de tunnel was toch verlicht en hij zou ze op de terugweg goed kunnen gebruiken, als hij weer door het gedeelte met de duisterwezens moest.

Boran en Mattia namen afscheid van de jongen die hen

bijna voor de meteroo had gegooid en terwijl de leider van de tunnelkinderen in zijn eentje terugkeerde, zette het drietal zijn reis voort.

Het duurde niet lang voor ze een lichtschijnsel zagen tegen de tunnelwand. Even dacht Mattia weer aan een trein, maar het lichtschijnsel bewoog niet. Hoe dichter ze naderden, hoe feller het leek te worden, alsof ze weer boven de grond uitkwamen en de vurige zon hen stond op te wachten om hen te verblinden. Na hun lange verblijf in het halfdonker moesten Boran en Mattia hun ogen tot spleetjes knijpen en zelfs Bliksem keerde zijn kop af.

De rails liepen rechtdoor en eindigden zo'n tien meter verder op een stootblok met erachter een betonnen muur. Voor het stootblok lag een perron en toen de jongens erop klommen, konden ze hun ogen niet geloven. Daar, voor hen in de diepte, uitgespreid over een onmetelijke ondergrondse vlakte, lag de Onderstad, een stad zoals ze voor de bom bestonden, een onoverzichtelijke doolhof van straten en pleintjes, bruisend van drukte. Minuscule mensjes en voertuigen wriemelden er als insecten en uit het midden van de stad rees een reusachtige doorzichtige koepel, waarin planten en bomen groeiden in een kunstmatig klimaat.

Nauwe tunnels verbonden de verschillende stadsdelen en helemaal aan het uiteinde - Boran schatte zo'n kilometer of twee - was een station gebouwd, waar de oude meterootreinen, die nu dienden voor het goederentransport, konden laden en lossen. Het was een complete onderaardse leefgemeenschap, volledig onafhankelijk van de bovenwereld. Het kon toch niet dat zo'n prachtige plek er zulke wrede wetten op nahield?

Boran en Mattia keken elkaar glunderend aan. Ze zeiden geen woord en met bonzende harten daalden ze de uitgehouwen treden af, met Bliksem nieuwsgierig snuffelend voorop.

Veel gastvrijheid verwachtten ze niet na het vreselijke relaas van de Tunnelkinderen en het verwonderde hen dan ook niet dat twee mannen in witte uniformen hen van beneden tegemoet kwamen. Mattia seinde Boran om hen te laten begaan. De soldaten keken streng neer op de twee haveloze jongens en de witte wasbeer, die na de bewogen reis niet meer zo wit was. Ze hadden elektrische speren bij zich en droegen zorgvuldig onderhouden vuurwapens.

'Waar denken jullie heen te gaan?' vroeg de grootste van de twee.

'Wij hebben belangrijke informatie en willen Ken Rido spreken', sprak Mattia met zo'n ernstig gezicht, dat Boran hard op zijn onderlip moest bijten om het niet uit te proesten.

De soldaten blikten wantrouwig van Mattia naar Boran en weer terug.

'Kunnen jullie dat bewijzen?' vroeg de kleinere. Hij had een enorme zwarte snor, die zijn mond volledig bedekte en waardoor het wel leek alsof hij een buikspreker was.

'Nee, maar jullie koppen zullen wel rollen als hij erachter komt dat jullie ons niet hebben doorgelaten. De toekomst van de Onderstad hangt ervan af', blufte Mattia. Boran liep rood aan en stak zijn tong tussen zijn tanden om zijn lip niet stuk te bijten.

De grote soldaat keek naar de kleinere en die haalde zwijgend zijn borstelige wenkbrauwen op.

'Grote woorden voor zulke kleine kereltjes', zei hij toen.

'Als we erachter komen dat het alleen maar woorden zijn, dan zijn het jullie koppen die zullen rollen, snappie?'

Boran en Mattia knikten. Ze moesten hun wapens afgeven en volgden de witte soldaten naar beneden. Daar moesten ze in een vreemd voertuig gaan zitten, dat nog het meeste leek op een lage Jeep met skateboardwieltjes eronder. Twee andere soldaten namen plaats achter het stuur en het ding schoot vooruit met een nerveus gezoem. Al snel maakte het voertuig snelheid en scheerde ratelend door de straten, die nu hun ware gezicht toonden. De inwoners van de Onderstad waren graatmager, alsof ze in maanden niet meer hadden gegeten. Voor de lege etalages stonden lange rijen mensen met rantsoenbonnetjes als waardevolle juwelen in hun handen geklemd.

'Die mensen lijden honger!' zei Boran ontdaan.

'Zo lijkt het alleen maar', verklaarde de soldaat aan het stuur van de Jeep. 'Ze krijgen genoeg eten. Alles is gerantsoeneerd, anders zijn we te snel door onze voorraden heen.'

Boran zag een klein meisje met een halfvolle emmer zeulen.

'Zelfs het water?'

'Vooral het water', verklaarde de soldaat met de snor. 'We pompen het op uit de diepste grondwaterplateaus. Als die droog komen te staan, is het met de Onderstad gedaan.'

Boran en Mattia zagen hun hoop op een frisse slok drinkwater verschrompelen. Maar dat betekende wel dat Ken Rido nog meer geïnteresseerd zou zijn om de kaart in zijn bezit te krijgen.

Ze naderden een immens gebouw dat hoog boven de omliggende huizen uittorende. Het portaal was omzoomd door een rij klassieke zuilen, waarop een prachtig versierd fronton rustte. En daar bovenuit rees een enorme koepel, die vanaf de grond gezien misschien wel tien meter in doorsnede moest zijn, maar waarschijnlijk nog groter was. Dit was dus de plek van waaruit Ken Rido met vaste hand over zijn onderdanen regeerde.

Het wagentje reed de smeedijzeren paleispoort binnen en stopte voor het enorme portaal. Boran en Mattia moesten uitstappen en werden overgeleverd aan twee paleiswachten, die knalrode uniformen droegen. Terwijl ze achter de rode uniformen de trappen op liepen, werden de jongens overweldigd door de enorme omvang van het bouwwerk. De muren waren verblindend wit geschilderd en de metershoge ramen lieten het kunstmatige licht van de Onderstad binnenstromen. Boran kon alleen het topje van de reusachtige koepel zien, toen hij achter Mattia en Bliksem tussen de zuilen door liep.

Boven de ingang was het jaartal 1824 uitgehouwen en hoe dichter ze de massieve houten deuren naderden, hoe duidelijker Boran de ontelbare barsten in de muren kon zien. Hij probeerde zich voor te stellen hoe men de brokstukken na de oorlog onder de grond had verhuisd en ze daar met meesterlijk geduld weer in elkaar had gepuzzeld. En dit was niet het enige exemplaar van antieke architectuur, want onderweg waren ze langs verschillende gebouwen gereden, die nog van vóór de eenentwintigste eeuw dateerden en sommige zelfs van vóór de twintigste, zoals dit paleis.

Boran struikelde bijna toen hij de marmeren entree binnenkwam.

'Kijk voor je', grinnikte Mattia. 'Straks ga je nog op je snuit.'

Maar Boran had alweer zijn neus in de lucht, net als Bliksem, en liet een zacht 'ooooh' ontsnappen toen ze onder een massieve kroonluchter door liepen. Hij leek veel op de kroonluchter in de theaterzaal van Leslie, maar deze was verlicht met duizenden lampjes en door de kristalfragmentjes leken het er wel een miljoen. In het trapportaal gingen de paleiswachten elk hun weg. Eén ging er de trap op om Ken Rido van de aankomst van de gasten op de hoogte te brengen. De ander gebaarde de jongens om hem te volgen en bracht hen naar een betegelde ruimte, die niet bij de negentiende-eeuwse architectuur hoorde en er duidelijk pas achteraf was bijgebouwd. Alles was er: badkuip, wastafels en toilet.

Boran draaide nieuwsgierig een kraantje open en er liep warempel stromend water uit, onder druk!

De paleiswacht glimláchte trots. 'Zo uit de bron', zei hij.

'Ik dacht dat het water gerantsoeneerd was?' merkte Mattia op.

De man lachte. 'Niet voor de bewoners van het paleis.'

'Maar dat is toch onrechtvaardig?' riep Boran uit.

'Helemaal niet. Zonder Ken Rido, onze vorst, zou de stad in anarchie vervallen. Hij heeft het recht om zich alles toe te eigenen wat hij nodig heeft. De Onderstad is zijn creatie, het begin van een nieuwe wereld.'

De jongens konden hun oren niet geloven.

De paleiswacht legde handdoeken op een stoel en zette aarden kruiken met zeep en shampoo naast het bad.

'Geloof me', ging hij verder. 'In vergelijking met de hele stad, gebruiken wij maar een heel klein beetje.'

Nog nooit had Boran zo erg verlangd naar een warm bad, maar nu de kans er was, dacht hij weer aan het kleine meisje en hij had het gevoel alsof hij haar de halfvolle emmer water uit de handen rukte.

De paleiswacht draaide de kraan open en het bad vulde zich met stomend water. Tien volle emmers gingen in de kuip. Wel honderd liter drinkwater...

'Het spijt me', zei Boran uiteindelijk resoluut. 'Maar het zou onrechtvaardig zijn...'

Mattia, die zijn kleren al aan het uittrekken was, keek hem ontsteld aan.

'Dan kan ik jullie ook niet bij Ken Rido brengen', sprak de paleiswacht.

Boran keek naar het vollopende bad, zag en rook het vuil op zijn eigen lichaam. Hun hele avontuur zou voor niets geweest zijn, maar het ergste was dat hij dan ook alle hoop om mams levend terug te zien, zou moeten opgeven. Een keuze was er nu eenmaal niet. Niet voor Boran, niet voor Mattia, niet voor mams. De jongen zuchtte en gaf zich ten slotte gewonnen. Mattia zat al in de badkuip, tot aan zijn nek in luchtig wit schuim, en onderwierp zijn rechtervoet aan een grondige schrobbeurt met een grote borstel.

Bliksem had een grote plas water opgezocht onder de kuip en waste met zijn voorpootjes ijverig stof en zand uit zijn witte pels. Boran trok nu ook zijn kleren uit en kroop bij Mattia in de kuip, waardoor Bliksem op een onverwachte douche werd getrakteerd. Boos grommend schudde het diertje zijn pels droog en vluchtte naar de andere kant van de kamer, vanwaar hij de jongen nijdig aanstaarde.

Boran moest wriemelen om een plaatsje te vinden tussen Mattia's benen, maar toen hij in het warme water zat, voelde hij al zijn zorgen wegvloeien. Het was nog heerlijker dan het bad dat hij in de Uitspanning had genomen en hij kon er wel eeuwig in blijven liggen. Toch voelde hij zich ook schuldig.

Toen hun vingers en tenen op kleine, gerimpelde oude vrouwtjes begonnen te lijken, vonden Boran en Mattia dat het tijd werd om uit de badkuip te komen. Ze leken net twee andere jongens. Mattia's zwarte lokken hadden een prachtige glans en Borans kastanjebruine dos was een stuk lichter van kleur geworden. Nadat ze zich hadden afgedroogd, was het Bliksems beurt. Mattia wreef hem droog met een wollige handdoek tot elk haartje in zijn witte pels recht overeind stond en Bliksem zijn naam alle eer aandeed. Zijn vacht knetterde zelfs toen Mattia hem aaide.

Boran keek geboeid naar het badwater dat in een mini-draaikolkje door de afvoer verdween en een zwarte rand achterliet in de kuip. Hij moest zeker wel een kilo lichter zijn nu al dat vuil eraf was.

Bij de deur lagen twee stapeltjes nieuwe kleren. De pasgestreken T-shirts en broeken waren zo wit dat het pijn deed aan de ogen. Terwijl ze zich aankleedden, bespraken Boran en Mattia wat ze zouden zeggen tegen Ken Rido. Na wat ze hadden gehoord en gezien, twijfelden ze eraan of het wel verstandig was hem zomaar te vertrouwen. Ze hielden snel hun mond toen een verpleegster binnen-kwam. Nu hadden ze er allebei niet echt tegenop gezien om eens verwend te worden door een verpleegster, maar deze was artificieel. Een eenvoudig model 505, met een huid van latex en zonder lichaamstemperatuur of intelligentie.

Ze droeg een koffertje bij zich met daarin een vreemd toestelletje. Mattia had het nog nooit gezien en Boran had er ook alleen maar over horen vertellen. Het was een genetisch-cellulaire regenerator of celgen in het kort, een overblijfsel van de Oude Beschaving.

De robot kwam op Mattia af.

'Ga rustig zitten', sprak de machine met een koele vrouwenstem. Haar mondhoeken kromden omhoog in een akelige glimlach die Mattia kippenvel bezorgde.

'Rustig maar, alles komt in orde. Heb je pijn? Ik weet wat ik doe. Gaat het?'

De voorgeprogrammeerde zinnetjes moesten de patiënten op hun gemak stellen, maar hadden bij Mattia het tegenovergestelde effect.

Langzaam en uiterst voorzichtig maakte de robot het verband om Mattia's kuit los. Al die tijd bleef ze dezelfde zinnetjes herhalen: 'Gaat het? Het doet toch geen pijn? Gaat het?'

'Het doet alleen pijn als u uw stomme kop niet houdt', zei Mattia poeslief.

'Dat hoor ik graag', antwoordde de robot, die alleen de rustige toon van Mattia's woorden kon interpreteren.

Aan de andere kant van de badkamer lag Boran in een deuk.

De verpleegster zette het celgentoestelletje op Mattia's wond. In een paar seconden analyseerde het ding zijn genetische code en het ging meteen aan de slag. Hoe het werkte, wist Boran niet, maar vast stond dat, toen de artificiële verpleegster het toestelletje weghaalde, ook de wond was verdwenen. Er bleef zelfs geen litteken over.

'Dat... dat is toverij!' stamelde Mattia stomverbaasd, terwijl hij over zijn gave been wreef.

'Dat hoor ik graag', zei de verpleegster weer. 'Het doet toch geen pijn?'

De machine keek met glazige ogen naar de blauwe plek op Mattia's wang en duwde erop met een koude vinger.

'Aaauw! Fuck!' riep de jongen uit en trok zijn hoofd weg.

'Het spijt me', blabberde de robot, nog steeds met haar akelige kunstmatige glimlach.

'Ik bouw je om in een toaster als je dat nog één keer doet!' dreigde Mattia.

'Dat hoor ik graag', lachte de machine.

Nu was Boran aan de beurt. Eerst verwijderde de robot-verpleegster voorzichtig het garen waarmee Leslie de wond aan zijn arm zo vakkundig had dichtgenaaid. De talrijke avonturen en vooral de vingers van de Cycloop hadden de wond geen goed gedaan. De wond was verder ingescheurd en vuil, en de eerste tekenen van een infectie staken al de kop op.

'Gaat het? Het doet toch geen pijn? Gaat het?'

Boran grinnikte, want de celgen kriebelde een beetje terwijl hij zijn werk deed, maar even later was ook zijn arm zo goed als nieuw.

Toen de verpleegster verdwenen was, waste Boran zijn witte bandana uit onder de waterstraal, maar de bloedvlekken gingen er niet uit en hij gooide hem dus maar bij de rest van zijn kleren. Hij had wel gezien dat Mattia nog steeds zijn hondenpenningen droeg, maar hij zei er niets van, want een vreemd voorgevoel weerhield hem.

Even later bewonderden beide jongens zichzelf voor de spiegel. Ze leken allebei engelen met die spierwitte kleren aan en Bliksem paste perfect bij hen met zijn witte vacht.

Buiten stond dezelfde paleiswacht hen op te wachten. De jongens en de wasbeer volgden de man de honderden trappen op, helemaal naar boven, tot ze in een hal kwamen met een hoge dubbele deur, waarop in sierlijke letters bibliotheek stond.

De paleiswacht zwaaide de deuren open en de jongens volgden hem naar binnen. Borans mond viel open van verbazing, want in zijn hele leven had hij nog nooit zoveel boeken bij elkaar gezien. Met duizenden vulden ze de rekken langs de muren, een duizelingwekkende mozaïek van kleurige ruggen en vergulde titels tot aan het plafond. In het midden van de bibliotheek ontvouwde zich een labyrint van rekken, stuk voor stuk zo volgestouwd met dunne en dikke volumes, dat ze uit hun voegen leken te barsten. De leestafels bogen door onder de stapels boeken, net als de stoelen en de trapladders, die langs de rekken stonden opgesteld. Zelfs de vloer stond vol. Geen honderden, maar duizenden geschriften met menselijke kennis en wijsheid, gedachten, avonturen, drama en romantiek. Door de hoge ramen achterin stroomde het kunstmatige licht binnen. Het dompelde alles in een stoffige, mysterieuze gloed.

'Wauw!' bracht Mattia uit bij de aanblik. Hij had nog nooit een boek in zijn handen gehad en nu stond hij ineens oog in oog met deze gigantische berg. Bliksem deed een paar stapjes vooruit en snuffelde aan een stapeltje vergeelde prentenboeken op de trap.

'Ik dacht dat de meeste boeken vernietigd waren in het Licht?' zei Boran.

'Niet allemaal', antwoordde de paleiswacht. 'Maar toch is dit maar een piepklein speldenprikje als je weet hoeveel boeken er voor de oorlog bestonden.'

'Nóg meer boeken?' bracht Mattia vol ongeloof uit.

'Nog heel veel meer', klonk een stem achter hen.

Vanachter de rekken kwam een zwaargebouwde man tevoorschijn, lichtjes kalend, met een paardenstaart. Hij droeg zwarte kleren en zijn donkere ogen straalden gezag uit. Onder zijn arm hield hij een lijvige vertaling van Homeros' Odyssee geklemd.

Mattia herkende de man meteen.

'Ken Rido!'

De man glimlachte en knikte statig. De jongens bogen respectvol het hoofd, maar de man wenkte hen dichterbij te komen.

'Het doet me plezier dat jullie mijn boekencollectie op prijs stellen.'

'Het is fantastisch!' riep Boran uit. 'Ik wist niet eens dat er zoveel boeken bestonden!'

'Hoeveel er precies bestonden, weet niemand', sprak Ken Rido. 'Maar het moeten er miljarden geweest zijn. We weten dus ook niet welke er verloren zijn gegaan en hoe belangrijk de boeken zijn die we wel hebben kunnen redden.'

Boran voelde zijn hoofd duizelen. Duizend maal duizend maal duizend. Hij kon zich met alle moeite van de wereld niet voorstellen hoeveel boeken dat wel waren, maar één ding wist hij zeker: hij zou nooit lang genoeg leven om ze allemaal te lezen. Hij kon al zijn hele leven zoet zijn met nog maar een minuscuul klein deeltje uit deze bibliotheek!

'Maar ik neem aan dat jullie hier niet gekomen zijn om mijn bibliotheek te bewonderen?'

Boran wou iets zeggen, maar Mattia was hem voor.

'We waren er bijna niet geraakt. Uw dochter heeft ons laten stikken in de woestijn!'

'Mattia!' siste Boran hem streng toe.

Ken Rido boog zijn hoofd. 'Het spijt me. Kia is meteen terug gereden om hulp te halen. Maar toen we 's nachts eindelijk de plek hadden gevonden, waren jullie nergens meer te bekennen.'

'Waarom heeft dat ku..., euh... Kia niet gezegd dat ze hulp was gaan halen!? Dat had ons een heleboel ellende bespaard!'

'Laten we dit mooie moment niet vergallen door gevoelens van wrok, Mattia', zei Ken Rido bedaard. 'Kom, volg mij en vertel me het waardevolle nieuws dat jullie me komen brengen.'

De jongens volgden de struise man naar een grote leestafel in het midden van de bibliotheek – de enige die niet vol boeken lag –, en namen plaats tegenover de grote leider van de Onderstad. Het licht van de ramen achter hem hulde hem in een halo en deed de witte kleren van de jongens oplichten. Het leek wel een vergadering van geesten.

'We hebben inderdaad informatie', begon Mattia. 'Maar we vragen iets in ruil.'

'Dat spreekt vanzelf', antwoordde Ken Rido. 'Informatie is kostbaar. Wat moet ik doen?'

'De moeder van Boran wordt gevangen gehouden door de bende van de Cycloop. In ruil voor haar vrijheid zal ze u vertellen waar de kaart ligt.'

Ken Rido keek de beide knapen fronsend aan.

'Welke kaart?'

'Er bestaat maar één kaart die meer waard is dan een mensenleven.'

'De ontziltingsinstallatie is een legende', antwoordde Ken Rido, die meteen begreep waarover ze het hadden. 'Ontelbare mannen heb ik er al op uitgestuurd om haar te zoeken. Degenen die levend terugkwamen, wisten allemaal hetzelfde te vertellen: het Westereind is ingenomen door de oceaan: ondrinkbaar zout water.'

'Uw mannen hadden geen kaart', argumenteerde Boran. 'De installatie bestaat. Het is alleen een kwestie van tijd voor mijn moeder moet prijsgeven waar ze de kaart heeft verstopt en dan is ze van de Cycloop. Hij zal de watertoevoer in het westen controleren, terwijl jullie hier elk druppeltje moeten rantsoeneren, tot de boel hier droog komt te staan en jullie verplicht zullen zijn een deal met hem te sluiten.'

Ken Rido zweeg en keek peinzend naar het verweerde tafelblad.

'Het spijt me, jongens', zei hij ten slotte. 'Ik kan de levens van mijn mannen niet op het spel zetten voor een kaart die er misschien is en een ontziltingsinstallatie die alleen maar ver-zonnen is om de mensen van de bovengrond hoop te geven.'

'Maar het is de waarheid!' riep Boran uit.

'Het is jouw waarheid, jongen. Niettemin zijn jullie hier welkom op het paleis en mogen jullie hier blijven zolang jullie willen. Tenminste, als jullie ons niet tot last zijn.'

'Stuur dan toch iemand om zijn moeder te bevrijden!' smeekte Mattia.

Maar Ken Rido stond op en nam met zijn imposante figuur in één keer alle licht weg dat door het raam op de jongens viel.

'Het spijt me', herhaalde hij. Boran moest onwillekeurig denken aan de robotverpleegster en de domme zinnetjes die ze steeds opnieuw afratelde.

'Breng de jongeheren naar hun kamer en geef hen alles wat ze vragen', beval Ken Rido de paleiswacht. Met de waardigheid die bij zijn positie paste, beende de leider van de Onderstad de bibliotheek uit en liet twee ontgoochelde jongens achter.

Het was de kamer van een koning, met gordijnen van groen fluweel, prachtige antieke meubelen en een enorm hemelbed waarin minstens zes man naast elkaar konden liggen. Mattia had al een duik tussen de zijden lakens gemaakt en lag languit te genieten zoals alleen iemand kon die in bijna drie jaar geen bed had gezien. Bliksem besnuffelde het antieke Perzische tapijt op de vloer en hief zijn poot op tegen een Louis XIV-tafeltje.

Boran zat op de vensterbank met zijn knieën tegen zijn borst en keek uit het raam naar de ondergrondse stad. Hij was nu een wees, net als Mattia, en hij voelde een nijpende pijn binnenin, die hij zich herinnerde van toen hij zijn vader verloor. Een pijn, die zijn keel dichtsnoerde en zijn ogen vulde. Hij deed geen enkele moeite om zijn tranen tegen te houden, maar verborg zijn gezicht tussen zijn knieën.

Hij keek op toen hij de hand van zijn vriend op zijn schouder voelde. Het leek alsof Mattia ook zijn tranen verbeet, want als geen ander wist hij hoe het voelde.

'Niet huilen, Boran', suste hij stil. 'Er is nog niks verloren. We kunnen hem nog ompraten.'

Boran glimlachte door zijn tranen heen. Hij wist wel beter, maar Mattia's naïeve poging om hem weer hoop te geven, deed hem goed.

'Ze zei dat ik wonderlijke gedachten moest denken. Net als Peter Pan.' Hij wiste zijn ogen droog met de muis van zijn hand.

'Pardon?' fronste Mattia.

Boran grinnikte. 'Dat is een boek over een jongen die in een sprookjesland leeft en er samen met andere jongens vecht tegen piraten. En als hij wonderlijke gedachten denkt, kan hij vliegen. Ik wist niet dat mama het ook had gelezen.'

'Mensen kunnen toch niet vliegen?' vroeg Mattia versteld.

'Niet echt natuurlijk', lachte Boran. 'Je hebt ook feeënstof nodig. Zonder feeënstof lukt het niet.'

Mattia staarde hem wat idioot aan met halfopen mond, waardoor Boran nog harder moest lachen.

'Het is een sprookje, Matt. Het bestaat niet echt.'

'Waarom schreven mensen boeken over dingen die niet bestaan?' vroeg Mattia.

'Omdat ze dan toch een beetje bestaan, al is het maar op papier. Snap je?'

Mattia schudde nee en Boran zocht naar een manier om hem uit te leggen wat fantasie nu eigenlijk is.

'Dat Beterpanboek, lag dat soms in de vrachtwagen?' vroeg Mattia ineens op ernstige toon.

Boran knikte. 'Waarom?'

Op Mattia's ernstige snoet verscheen een brede glimlach.

'Boran, ze heeft je verteld waar de kaart ligt!'

Borans ogen werden nog groter dan ze al waren. Het leek wel of ze uit zijn hoofd zouden vallen. Hoe kon hij zo stom zijn!

'Tuurlijk!' riep hij uit, terwijl hij zich wel voor de kop kon slaan. Hij zag zo zijn boeken in de cabine liggen, Peter Pan helemaal bovenop met de sierlijke gouden letters op de kaft. De piraten hadden ze gewoon in het zand gegooid, omdat ze niet wisten waar die dingen voor dienden.

'Ja, maar mondje dicht', waarschuwde Mattia. Nu we weten waar de kaart ligt, kunnen we ze zelf als pasmunt gebruiken. Ken Rido zal wel moéten inzien dat we de waarheid spreken.'

'Ik hoop dat je gelijk hebt', zei Boran opgewonden glunderend.

'Ik hoop het ook.'

Even later kwam een paleiswacht hen halen voor het diner. Hij bracht ze naar de royale eetzaal. Die was nog rijkelijker versierd dan de rest van het paleis, met marmeren zuilen en gouden biezen langs het plafond. Op de vloer lag een prachtig achttiende-eeuws tapijt en in het midden, onder drie massieve kroonluchters, stond de grootste tafel die Boran ooit had gezien. De genodigden van Ken Rido stonden in groepjes met elkaar te praten, sippend aan champagne van de wijngaard uit de ecologische koepel.

De zachte pianomuziek kwam nauwelijks boven het geroezemoes uit. Kia kwam onmiddellijk op de jongens af, gekleed in een verblindend witte jurk, die nog net haar kuiten toonde. Mattia had zin om haar naar de keel te vliegen, maar om de een of andere reden kon hij er zich niet toe brengen.

'Wauw!' liet Boran zich ontsnappen.

'Wat, wauw?'

'Je ziet er, euh... knap uit.' Hij kreeg meteen een kleur en Kia glimlachte gevleid.

'Papa had me al verteld dat jullie er waren', zei ze tegen Boran. Mattia gunde ze geen blik.

'Je had ons wel mogen zeggen dat je hulp ging halen!' beet hij haar toe. 'Of hoopte je stiekem dat we in de maag van een of ander duisterwezen terecht zouden komen, of onder de wielen van jullie supersnelle meteroo's?'

'Het is jullie toch gelukt?' stelde ze vast.

'Niet dankzij jou!'

'Mattia. Nu is het moment niet', wees Boran hem terecht.

'Wil je dansen?' vroeg Kia aan Boran.

'Wa...?' vroeg de jongen, alsof ze hem net had gevraagd om zijn hoofd eraf te nemen en ermee te voetballen. 'Ik kan niet dansen', zei hij snel.

'Dan leer ik het je toch gewoon?'

Boran keek wat hulpeloos naar Mattia toen Kia zijn hand vastgreep en hem naar een lege plek in de zaal sleepte.

'Dansen ze normaal niet na het eten?' probeerde hij zich er nog uit te redden.

Maar Kia greep zijn beide armen en drapeerde ze om haar middel. Zelf legde ze haar armen over zijn schouders en Boran voelde zich op slag ongemakkelijk, niet het minst omdat het meisje een kop groter was en hij bijna met zijn neus in haar ontluikende boezem zat.

Op de maten van de walsmuziek deinde Kia heen en weer en leidde de jongen mee. Boran kreeg al snel de smaak van het dansen te pakken en begon het zelfs best leuk te vinden. Tenminste tot Kia hem steviger tegen zich aan drukte en hij het angstzweet voelde uitbreken. Vanuit zijn ooghoek ving hij een glimp op van Mattia, die zich kostelijk leek te amuseren, de klootzak.

Toen ineens stopte de muziek. Gered door de gong, of tenminste toch door de stilte. Kia liet hem los en glimlachte. Boran kneep er ook een grijns uit, die allesbehalve echt leek, en dwaalde naar de buffettafel, die was beladen met heerlijke hapjes en champagne. Hij wou net een glas nemen, toen de muziek weer begon en hij voelde Kia's hand in de zijne. Deze keer was het geen wals, maar een heel zacht, deinend melodietje, dat Boran bekend in de oren klonk. Het was warempel hetzelfde deuntje dat de vermoeide orgelpijpen hadden gespeeld in Leslies theaterzaal. Boran bevrijdde zich uit Kia's greep en keek naar Mattia. Die had het liedje ook herkend en staarde als gebeten naar de vleugelpiano in de hoek van de zaal.

'Ja, dat is ze!' riep Boran dolgelukkig.

'Wie is wat?' vroeg Kia verward, maar de jongen was al op weg naar de piano.

Leslie stopte met spelen toen ze Boran en Mattia zag en glimlachte breed. Ze nam haar champagneglas en liep hen statig tegemoet. Ze droeg een zwarte jurk, bezet met glittertjes die bij elke stap fonkelden als duizend sterren in de nacht. Haar prachtige haar was opgestoken en gekroond met een schitterende diadeem. Zwijgend sloot ze de jongens allebei tegelijk in haar armen.

'Wat zien jullie er onschuldig uit in al dat wit,' grapte ze.

'We dachten dat je dood was!' zei Mattia.

'Leslie gaat niet dood,' lachte ze. 'Daar is ze veel te slim voor.'

'Maar je buggy...'

Ze liet de jongens weer los en keek hen stralend aan.

'Ik heb hem als lokaas moeten opofferen om bij jullie te kunnen komen, maar het is mislukt.' Ze pauzeerde even en haar ogen blonken in het licht van de kristalluchters.

'Ik dacht ook het ergste', zei ze ten slotte met bevende stem.

'Wij zijn ook slim', grijnsde Boran.

'Dat zag ik al meteen toen we elkaar voor het eerst ontmoetten.'

Maar voor Leslie haar avonturen kon vertellen, luidde een zacht belgetinkel het begin van de maaltijd in. De gasten gingen rond de tafel zitten en Leslie hield een plaats vrij voor Boran aan haar linker en Mattia aan haar rechter zijde.

Mattia wierp ongeruste blikken naar de keukendeur, want aan tafel was geen plaats voor wasberen en een robotkokshulp had Bliksem meegenomen om hem eens goed te verwennen. Mattia hoopte nu alleen dat hij zijn pluizige vriend niet zou terugkrijgen op zijn bord, gestoofd met appeltjes. Robots vertrouwde hij voor geen cent.

Ken Rido nam plaats aan het hoofd van de tafel. Naast hem zat Kia en ze keek glunderend naar Boran. Mattia merkte het niet, want hij was druk bezig met het onderzoeken van de vreemde gereedschappen naast zijn bord. Hij had nog nooit met bestek gegeten.

Ken Rido klapte twee maal in zijn handen en meteen droegen in het groen geklede robots grote schalen aan met de heerlijkste spijzen. Tot Mattia's opluchting leek niets daarvan op Bliksem.

Nog nooit hadden de jongens zoveel voedsel bij elkaar gezien en zelfs Leslie genoot van een weelde die ze zich ook alleen maar in haar dromen had kunnen voorstellen.

Tijdens het eten vertelden Boran en Mattia Leslie met volle mond hun avonturen en eindigden bij de ontdekking die ze op de kamer hadden gedaan en hun plan om Ken Rido om te praten. Maar Leslies enthousiasme sloeg om in ongerustheid.

'Ken Rido is niet te vertrouwen', zei ze met gedempte stem. 'Ik kan het weten, want we zijn vrienden.'

'Wees gerust', fluisterde Mattia. 'Hij weet niet dat wij weten waar de kaart is.'

Dat had Mattia gedacht, want even later werd het diner onderbroken toen Ken Rido met zijn mes tegen zijn glas tikte als teken dat hij iets wilde zeggen. Het geroezemoes van stemmen stierf uit.

'Beste vrienden, gasten en onderdanen', begon hij plechtig. 'Vandaag is een speciale dag, want we hebben twee jonge vrienden te gast, twee jongens die door grenzeloze moed en doorzettingsvermogen de Onderstad hebben bereikt om ons het heuglijke nieuws te brengen. Ja, dankzij Boran en Mattia zijn de dagen van droogte en rantsoenering weldra geteld.'

De jongens fronsten hun wenkbrauwen, want hij leek warempel een ommekeer van honderdtachtig graden gemaakt te hebben.

'Dankzij onze twee jonge vrienden zullen we weldra de ontziltingsinstallatie van het Westereind in ons bezit hebben. Vanavond nog vertrekt een team, op zoek naar de gestrande vrachtwagen, waarin de enige echte kaart zich bevindt.'

'Wat!?' riep Boran verbolgen en heel erg luid, zodat iedereen aan tafel meteen zijn richting uitkeek.

Ken Rido grijnsde hem toe, een grijns die bevestigde wat Boran zich nu realiseerde: Leslie had gelijk. Kia wist niet wat er gebeurde, maar ze kende haar vader en kon het dus wel vermoeden.

'Zodra we de kaart in ons bezit hebben,' ging Ken Rido onverstoord verder, 'zal niets of niemand ons tegenhouden om ons doel te bereiken: een nieuw leven bovengronds, zoals we het decennia lang onder de grond hebben geleefd.'

Boran kon zich nu niet langer beheersen. Hij sprong woedend op, waarbij hij zijn glas wijn omgooide en het witte tafelkleed bevlekte. Leslie greep hem nog bij zijn mouw, maar de jongen rukte zich los.

'Smeerlap! Je hebt ons afgeluisterd!'

Ken Rido keek de jongen wat meelijdend aan. 'Het spijt me, knaap. Ik weet niet waarover je het hebt.'

'U weet heel goed waarover hij het heeft!' Mattia stond nu ook op en zwaaide vervaarlijk met een botermes. 'We hebben u gevraagd om de moeder van Boran te bevrijden in ruil voor de kaart, maar u luistert ons liever af, zodat u zelf de kaart kunt gaan zoeken en lekker geen gevaarlijke dingen hoeft te doen! Lafaard!'

Vanuit zijn ooghoek zag Boran de paleiswachten in actie komen. Leslie gebood de jongens aan haar beide zijden om te gaan zitten. 'Hou je gedeisd', fluisterde ze. 'Als ze jullie opsluiten, zijn we nog verder van huis.'

Toen Ken Rido zag dat de jongens hun strijd staakten, gaf hij de toegesnelde paleiswachten subtiel teken dat ze rechtsomkeert mochten maken.

'Mijn excuses voor de onderbreking', vervolgde hij zijn toespraak. 'Ik stel voor om met zijn allen een toost uit te brengen op het welslagen van deze historische onderneming, die heil zal brengen over de Onderstad.'

De aanwezigen hieven het glas en dronken van de heerlijke wijn, behalve Boran, Mattia en Leslie natuurlijk. Ook Kia liet haar glas staan en keek Boran beschaamd aan.

Leslie boog zich over haar bord en zei tegen haar kippenbout: 'Nu zien jullie zelf Ken Rido's ware gezicht.'

'Hij heeft ons afgeluisterd', siste Mattia, zijn woede verbijtend.

Boran zweeg en staarde eveneens naar zijn eten. Zijn lange haar hing als een gordijn voor zijn ogen. Met haar hand borstelde Leslie zijn pony opzij en ze zag dat hij stilletjes huilde. Zwijgend drukte ze de knaap tegen haar zij en gaf hem een troostende kus. Haar lippen dwaalden van zijn wang naar zijn oor, waarin ze zacht fluisterde: 'Ik heb een plan, maar hou je zolang gedeisd.'

'Krijg ik er ook een?' vroeg Mattia op een kinderachtig en erg jaloers toontje.

Leslie keek hem aan en nam dan een smakelijke hap uit haar kippenbout.

'Vraag het aan Boran.'

11. Vier man en een rotte appel

In de Onderstad was de dag bijna ongemerkt naar zijn einde toe gegaan en het licht in de straten dimde langzaam om een kunstmatige nacht te simuleren. Boran keek door de hoge ramen van de kamer naar de ontelbare lichtjes van de stad, die nu één voor één aanflitsten. Het was een wonderlijk gezicht, maar zijn gedachten waren nu bij zijn moeder. Leslie had een plan, of had ze dat alleen maar gezegd om hem te troosten?

Mattia lag alweer languit van het bed te genieten met Bliksem op zijn borst. Hoewel, het genieten lukte niet erg nu alle hoop voor Borans moeder verloren leek. De hele avond had hij zijn vriend proberen op te vrolijken. Hij had zelfs geprobeerd om Bliksem kunstjes te laten doen, maar ook dat had alleen maar een geforceerde grijns uitgelokt. Uiteindelijk had Mattia zich gewonnen gegeven. Hij was een plantrekker, had de dood al verschillende keren in de ogen gekeken en wist zich overal uit te redden, maar als het op gevoelens aankwam, was hij een nul.

Bliksem richtte zich op toen er op de deur werd geklopt. Mattia wou opstaan, maar Boran deed al open. Het was Kia en in haar armen droeg ze hun wapens.

'Mag ik binnenkomen?' vroeg ze op dringende toon.

Boran knikte en deed een stap opzij om haar binnen te laten. Mattia zat rechtop en kruiste zijn benen tegen zijn lichaam toen Kia de kruisbogen en zijn jagersmes op het bed deponeerde.

'Wat doe jij h...?' Hij zweeg toen ze streng haar wijsvinger tegen haar lippen drukte. In plaats van iets te zeggen, ging ze naar het grote schilderij dat boven het hemelbed hing, stak haar hand erachter en ving een klein microfoontje. Nog steeds gebarend om stil te zijn, ging ze vervolgens naar het bed en toverde eenzelfde microfoontje onder de matras vandaan. Zonder een woord dropte ze de toestelletjes in Mattia's glas water dat op het nachtkastje stond en maakte ze zo compleet onbruikbaar.

'Hij geeft deze kamer aan gasten, waar hij iets meer van te weten wil komen', legde Kia nu hardop uit. 'Bedankt voor de informatie', zei Mattia bars, 'ze komt echt op tijd.'

'Het spijt me. Ik wist niet dat...'

'Wat wist je niet!' riep Mattia kwaad. 'Dat je pappie zo'n lul is?'

'Laat haar uitspreken, Matt!' kwam Boran tussenbeide.

'Mijn vader is veranderd', ging Kia verder. 'De Onderstad is een mislukking, maar dat wil hij niet inzien. Na de muiterij van vier maanden geleden is ons leger nog maar een klein deel van wat het vroeger was, en het enige dat hij doet is de schijn ophouden dat er niets aan de hand is. Hij is tot alles in staat om te bewijzen dat hij niet gefaald heeft, maar ik wil dat jullie weten dat ik achter jullie sta.'

'Oh fijn!' bracht Mattia uit. 'Nu kunnen we de hele wereld aan!'

'Matt!' maande Boran hem opnieuw aan.

225

Mattia zweeg en staarde Kia nukkig aan.

'Leslie weet dat ze mij kan vertrouwen', ging Kia verder. 'Ze is een oude vriendin van mijn vader en heeft hem ervan kunnen overtuigen om haar het exploratieteam te laten leiden.'

Borans gezicht klaarde helemaal op. Dat was dus haar plan en het was haar nog gelukt ook!

Nu keek zelfs Mattia verwonderd op.

'Mogen wij ook mee?'

'Als het aan mijn vader ligt, niet', sprak Kia, maar ze voegde er een ondeugend glimlachje aan toe, waarmee ze liet blijken dat het niet van haar vader afhing.

Boran en Mattia volgden Kia door de rijkelijk gedecoreerde gangen van het paleis. De paleiswachten salueerden toen de dochter van de leider en de twee gasten met hun wasbeer de monumentale trap afliepen. Kia leidde het drietal nog verder naar beneden, tot in de kelder onder het paleis. Hier liepen buizen en kabels over de muren en rook het muf en vochtig. Kia liep meteen naar een stoffig borstbeeld van een lang vergeten staatsman en zonder te aarzelen trok ze aan de omvangrijke neus. Het bronzen reukorgaan gaf mee met een klik en naast het beeld schoof een deel van de muur open. Het was een lift, die hen naar het heilige der heiligen bracht.

Boran en Mattia konden hun ogen niet geloven toen de liftdeuren openschoven in de gigantische garages onder de stad. Onmiddellijk stapten twee soldaten naar de lift toe, maar Kia toonde haar pasje dat haar overal vrije toegang gaf en mocht meteen door met haar gasten.

Onder het felle licht van de spots stonden honderden voertuigen. Vele zo oud en toegetakeld dat het onwaarschijnlijk leek dat ze ooit nog zouden rijden en sommige waren niet veel meer dan hoopjes roestend oud ijzer.

'Mijn ouders hadden hier gouden zaakjes kunnen doen', merkte Mattia op, terwijl ze tussen de wagens door liepen in de richting van de enorme stalen poort. Daar stonden de nog rijdende voertuigen, met veel geduld opgeknapt en omgebouwd tot ware oorlogsmachines, met mitrailleurs en zelfs een heus 30 millimeter kanon.

Even dacht Mattia dat dit hun escorte zou zijn, maar Kia liep alweer door naar een kleiner, afgescheiden deel van de immense garage. Daar stond een eenzame Mazda 4x4 pick-up met open motorklep. In het flikkerende blauwe licht van felle vonken voorzagen twee lassers met schermen voor hun gezicht het voertuig van extra bepantsering.

'Daar zijn onze twee krijgers', sprak Leslies stem. Ze kwam achter de 4x4 vandaan en veegde haar handen af aan een vettige doek. Ze had haar prachtige jurk omgeruild voor een nauwsluitende legerbroek, zwarte combats en een kort kaki topje, dat haar navel ontblootte. Haar haren hingen weer los en bedekten voor de helft haar mooie gezicht. Mattia moest even slikken en deed erg hard zijn best om niet te staren. Ja, zelfs Boran voelde iets gloeien binnenin, want sexy was Leslie wel.

'Dit is onze auto', stelde ze het voertuig voor alsof het een oude vriend was. Boran en Mattia dwongen hun ogen naar het wrak. Van dichtbij zag het ding eruit alsof het elk moment door zijn wielen kon zakken. Bruine, korrelige roestvlekken hadden zich als een kanker over het koetswerk verspreid en Mattia durfde er niet aan te denken welke ravage de assen en de remleidingen onderaan hadden opgelopen.

'Ik weet het', raadde Leslie zijn gedachten. 'De andere wagens worden klaargemaakt voor de trek naar het westen.'

'Die flurk is wel erg zeker van zijn stuk', merkte Mattia schamper op.

Boran zag vijf vrachtwagenwielen in de laadbak liggen. Het was dus de bedoeling om niet alleen de kaart, maar de hele truck mee terug te brengen.

'Zoals je ziet, kan Ken Rido een trekker best gebruiken', verklaarde Leslie.

'Die truck is niet van hem!' riep Mattia kwaad.

'Ik weet het, maar als we doen wat hij vraagt, zal hij misschien een stuk toegeeflijker zijn als het op andere zaken aankomt.'

'Zoals?' vroeg Boran argwanend.

'Een team samenstellen om jouw moeder te bevrijden.'

De twee lassers hadden het gezelschap opgemerkt en klapten hun lasbrillen omhoog. Het waren twee jongens, die Leslie voorstelde als Wezel en Kamal.

Kamal had Mattia's leeftijd en was uit het verre zuiden afkomstig. Mams had Boran al vaker verteld over zogenaamde Afferikaanen: mensen met een ander uiterlijk, maar binnenin precies hetzelfde. Afgaande op Kamals donkerbruine huid, zijn kort geschoren kroeshaar en zijn dikke lippen, besloot Boran dat hij zo'n Afferikaan moest zijn, maar hij durfde het niet te vragen. Kamal bleek trouwens een erg vriendelijke kerel, die meteen ieders hand schudde en hierbij een rij verblindend witte tanden ontblootte.

Wezel was een stuk ouder, misschien zestien of zeventien, en erg bleek. Zijn met sproeten bezaaide gezicht en armen vertoonden sporen van zonnebrand. Zijn rode haar was, net als dat van Kamal, heel kort geschoren, maar van zijn starende grijze ogen leek een constante dreiging uit te gaan. Wezel bleef wantrouwig op een afstand en stak een zelfgerolde sigaret op. Aan de riem om zijn middel bungelde wat Boran herkende als een AMT Automag IV, een krachtig pistool van bijna dertig centimeter lang en met een .45 Winchester Magnum kaliber waarmee je dwars door een bakstenen muur kon schieten.

'Zijn jullie klaar?' vroeg Leslie aan de twee jongens. Wezel antwoordde niet, maar blies de rook van zijn sigaret brutaal in haar gezicht. Mattia wist niet of hij het van haar had geleerd, of zij van hem.

'Over tien minuten kunnen we vertrekken', verklaarde Kamal.

'Gaat hij mee?' wees Mattia naar Wezel.

'Eén van de voorwaarden van Ken Rido', antwoordde Leslie met gedempte stem. 'Een gatlikker van formaat, maar een uitstekend krijger. Ik denk trouwens dat we best wat hulp kunnen gebruiken als we daar zijn. Maar neem hem toch maar niet in vertrouwen.'

In de laadbak van de pick-up lagen ook vuurwapens, munitie en proviand in de vorm van brood, vers fruit en drinkwater. Boran legde zijn kruisboog erbij.

'Wat ga je daarmee doen, kleintje?' meesmuilde Wezel. 'Op ratten jagen?'

'Boran is een prima schutter', verdedigde Leslie hem en ze gaf Boran stiekem een knipoogje.

'Prima schutter!?' smaalde Wezel. 'Hij is nog een baby! Heb jij hem dan al aan het werk gezien?'

Leslie zweeg betrapt, want natuurlijk had ze Boran nog niet zien schieten met dat ding.

'Ik wel!' kwam Mattia er tussen. 'En hij spijkert met gemak jouw dikke darm aan de auto, nog voor je je stomme Automag hebt getrokken!'

Wezel was niet gewend dat jongere kinderen op zo'n toon tegen hem spraken. Meestal gingen ze vol ontzag voor hem uit de weg, maar deze knaapjes hadden een lesje nodig. Ja, hij zou hen snel leren wie de baas was. Hij besloot zijn mond te houden en te wachten op het juiste moment om die twee ettertjes het leven zuur te maken. Terwijl Boran en Kia de twee jongens hielpen om de pick-up rijklaar te maken, nam Leslie Mattia terzijde.

'Ik heb een verrassing voor je, knul', zei ze met een geheimzinnige grijns en toen ze hem mee loodste naar een verlaten hoekje van de garage, flitsten Mattia allerlei opwindende gedachten door het hoofd. Had hij haar hoofd zo erg op hol gebracht dat ze zich niet langer kon bedwingen?

Leslie stopte en wees voor zich uit, terwijl ze hem aankeek. Mattia volgde haar wijsvinger naar de muur. Nee, een ontgoocheling was het niet, want daar stond zijn trouwe reactorbrommer, ongeschonden en netjes gewassen. Dit was beter dan een wilde vrijpartij tussen de autowrakken.

Mattia ging wijdbeens in het zadel zitten en liet zijn hand langs de glooiende voorruit glijden.

'Toen ze mijn buggy aan barrels hebben geknald, heb ik jouw wieltjes maar even geleend om hier te komen,' verklaarde Leslie.

'Bedankt', zei Mattia. 'Ik dacht echt dat ik hem voorgoed kwijt was.'

Kamal liet de motor van de 4x4 warm draaien, terwijl Boran en Mattia achter een muurtje kleren aantrokken die meer geschikt waren voor wat ze nu zouden ondernemen: T-shirts en camouflagebroeken, die Leslie voor hen had afgesneden tot net onder de knieën. Dat was lekker koel in de hitte en zo viel het niet op dat de broeken eigenlijk enkele maten te groot waren.

Kia had Bliksem in haar armen en de witte pels van de wasbeer ging helemaal op in het witte uniform van het meisje.

'Ga jij ook mee?' vroeg Mattia terwijl hij zijn veters knoopte.

'Iemand moet hier blijven om erop toe te zien dat mijn vader geen stommiteiten begaat', lachte ze, maar Mattia zag dat ze er eigenlijk naar snakte om mee op avontuur te gaan. Hoe kon het ook anders, als je veertien jaar lang opgesloten zit onder de grond en alleen maar de bovenwereld te zien krijgt tijdens korte tochtjes op je quad?

'Euh... wil jij op Bliksem letten terwijl ik weg ben?' vroeg Mattia aarzelend.

Boran had het gehoord en keek verbaasd op. Mattia die Kia vroeg om op zijn trouwe wasbeer te passen?

Het meisje glimlachte. 'Alleen als hij niet te veel op zijn baasje lijkt.'

Het leek wel of ze door al die gebeurtenissen weer dichter naar elkaar toe waren gegroeid. Of had Kia ingezien dat Mattia niet meer de kleine jongen was, die haar twee jaar geleden zoveel pijn had gedaan?

Maar verder dan wat onhandig naar elkaar glimlachen, kwamen de twee niet, want iedereen werd opgeschrikt door Ken Rido, die onder luid kabaal, geflankeerd door drie in het rood geklede paleiswachten, de garage binnenkwam en op het groepje afstormde met zijn gezicht op onweer.

Mattia en Kia draaiden snel hun rug naar elkaar toe, om elke suggestie van een romance in de kiem te smoren, maar Ken Rido zag zijn dochter zelfs niet staan en stormde haar als een aangevuurde stier voorbij. Hij bleef pal voor Leslie staan en de moedige vrouw keek hem vastberaden aan.

'Toen jij me vroeg of je het bevel kon krijgen over de expeditie heb ik jou dat gegeven', sprak Ken Rido kwaad. 'Omdat we al jaren vrienden zijn en omdat ik jou vertrouw. En nu neem je achter mijn rug om ook nog die twee knapen mee!'

Maar Leslie bleef koelbloedig als altijd en staarde zelfverzekerd terug.

'Boran en Mattia zijn mijn gidsen', zei ze kalm. 'Of denk je soms dat ik kan ruiken waar die truck ligt?'

Ken Rido keek wantrouwig naar de twee jongens en vervolgens weer naar de pittige meid voor hem. 'Ik vertrouw erop dat je de kaart hier brengt en geen geintjes uithaalt.'

'Daar heb je je trouwe hondje Wezel toch voor?' beet Leslie hem toe. 'Jouw persoonlijke spion.'

Ken Rido's blik schoot van Leslie naar Boran, naar Mattia en ten slotte naar Wezel die hem geruststellend aankeek. De leider van de Onderstad stak een dreigende wijsvinger uit.

'Als de kaart op de één of andere manier niet in mijn

handen terechtkomt, acht ik jou daar persoonlijk verant- woordelijk voor, Les. Vrienden of niet, maar je zult weten dat er met mij niet te spotten valt.' De struise man nam hiermee resoluut het laatste woord en draaide zich om, waarop Leslie haar middelvinger uitstak naar zijn rug.

Kamal bood haar lachend zijn plaats aan achter het stuur van de 4x4. Wezel duwde Mattia bruusk opzij en kroop op de passagiersstoel naast haar. Boran schoof wat op zodat Mattia op de achterbank tussen hem en Kamal in kon zitten. De zware poort schoof langzaam open en onthulde een schaars verlichte tunnel. Leslie knipte de koplampen aan en gaf flink gas. Terwijl de auto met schurende banden in de tunnel verdween, wuifde Kia hen na en piepte Bliksem treurig naar zijn baasje. Het constant hoge toerental van de motor vertelde de vijf passagiers, dat het voortdurend bergop ging. Pas na kilometer of tien in de donkere tunnel, bereikten ze de bovengrond. En dan ineens: een explosie van zonlicht. Leslie remde hard omdat ze geen steek meer zag en Wezel, die het niet nodig had gevonden om een gordel om te doen, smakte met zijn tronie tegen de voorruit.

'De ruit is wel vies, maar je hoeft ze niet schoon te likken, hoor schat', zei Leslie droogjes.

Wezel gaf haar een zure blik, terwijl hij over zijn pijnlijke neus wreef.

De zon ging al onder, maar had toch nog genoeg kracht om iemand die de afgelopen dagen onder de grond had doorgebracht, te verblinden. Boran keek achterom en zag hoe de tunneluitgang zich weer sloot door middel van een bijzonder realistisch gecamoufleerde poort die naadloos in de rotswand overging.

Leslie gaf weer gas en in de laatste zonnestralen maakte de koelte in de cabine in korte tijd plaats voor een weldadige warmte, die comfortabel aanvoelde.

'Jullie mogen het hebben, jullie leven onder de grond', zei Mattia tegen Kamal. 'Geef mij de zon toch maar.'

Daar was Kamal het mee eens. De mens is niet gemaakt om onder de grond te leven. Net als alle planten en dieren, heeft hij zonlicht nodig om gelukkig te zijn.

Gedurende het volgende uur was het vijftal er getuige van hoe de vertrouwde ster als een oranje vuurbal achter de heuvels verdween en plaats maakte voor haar kleinere broertjes, die één voor één aan de donkerblauwe nachthemel begonnen te fonkelen.

'Ze weten daar beneden niet wat ze missen', zei Kamal vol verwondering.

Wezel keek met een ruk om. 'Ik moet kotsen van jullie geslijm!'

'Kijk voor je, Wezel. Anders moeten wij kotsen!' antwoordde Mattia.

Onder het uiten van een dierlijk gegrom draaide Wezel zich weer om. O, wat haatte hij dat joch!

De duisternis viel snel en al gauw was alleen nog de lichtvlek van de koplampen op het wegdek te zien.

'Als alles meezit, zijn we er morgenvroeg al', deelde Leslie mee. 'Ik raad jullie aan een dutje te doen, dan zijn jullie morgen fit.'

Dat hoefde ze geen twee keer te zeggen.

Wezel verstelde zonder scrupules zijn stoel, zodat hij met zijn hoofd bijna in Borans schoot terecht kwam.

'Hé!'

'Kop dicht, kleine! Ik ben ouder!'

'Pas maar op dat je niet wakker wordt met een neuspiercing', dreigde Mattia terwijl hij demonstratief naar zijn mes wees.

'Of zonder neus', voegde Boran er schalks aan toe.

'Fuck you!' bromde Wezel en sloot zijn ogen.

Het begon nu aardig fris te worden in de cabine en een poging van Leslie om de verwarming aan te zetten, resulteerde in een walm van gesmolten plastic. Er zat dus niets anders op dan dicht tegen elkaar aan te kruipen en zoveel mogelijk van de lichaamswarmte te profiteren. Wezel had er meteen spijt van dat hij Mattia niet voorin had laten zitten en al klappertandend probeerde hij tevergeefs verschillende blote lichaamsdelen te bedekken. Maar dat merkten de drie op de achterbank allang niet meer.

Boran werd als eerste wakker toen de wagen vaart minderde. Hij lag nog altijd tegen Mattia's schouder aan. Kamal was in de loop van de nacht scheefgezakt en lag te ronken in Mattia's schoot. Wezel lag als een baby opgerold te snurken als een tweetaktmotor.

De zon was alweer op en het interieur van de cabine begon een aangename temperatuur te krijgen. Ze reden nu op een grote autosnelweg met vier rijstroken. Leslie hield haar blik strak op het wegdek, want het zat vol putten en barsten. Bovendien stonden hier en daar autowrakken zomaar midden op de baan.

'We stoppen hier een poosje', deelde Leslie mee, terwijl ze Boran via de achteruitkijkspiegel aankeek. 'Ik denk dat we allemaal wel trek hebben in een stevig ontbijt.'

'Er zijn ook mensen die nodig moeten', zei Kamal die ondertussen ook wakker was geworden.

Mattia werd wakker toen de auto tot stilstand kwam. Hij rekte zich uit, waarbij hij Boran uitgebreid van zijn okselgeur liet genieten en Kamal haast per ongeluk een stomp verkocht. Alleen Wezel bleef verbeten doorslapen, tot ergernis van de drie op de achterbank. Ze stapten uit met veel kabaal en zetten koers naar een verdord bosje in de middenberm. Ondertussen pakte Leslie het verse brood uit dat ze uit de Onderstad hadden meegenomen.

Nu hun blaas was geledigd, kwam het erop aan hun maag te vullen en als uitgehongerde wolven stortten de jongens zich op het heerlijke brood, waarna ze alles doorspoelden met fris water.

'Hij ligt waarschijnlijk in een coma of zo', stelde Mattia vast toen ze terug in de wagen stapten en Wezel er nog steeds in dezelfde toestand vonden als daarnet. Hij lag nu op zijn rug, zijn rechterhandpalm open in zijn schoot, een verleiding waaraan Mattia niet kon weerstaan. Hij steunde op de bestuurdersstoel, schraapte zijn keel en boog ver voorover om een flinke slijmerige rochel mét bubbeltjes in Wezels hand te droppen.

'Vetzak!' giechelde Boran. Maar dat was slechts een eerste fase van Mattia's plan.

Ook Kamal keek geïnteresseerd toe, want Mattia had tijdens het plassen een soepel takje van één van de struiken getrokken en kriebelde er nu mee onder Wezels neus. Het gesnurk van de jongen veranderde in een onrustig geknor, maar Mattia hield niet op en na een paar pogingen kreeg hij het gewenste resultaat: half slapend kletste Wezel zijn natte hand in zijn gezicht. Meteen was hij klaarwakker en keek verdwaasd in het rond, terwijl Mattia's speeksel langs zijn wang naar beneden liep. Pas toen hij begreep wat er gebeurd was, brieste hij als een rund, waarbij zijn bovenlip over zijn veel te grote voortanden krulde.

'Kleine kankerpikkies!' Hij wees dreigend naar de drie jongens op de achterbank, die zichzelf behoorlijk geweld aandeden om niet te lachen. Maar meer kon hij niet doen, omdat hij er geen flauw benul van had wie de dader was.

'Gekwijld in je slaap, Wezel?' vroeg Mattia doodserieus, waardoor Boran en Kamal het ineens uitproestten. Wezel bleef maar wijzen met zijn natte hand, terwijl hij binnensmonds naar de meest gore verwensingen zocht. Net toen ze dachten dat hij zou uitbarsten, kwam Leslie weer achter het stuur zitten.

'Wat is er zo leuk, jongens?'

Wezel liet zijn wijzende hand zakken en veegde hem af aan de pijp van zijn legergroene short.

'Als ik de dader te pakken krijg, vermoord ik hem!'

Leslie startte de auto. 'Hier wordt niemand vermoord! Als je het niet tegen de kleintjes kunt opnemen, dat is dan jammer.'

Grommend veegde Wezel zijn gezicht schoon aan zijn hemd en tuurde mokkend door de voorruit. Zijn wraak zou nog wel komen en ze zou zoet zijn.

Toen de 4x4 de autosnelweg afreed, herkende Boran de omgeving. Hier was hij met mams voorbijgereden. De plek waar ze gestopt waren om te overnachten, was nu niet ver meer.

Het was Mattia, die als eerste de Scania zag liggen naast de weg.

'Daar ligt ie!' riep hij uitbundig. Boran zag nu ook de achtersteven van de trekker uit de berm steken als de staart van een neergestort vliegtuig. Het voelde vreemd aan om na alle omzwervingen weer op de plek te komen waar alles was begonnen. Hoewel er maar zes dagen voorbij waren gegaan, leek het wel een eeuwigheid geleden dat hij hier alleen en gewond de dood tegemoet had gezien.

Leslie reed de 4x4 van de weg af en nauwelijks had ze hem tot stilstand gebracht voor de neus van de truck, of de jongens sprongen er al uit. De wind had de afgelopen dagen vrij spel gehad en de gehavende vrachtwagen nog dieper ingegraven. Boran klom meteen langs de openstaande deur de cabine in en vond al snel zijn boeken terug, die hij met pijn in het hart had achtergelaten. Meteen klapte hij 'Peter Pan' open en bladerde opgewonden in het boek. Maar nergens kwam hij iets tegen dat ook maar in de verste verte op een kaart leek. Een vreselijk gevoel kroop door zijn lichaam.

Ondertussen laadden de anderen het materiaal uit. Kamal stond in de laadbak en gooide de zware vrachtwagenwielen één voor één op de grond. Leslie nam vier grote schoppen en gaf er twee aan Mattia en Wezel.

'Hier, neem elk een schop en graaf de trekker zoveel mogelijk uit.'

Mattia plantte de schop voor zijn voeten in de aarde en spuwde uitdagend in zijn handen, terwijl hij Wezel zijdelings aankeek. Die zag het en er ging bij hem een lichtje branden. Nauwelijks had Mattia zich omgedraaid, of een harde stomp in zijn rug katapulteerde hem vooruit en deed hem plat op de grond belanden. Meteen kreeg hij een puntige knie in zijn nek en een pistool tegen zijn achterhoofd.

'Nog een laatste wens, teringpikkie?' siste Wezel uitzinnig van woede. Hij brieste door zijn neusgaten en Mattia dacht dat de jongen zijn verstand verloren was.

'Komaan, Wezel', probeerde hij voorzichtig. 'Het was een grapje!'

'Ik heb geen gevoel voor humor. Dat is pech voor jou. Je...'

Verder dan dat kwam hij niet, want hij kreeg op zijn beurt een pistoolloop tegen zijn hoofd. De lange glanzende loop van een Colt Anaconda, die toebehoorde aan een meid die er ook niet om kon lachen.

'Ga langzaam van hem af en bied je verontschuldigingen aan!' beval ze op koele, berekende toon.

Wezel liet zijn Automag zakken en borg hem weer op in de holster. Tegen zijn zin haalde hij zijn knie uit Mattia's nek en liet de jongen opstaan.

'Ik hoor niks?'

Wezel sloeg geïrriteerd zijn ogen ten hemel en mummelde iets onverstaanbaars, dat voor een verontschuldiging kon doorgaan.

'Geef elkaar de hand!'

'Wat!?' riep Wezel ontzet uit, alsof ze hem net had gevraagd om een duisterwezen een tongzoen te geven.

'Je hebt me verstaan.'

Mattia had ook niet veel zin om de rosse kwal een hand te geven, maar als hij er Leslie een plezier mee kon doen... Hij stak zijn hand uit, maar Wezel spuwde ernaar en beende woedend weg. Leslie keek hem hoofdschuddend na.

'Alles in orde?' vroeg ze aan Mattia.

'Die lul is gestoord!' antwoordde de jongen kwaad.

'Ik weet het', zei Leslie. 'Hij is opgegroeid in de barakken. Toen hij acht was, heeft hij twee volwassen soldaten in koelen bloede doodgeschoten, omdat ze een grapje met hem hadden uitgehaald.'

Mattia zweeg nu hij zich realiseerde waaraan hij was ontsnapt.

Boran had al zijn boeken doorbladerd, maar nergens een kaart gevonden. Hoe was dat nu mogelijk! Had mams dan iets anders bedoeld? Zijn ogen vulden zich met tranen van wanhoop. Voor de vijfde keer bladerde hij Peter Pan door en kwam ten slotte aan de laatste bladzijde en het einde van het verhaal. Maar wat was dat? Het laatste zinnetje was omcirkeld met een lichte, bijna onzichtbare potloodlijn:

"Wanneer Margareta groot wordt, zal ze een dochter hebben, die op haar beurt weer Peters moeder wordt; en zo zal het doorgaan, zolang kinderen blij, onschuldig en harteloos zijn." *

Was dat een hint? Boran las het zinnetje opnieuw en opnieuw, maar kon er geen touw aan vastknopen. Tot hij vlak ernaast de snee zag in de kaft. Voorzichtig wriemelde hij zijn vingers in de opening en vond een opgevouwen papiertje. Nog voor hij het openvouwde, wist hij dat hij de kaart had gevonden.

Leslie vouwde de kaart open op de motorkap van de 4x4 en voor het eerst zagen ze met eigen ogen de legendarische kaart. Volgens de schaal moest het Westereind zo'n goeie 1200 kilometer daarvandaan liggen, en zo'n slordige 2000 kilometer van de Onderstad, een lange reis.

Ze vouwde de kaart netjes weer op. Wezel wou hem aanpakken, maar Leslie gaf hem met een snelle beweging aan Boran. De jongen stopte de waardevolle vondst onder zijn kleren en bedwong zich nog net om zijn middelvinger niet uit te steken naar Wezel. Hij keek wel uit, na wat Mattia was overkomen.

Wezel leunde kwaad tegen het portier van de auto en stak een sigaret op.

'We kunnen zeker geen hulp van jou verwachten?' vroeg Leslie.

De jongen nam verwaand zijn sigaret uit zijn mond en antwoordde: 'Ik verbrand makkelijk in de zon.'

Boran, Mattia, Kamal en Leslie zwoegden als slaven, terwijl Wezel in de schaduw van de 4x4 het ene sigaretje na het andere rolde. Het was al volop middag toen de vrachtwagen volledig was uitgegraven en nu lagen de jongens uitgeput en doorweekt van het zweet op een hoopje bij elkaar. Leslie rolde de stalen kabel op de haspel vooraan de pick-up helemaal af en maakte hem vast, onderaan de Scania.

Vervolgens kroop ze achter het stuur. Wezel ging tegen zijn zin een eindje verderop staan toen Leslie de motor startte. Ze zette de 4x4 in zijn achteruit en dreef de oude, verroeste motor tot het uiterste. De wielen draaiden dol in het mulle zand, maar kregen uiteindelijk grip en stuwden de wagen achteruit. De kabel spande zich met een ruk op en de zware trekker kantelde en kwam met een dreun weer op zijn wielen terecht. Langzaam, heel langzaam, werd hij uit de kuil getrokken. Het koetswerk was flink gehavend, meer van de veldslag op de weg dan door de crash. Boven het verwrongen radiatorrooster stond alleen nog 'SCAN' te lezen.

Mattia en Kamal rolden de wielen naar de vrachtwagen en Boran klom de cabine in om de motor proef te draaien. Hij wiste met zijn handen het zand van de wijzerplaten en het stuurwiel. De sleutel stak nog in het contact. Maar net toen hij de motor wilde starten, klonk buiten een ander motorgeluid. Hij zag de anderen naar hun wapens grijpen en dook weg achter het instrumentenbord. Hij had de kaart in zijn bezit en het zou onverstandig zijn om risico's te nemen.

Een buggy stopte op de weg en twee vervaarlijk uitziende kerels met automatische wapens kwamen hun richting uit. De een had een bierbuik en een knalrode zweterige kop, waarop hij een belachelijk grote cowboyhoed had zitten. De ander zag er wat jonger uit, met een rosse snor en een weerzinwekkend gezwel onderaan zijn kin.

'Plunderaars', concludeerde Leslie in een oogopslag. 'Die kunnen we wel aan.'

'Deze truck ligt op ons grondgebied', sprak de man met de cowboyhoed toen hij bij haar aankwam.

'In je dromen, schat', grijnsde Leslie op haar eigen uitdagende toontje. 'Deze truck is van ons. We graven hem gewoon uit en over vijf minuutjes zijn we hier weg.'

'Jij hebt het blijkbaar niet goed begrepen, popje!' snauwde de plunderaar met de rosse snor en hij richtte zijn geweer op Leslie.

BENG! BENG! Twee schoten weergalmden over de vlakte en hamerden door Borans hoofd alsof hij zelf geraakt werd. Hij gluurde over het instrumentenbord door de voorruit en zag de twee plunderaars roerloos voor Leslies voeten in het zand liggen. Wezel stond een paar meter verderop, sigaret nog steeds tussen de lippen en zijn trouwe Automag, waarmee hij Mattia had bedreigd, rokend in zijn hand. Boran zag pas te laat de derde plunderaar. Hij nam Mattia langs achter in een houdgreep en duwde hem een vervaarlijk uitziend mes tegen de strot. Deze plunderaar was zo mogelijk nog lelijker dan de twee anderen. Hij had een walgelijk gezicht, dat langzaam verteerd leek te worden door een vreselijke huidkanker, en een vieze gele baard. Zijn bloeddoorlopen ogen flitsten heen en weer van Leslie naar de jongens.

'Gooi jullie wapens neer of ik snij het joch de keel over!' brieste hij zenuwachtig.

Leslie en Kamal hadden geen enkele keus en deden wat de man vroeg, maar Wezel negeerde de bedreiging straal en mikte vastberaden op de dikke, pokdalige kop van de man.

'Doe wat hij zegt!' beval Leslie kwaad.

Maar Wezel grijnsde alleen maar zijn ziekelijke grijns, genietend van zijn machtspositie en van de ultieme controle die hij had over Mattia's leven.

'Fuck, Wezel!' schreeuwde Leslie nu uitzinnig van woede. 'Als Mattia sterft, ben jij de volgende!'

Dat hoorde de jongen wel en zwaar tegen zijn zin gooide hij zijn Automag in het mulle zand.

Boran dook weer weg onder het instrumentenbord en probeerde zijn angst te verdringen. Nu was hij de enige die het verschil kon maken. Met bevende handen laadde hij zijn kruisboog en gluurde weer over de rand van het instrumentenbord naar buiten. De plunderaar gebaarde Leslie en de jongens om bij de 4x4 weg te gaan en met

Mattia nog steeds in een dodelijke greep, stapte hij naar het voertuig. De man met de cowboyhoed leefde nog en verzamelde de weggegooide wapens op handen en knieën, terwijl hij donkerrode vlekjes drupte in het zand.

Boran haalde diep adem, steunde zijn kruisboog op het instrumentenbord en richtte door de voorruit op de gevaarlijkste van de twee, namelijk de kerel die op het punt stond zijn beste vriend een extra luchtgat te bezorgen. De man had zijn rug naar de Scania en keek in de laadbak van de pick-up. Volgens een ongeschreven hoffelijkheidswet moest Boran nu zijn aandacht trekken, zodat hij hem niet in de rug hoefde te schieten. Maar dat zou in zijn nadeel werken, en vooral in dat van Mattia. Wie zich in deze wereld aan de regels hield, was ten dode opgeschreven. Boran vuurde en nog voor de plunderaar zich bewust werd van het gesuis van de aanstormende bout, boorde het stalen projectiel zich met een doffe plof in zijn rug, ter hoogte van zijn linkernier. Het mes viel uit zijn handen en de man zakte door zijn knieën in het zand. Maar ook Mattia viel kermend neer.

'Mattia!' riep Leslie verschrikt en ze rende op de jongen toe. Boran keek ontzet op. Dat kon toch niet? Hij had toch niet op Mattia gemikt? Dat moment van verwarring gaf de man met de cowboyhoed de kans om een geweer te grijpen en de trekker over te halen. De kogels rinkelden in het koetswerk van de cabine en Boran dook weg, terwijl de vonken hem om de oren sprongen. Maar Wezel had snel een schop vastgegrepen en liet het stalen blad met volle kracht op de idiote hoed van de man neerkomen. De plunderaar ging neer als een blok en bleef roerloos liggen.

Boran sprong uit de cabine en rende naar zijn gewonde

vriend. Leslie trok Mattia's shirt uit en bekeek de wond. De bout was dwars door de man heen gegaan en de punt had Mattia in de rug geraakt, een paar centimeter naast zijn ruggengraat. Boran was in tranen.

'Het spijt me, Mattia! Ik wou je echt niet raken!'

Maar Leslie had een heel andere kijk op de zaak.

'Wat een drama voor een simpele vleeswond', lachte ze hoofdschuddend.

'Simpele vleeswond?' protesteerde Mattia met betraande ogen. 'Het doet anders wel behoorlijk pijn!'

Met de hulp van Kamal ging hij overeind zitten en hij glimlachte wrang naar Boran.

'Eigenlijk zou ik je op de koop toe nog moeten bedanken ook.'

'In de Onderstad leggen we er even een celgen op en je bent weer de oude', sprak Leslie terwijl ze de wond ontsmette. 'Voer je ook zo'n toneel op als je in je vinger snijdt?'

'Nog een geluk dat hij Leslie heeft om zijn traantjes te drogen', plaagde Wezel. 'Nog even en ze moest zijn broek ook drogen.' Hij uitte hierop een hoog lachje, dat veel weg had van het gehuil van een hyena. Mattia deed alsof hij het niet hoorde en stond op.

Boran zat gehurkt bij de man met de gele baard. De levenloze ogen staarden in het ijle en onder zijn lichaam deinde een donkere plas uit, die gulzig werd opgeslorpt door het zand.

Mattia hurkte naast hem en zei: 'Het was hij of ik, Boran. Dank je.'

Boran keek Mattia gekwetst aan en zijn lip trilde.

'Het is de eerste, Mattia.'

'De eerste wat?'

'De eerste die ik gedood heb.'

Mattia knikte begrijpend. 'Het zal niet je laatste zijn, maar je hebt de juiste beslissing genomen, Bor. Dat weet je.'

Boran stond op. Hij had Mattia's leven gered, maar toch voelde hij dat er iets ontbrak vanbinnen. Alsof er iets weg was, voor altijd.

Mattia zag de tranen in Borans ogen en legde zijn arm om hem heen. Boran legde zijn hoofd tegen zijn vriend aan en troostte zich met de gedachte dat hij iets waardevols had opgegeven in ruil voor iets onbetaalbaars.

'Zijn de watjes bijna klaar met knuffelen?'

Dat was Wezel natuurlijk, die hen gadesloeg, leunend tegen één van de zijdeuren van de 4x4. Leslie gaf hem een bestraffende tik tegen het achterhoofd, waardoor de sigaret, die hij aan het rollen was, in het zand viel.

'Au! Fuck! Stomme kut!'

Leslie liet de scheldwoorden aan zich voorbij gaan.

'Boran heeft het leven van Mattia gered en misschien ook wel dat van ons allemaal!' zei Kamal boos. 'Behandel hem met respect!'

'Respect?' snauwde Wezel. 'Hij heeft die lul in de rug geschoten! En het scheelde niet veel of dat andere klootzakje was er ook aan gegaan. Ík heb in de eerste plaats ons leven gered door die twee af te knallen. Dat vergt pas échte moed.'

In zijn opschepperij hoorde hij het gesuis van de kruisboogbout niet.

TONK! Met een onvoorstelbare kracht boorde het scherpe projectiel zich een paar centimeter van Wezels geslacht door zijn loshangende broekspijp in de zijdeur van de 4x4. Wezel staarde met wijd open ogen van ontzetting naar de bout en vervolgens naar Mattia die zijn kruisboog met één arm voor zich uithield. Er vormde zich een natte plek in Wezels broek en een dun straaltje urine liep langs zijn behaarde benen naar beneden.

'Oeps, mis', zei Mattia droogjes en hij liet zijn boog zakken. Boran keek zijn vriend met open mond aan. Zelfs Kamal was sprakeloos en kon de eerste dertig seconden geen woord uitbrengen.

'Jij bent niet goed bij je hoofd!' gilde Wezel.

'Dan hebben we toch iets gemeen', antwoordde Mattia.

Pas toen Wezel noodgedwongen zijn beplaste broek moest uittrekken om zich uit zijn vernederende situatie te bevrijden, barstten Boran en Kamal in lachen uit. Alleen Mattia bleef ernstig, want hij wist dat hij eindelijk Wezels respect had afgedwongen.

'Zal ik je broek te drogen hangen?' vroeg Kamal aan Wezel. Wezel antwoordde niet, maar zijn knalrode kop vertelde genoeg.

Leslie gaf Mattia een respectvol schouderklopje. 'Knap schot, knul. Maar maak er geen gewoonte van, hè?'

Ze kroop achter het stuur van de Scania en Wezel mocht als troost de 4x4 besturen. Natuurlijk verkozen Boran en Mattia het gezelschap van Leslie boven dat van Wezel. Alleen Kamal reed met hem mee, een beetje uit medelijden.

In het voorbijrijden zagen ze allemaal het cirkelzaaglogo met het starende oog op de flank van de buggy.

'Het waren geen plunderaars', concludeerde Leslie, terwijl ze meer gas gaf. 'Ze wisten wat ze zochten.'

'Dat kan niet', zei Boran, die wist wat Leslie bedoelde. 'Mijn moeder zou nog liever sterven dan te zeggen waar de kaart ligt!'

'Als dat zo is, dan is er maar één andere mogelijkheid', zei Leslie. 'Een spion in de Onderstad, in het paleis, misschien wel in de entourage van Ken Rido.'

'Een spion?' vroeg Mattia. 'Is het dan wel verstandig om terug te gaan?'

'Ja', kwam Boran tussen. 'Waarom gaan we mijn moeder niet zelf bevrijden?'

'Zeg geen stommiteiten, Boran. Zelfs met z'n vijven maken we geen enkele kans. Je wilde Ken Rido pas de kaart geven als hij je moeder zou bevrijden. Dat doen we dus ook. Hou ze goed bij je. Dat is het leven van je moeder, daar onder je shirt.'

'Kunnen we er niet beter een kopie van maken?' stelde Mattia voor.

'Wacht even!' Boran rommelde in het handschoenenkastje, waar hij al snel de potloden vond, die hij gebruikte om zijn vraagstukken mee op te lossen. Maar papier vond hij niet.

'We maken wel een kopie als we in de Onderstad aankomen', verzekerde Leslie.

Toen het donker begon te worden stelde Leslie voor te stoppen om de nacht door te brengen. Het zou bovendien niet erg verstandig zijn om nog langer zonder slaap achter het stuur te zitten.

Aan de kant van de autosnelweg maakten de jongens een kampvuur met sprokkelhout en toen het wat koeler begon te worden, kropen ze alle vijf in een kring rond de likkende vlammen en aten wat overbleef van de mondvoorraad. Met het water werd spaarzamer omgesprongen, want het was nog minstens een halve dagreis naar de Onderstad.

Leslie was erg vermoeid en wou de hele nacht doorslapen. Ze stelde dan ook voor dat de jongens om de beurt in groepjes van twee de wacht zouden houden. Mattia was vrijwilliger voor het eerste deel van de nacht, samen met Boran. Zo konden ze elkaar tenminste wakker houden.

Wezel en Kamal sliepen voorin de 4x4, want Leslie had al beslag gelegd op de achterbank. Slapen in de Scania was uitgesloten, want de truck had geen ramen meer en het was er net zo koud als buiten.

Boran en Mattia kropen dicht bij het vuur en, gewikkeld in dekens, hielden ze de wacht. Ze leken wel twee Indianen met hun kruisbogen. Na een poosje werd het ijselijk stil, afgezien van een vaag gesnurk dat uit de pick-up kwam.

'Bedankt dat je mijn leven hebt gered', zei Mattia stil.

'Bedankt dat je het voor me hebt opgenomen tegen Wezel', antwoordde Boran op zijn beurt.

'Pff, hij had eens een lesje nodig. Heb je gezien hoe hij in zijn broek plaste van de schrik?'

'Niet moeilijk. Je had dan ook bijna zijn nootjes eraf geschoten.'

Mattia lachte. 'Je weet dat ik zoiets nooit zou doen. Tony heeft me geleerd dat iemand eens goed bang maken altijd meer effect heeft dan zijn kop eraf te schieten... of iets anders.'

Er viel een stilte, die alleen doorbroken werd door het geknetter van het vuur en het geronk van Wezel. Het was een magisch moment daar in de avondkoelte onder de sterrenhemel.

'Boran, zou je mijn bloedbroeder willen worden?'

Boran keek verrast op, maar hoefde niet lang na te denken over zijn antwoord en knikte.

Mattia nam zijn mes en beet op zijn tanden, terwijl hij een korte haal gaf over de muis van zijn rechterhand. Bloed welde op uit de wond en hij gaf zijn mes vervolgens aan Boran. De jongen haalde het op zijn beurt over zijn rechter handpalm. De pijn voelde hij bijna niet. Mattia nam zijn hand en drukte ze in de zijne, zodat de bloedende wonden tegen elkaar kwamen. Vervolgens omsloot hij hun handdruk met zijn andere hand en Boran deed hetzelfde. Mattia verzon snel een zwaarwichtig zinnetje.

'Vanaf nu zijn we bloedbroeders, trouw aan elkaar tot het einde der tijden.'

Boran herhaalde het zinnetje woord voor woord. Beide vrienden keken elkaar aan. Geen van beiden geloofde in magie, maar wat er nu gebeurde, voelde meer dan wonderlijk aan. Boran beschouwde het als een magische vriendschap, maar vertelde dat niet aan Mattia.

De rest van de terugreis leek een stuk korter dan de dag ervoor. Toch liep het al tegen het eind van de middag toen de truck en de 4x4 bij de gecamoufleerde rotswand aankwamen. Als je niet wist dat hier een poort zat, zou je er straal voorbijrijden, maar nu kon Boran duidelijk de omtrekken zien en de camera, die ergens hoog onder een rots was vastgemaakt. Na een paar seconden schoof de poort open en reden ze de donkere grot in, die hen naar de Onderstad bracht. De koplampen van de Scania waren stuk, dus reed Wezel voorop. In het schijnsel van de koplampen zag Boran schimmen wegvluchten, duisterwezens. En hij was maar wat blij dat hij hoog in de cabine van de trekker zat, bij Leslie en Mattia.

In de Onderstad bracht Ken Rido's leger alles in gereedheid voor de grote trek westwaarts. Honderden soldaten in zwarte uniformen sleutelden aan voertuigen, sleepten kisten met wapens en munitie aan of controleerden de mondvoorraad.

Leslie en haar jongens liepen een beetje verloren tussen al dat gedisciplineerde geweld. Alleen Wezel leek in zijn element en ging hartelijk keuvelen met een groepje soldaten.

Ken Rido zelf droeg nu een prachtig hemelsblauw uniform met gele biezen en gouden knopen en kwam hen tegemoet met zijn drie trouwe paleiswachten aan zijn zijde.

'Hebben jullie de kaart?' vroeg hij met een geforceerde glimlach, die Boran niet kon overtuigen.

Leslie knikte. 'We hebben de kaart, maar nu is het jouw beurt om iets voor ons te doen.'

'Dat was de afspraak niet.'

'Dat is de afspraak altijd al geweest. Je krijgt de kaart pas als Boran zijn moeder veilig in zijn armen sluit.'

Ken Rido begon te lachen, een hautain, vernederend lachje, maar met toch een tikkeltje onzekerheid erin.

'Deze kaart is de sleutel naar een beter leven en een nieuwe hoop voor de hele mensheid! Je kunt ze niet zomaar als pasmunt gebruiken!'

'Je laat ons geen keus', sprak Leslie koelbloedig. Boran, Mattia, Kamal en zelfs Wezel kwamen bij haar staan. Ze pakte Boran en Mattia bij de schouders en ging verder:

'Ken, deze jongens zijn naar jou gekomen omdat jij hun laatste hoop was. Ik kan begrijpen dat je de levens van je mannen niet op het spel wilt zetten om Borans moeder te bevrijden. Het was een berekende beslissing. Wat ik echter niet begrijp, is dat je deze kinderen hebt afgeluisterd en hun vertrouwen hebt misbruikt om toch de kaart in handen te kunnen krijgen. Er is nog tijd genoeg om op zoek te gaan naar de ontziltingsinstallatie van het Westereind, maar zodra de Cycloop erachter komt dat we zijn drie slijmjurken hebben koudgemaakt en er met de kaart vandoor zijn, is Borans moeder ten dode opgeschreven. Dankzij haar hebben we de kaart. Het is dus onze taak om haar een wederdienst te bewijzen.'

Ken Rido keek Leslie indringend aan en zij staarde vastberaden terug. Voor Boran en Mattia leek het wel alsof ze een gevecht voerden met hun ogen.

'Van jou had ik het min of meer verwacht, Leslie', zei Ken Rido bars. 'Je was altijd al een rebel. Maar jij, Wezel! Jij stelt me teleur!'

Wezel wist niet goed waar te kijken en wendde zijn ogen af van Ken Rido's doordringende blik.

'Dit is tussen jou en mij, Ken', zei Leslie. 'Je weet zelfs niet eens of er wel een ontziltingsinstallatie is. Maar Borans moeder leeft nog.'

'Ik stuur mijn mannen liever naar een onzekere over-winning, dan naar een zekere nederlaag. En jij, Leslie, waarde vriendin, laat mij nu ook geen andere keus.'

Hij knipte met zijn vingers en meteen richtten de drie paleiswachten hun automatische wapens op Leslie en de jongens.

'Je bent slim, Leslie. Ik hoop dat je slim genoeg bent om je te realiseren dat jij en je bengels geen enkele troef in handen hebben. Dwing me niet om pijnlijke beslissingen te nemen.' Hij stak hierop zijn hand uit om de kaart te kunnen aannemen.

Leslie zag de lopen gericht op haar en de jongens en maakte hiermee ook kennis met Ken Rido's donkere zijde. De zijde die hem gruwelijke wetten had laten uitvaardigen om de bevolking in te perken, de zijde die meer vertelde over zijn zwakheden dan over zijn leiderskwaliteiten.

'Geef hem de kaart, Boran', zei Leslie met stil beheerste woede.

Boran aarzelde en keek om zich heen, wanhopig op zoek naar een laatste sprankje hoop. Tevergeefs. Met de gedachte dat mams waarschijnlijk net hetzelfde zou doen, diepte de jongen ten slotte verslagen de kaart op uit zijn shirt en legde ze in Ken Rido's uitgestoken handpalm.

'Een verstandige beslissing', grijnsde de leider, terwijl hij de kaart openvouwde en wegliep. De paleiswachten schouderden hun geweren en volgden hun leider als hondjes.

'Het is tijd!' riep hij naar de commandant.

'Wacht!' riep Mattia ineens.

Ken Rido stopte en keek om naar de jongen.

'Waar zijn Kia en Bliksem?'

De man glimlachte. 'Mijn dochter is jong en nieuwsgierig en steekt haar neus vaak in zaken waar ze niets vanaf weet.'

'Wat heb je met haar gedaan!'

'Dat gaat jou niks aan, knulletje. Maar laten we zeggen dat ik haar even voor mijn voeten vandaan moest hebben. Ze is veilig opgeborgen, samen met die rat van jou.'

'Bliksem is geen rat! Klootzak!' riep Mattia kwaad.

Maar zijn stem verdronk in een sirene die plotseling door de garage loeide. De soldaten leken stuk voor stuk door een insect gestoken en renden hard naar hun voertuigen.

Alles daverde onder het gedreun van de dieselmotoren. Boran, Mattia, Kamal, Wezel en Leslie keken vanaf een veilige plek toe hoe de voertuigen de tunnel in denderden. Ken Rido nam plaats achter het stuur van zijn blauwe Jeep en salueerde tot afscheid honend naar Leslie en de jongens.

'Mooie vriend', bromde Mattia toen ze alleen achterbleven in de uitgestrekte ruimte met de stank van dieselgassen.

Leslie kneep er een glimlach uit. 'Geloof me, ik heb betere vrienden.'

'En waarom ben jij niet mee met de almachtige leider?' vroeg Mattia aan Wezel.

'Ik heb het een en ander goed te maken', antwoordde de oudere jongen.

Leslie, Boran en Mattia keken hem verbaasd aan, maar Kamal glimlachte en knikte goedkeurend. Het was duidelijk dat die twee in de 4x4 een duchtig gesprek met elkaar hadden gehad.

'Wat doen we nu?' vroeg Kamal.

Leslie keek naar Boran, die de hele tijd zwijgend zijn woede had zitten verbijten.

'We doen dat waar Ken Rido te laf voor is', zei ze ten slotte en Boran glimlachte dankbaar.

12. De kat en de muizen

Terwijl Wezel, Kamal en Leslie de Scania in orde brachten voor de grote tocht, gingen Boran en Mattia op zoek naar Kia en Bliksem. De paleiswachten waren verdwenen, ingelijfd in het leger, en enkele robotlakeien en -diensters dwaalden nog door de gangen als verdwaalde spoken, terwijl ze doorgingen met hun geprogrammeerde taken. Waarom zouden ze stoppen? Deze exemplaren kenden geen gevoelens als plezier of geluk, dus hadden ze ook geen behoefte om te stoppen met werken of een feestje te bouwen nu hun meesters weg waren.

Mattia klampte een van de artificiële bedienden aan en vroeg waar de kamer van Kia was, maar de robot antwoordde droogjes dat hij dat niet aan vreemden mocht meedelen.

'Klotemachine!' schold Mattia en schopte hem onderuit, waardoor de robot plat op zijn gezicht viel. De plastic huid barstte open en ontblootte de glanzende titanium schedel eronder. De servomotortjes zoemden nerveus terwijl de mond van de machine open en dicht ging, maar de val had de stemsynthesizer vernield en er kwam geen geluid uit. De hulpeloze robot spartelde in het rond op zoek naar vaste grond. Boran duwde hem, zodat hij op handen en knieën terechtkwam. De robot stond op en verontschuldigde zich zonder stem, waarna hij de gang uit liep.

'We zullen hen dan maar zelf moeten vinden', besloot Mattia met een zucht.

Ze renden de trap op naar boven, maar achter elke hoek wachtte hen weer een nieuwe gang met ontelbare deuren, die ze nog nooit hadden gezien.

Buiten loeide opnieuw een sirene, een andere deze keer, die met luide, huilende stoten de Onderstad in staat van alarm bracht. Door de hoge ramen van het paleis zagen Boran en Mattia honderden kinderen van alle leeftijden lachend en schreeuwend de straten overspoelen.

'De Tunnelkinderen', lachte Boran. Het nieuws dat Ken Rido iedere krijger uit de Onderstad had ingelijfd in zijn legertje om op zoek te gaan naar de installatie had zich snel verspreid. Als een vloedgolf renden ze nu door de straten. De bewoners van de Onderstad waren eerst verbaasd en bang toen ze overrompeld werden door de wilde horde, maar toen ze zich realiseerden dat dit hun eigen kinderen waren, gingen ze naarstig op zoek tussen de honderden ongewassen gezichtjes. Een onmogelijke opgave, want veel kinderen waren al bijna tieners en leken allang niet meer op de weerloze baby's die door hun ouders noodgedwongen waren achtergelaten in de gangen. Er heerste chaos in de stad en het leven viel stil. Alleen het gejoel en geschreeuw van uitgelaten kinderstemmen echode in de immense ondergrondse stad.

Vuile, blote kindervoeten renden over de witte marmeren vloeren van Ken Rido's paleis. In tegenstelling tot de robot-bedienden wisten de kinderen wel wat er hen te doen stond als de kat van huis was en ze stoeiden op de zachte Oosterse tapijten, sprongen op de bedden en belegerden de keuken waar ze zich gulzig tegoed deden aan de lekkerste spijzen.

De keukenrobots stonden er hulpeloos tussen, steeds maar herhalend dat de kinderen hun eetlust niet mochten bederven.

Boven klonk opeens gegil en Boran en Mattia spurtten meteen de monumentale trap op, in de richting van het geluid. De deur van de bibliotheek lag uit haar hengsels en tientallen kinderen klommen als aapjes op de boekenrekken. Het regende boeken en honderden uitgescheurde bladzijden sneeuwden neer op de vloer. Kia lag hulpeloos tussen het papier, met Mik wijdbeens bovenop haar, terwijl hij haar armen met één hand boven haar hoofd vastgepind hield. In zijn andere hand had hij een mes, waarmee hij vervaarlijk voor haar neus zwaaide.

Mattia greep de jongen bij de lurven en voordat Mik goed en wel besefte wat er gebeurde, zeilde hij de bibliotheek door en landde met zijn rug tegen een berg boeken. Hij keek verbaasd naar Mattia, tenminste tot die hem een fikse rechtse verkocht.

Donkere bloeddruppels bespikkelden het witte papier.

'Laat haar met rust!' schreeuwde Mattia woedend. 'Ze is niet verantwoordelijk voor de daden van haar vader!'

'Hou op!' riep Mik en schermde geschrokken zijn gezicht af met zijn armen, maar Mattia sloeg niet meer en hielp Kia overeind. Ze was gelukkig ongedeerd.

De kinderen in de rekken waren gestopt met hun vernielingen en keken beduusd naar beneden, naar hun leider, die machteloos op de grond lag.

Boran stond geschokt te midden van de bladzijden.

'Waarom doen jullie dit?' riep hij ontzet uit. 'Deze boeken hebben jullie niets misdaan.'

Mik stond op, terwijl hij een hand tegen zijn bloedende neus hield. Hij leek zelf verrast door de ravage waar hij nu middenin stond.

'Ze zijn van Ken Rido', zei hij met trillende stem

'Ze zijn van iedereen. Ook van jullie. Vraag aan de volwassenen of ze jullie leren lezen en jullie zullen zien dat elk boek een andere wereld is waarin je kunt ontsnappen.'

Mik zweeg en keek beschaamd naar de vernielde boeken aan zijn voeten. De Tunnelkinderen kwamen uit de rekken naar beneden en gingen wat bedremmeld bij hun leider staan.

'Het spijt ons', zei Mik stil. 'We wisten niet wat ze voor jullie betekenden.'

Hij keek naar Mattia, die Kia troostend omhelsde.

'Jullie hebben woord gehouden', ging hij verder. 'De stad is weer van ons en dankzij jullie kunnen al deze kinderen nu op zoek gaan naar hun ouders.' Hij probeerde te glimlachen, maar dat deed behoorlijk pijn aan de kant waar Mattia's vuist hem had geraakt.

'Ik schaam me voor mijn vader', zei Kia. 'En voor wat hij jullie heeft aangedaan.'

'Ik zou je niet gedood hebben', verdedigde Mik zich.

'Ik wou dat ik je kon geloven, Mik', zei Mattia tegen de oudere jongen en hij draaide zich om naar Boran die op zijn knieën tussen de bladzijden zat en met de moed der wanhoop naar pagina 103 van Jules Vernes' Reis om de Wereld in 80 Dagen zocht.

Mattia kon niet anders dan diep medelijden voelen voor de jongen. Zijn hele leven had hij het moeten stellen met een paar miezerige boeken, die hij in de ruïnes had gevonden en die hij koesterde als een schat. Hij had Borans geluk gezien toen ze deze prachtige bibliotheek binnenkwamen en hoewel hij nog nooit een boek had gelezen, voelde Mattia zich triest bij zoveel vernieling.

Bliksem zat verscholen onder een min of meer intact exemplaar van Van Den Vos Reinaerde en nu de storm was geluwd, trippelde hij over de papierberg naar zijn baasje. Mattia nam de wasbeer op zijn arm, en strekte zijn andere hand uit naar zijn vriend op de vloer.

'Kom, Boran', zei hij stil.

Boran stond moedeloos op, een hoopje gescheurde bladzijden tegen zich aan geklemd.

'Het waren misschien de laatste exemplaren', zei hij stil.

'Misschien ook niet', probeerde Mattia hem gerust te stellen.'Maar nu gaat je moeder voor, denk je niet?'

Boran knikte en legde de bladzijden die hij had verzameld bij de rest. Ze lieten Mik en de Tunnelkinderen alleen achter in de bibliotheek. De jongen betastte zijn pijnlijke wang en begon zwijgend de bladzijden bijeen te rapen. De anderen volgden zijn voorbeeld.

Wezel en Kamal hadden de Scania van extra bepantsering voorzien door zware stalen platen voor de banden en de radiator te lassen. Ondertussen sleutelde Leslie aan de motor van de vrachtwagen, die zwaar geleden had onder het stof en het zand. Natuurlijk had ze er geen enkel bezwaar tegen dat Kia hen zou vergezellen en ze was eerlijk gezegd wel blij met wat vrouwelijk gezelschap. Dat Kia bovendien ook behoorlijk wat van autotechniek afwist, was aardig meegenomen.

Boran en Mattia gaven de wapens een grondige beurt. Het was een lange zoektocht geweest naar het perfecte materiaal om nieuwe kruisboogbouten te vervaardigen, want na hun avonturen waren ze bijna door hun voorraadje heen. Het materiaal mocht niet te zwaar zijn, maar toch sterk genoeg. Mattia's keuze viel uiteindelijk op een aantal dunne stalen staken, die hij samen met Boran exact op lengte sneed met een stevige kniptang, om er vervolgens met een slijpschijf een perfecte punt aan te maken.

Tegen de avond had Mattia een aanzienlijke stapel nieuwe kruisboogbouten aan zijn rechterkant en een slapende Boran aan zijn linkerzij. Hij wou hem wakker maken, maar Leslie hield hem tegen.

'Laat hem slapen, Mattia. Het wordt een erg zware dag morgen.'

In de vroege ochtend vertrok het 'bevrijdingsteam', zoals Leslie het groepje had gedoopt, uit de Onderstad. Zij reed met de Scania, vergezeld door Kia en Boran.

Mattia en Bliksem hadden hun trouwe reactorbrommer en Wezel en Kamal reden opnieuw voorop in de 4x4. Perris en zijn luchthaven waren een halve dagreis van de Onderstad verwijderd, dat wist Boran nog heel goed. Onderweg waren zijn gedachten bij mams. Hadden ze haar gefolterd? Wist ze dat hij haar kwam redden of had ze de moed opgegeven? En vooral: was ze nog in leven? Boran probeerde zich haar gezicht voor te stellen. Haar donkere ogen, die ook de zijne waren, haar lieve glimlach, haar strenge blik als hij zijn huiswerk niet had gemaakt, ... Hij miste haar verschrikkelijk en toch had hij het gevoel dat ze dichtbij was. Hij voelde gewoon dat ze nog leefde en het was een teken voor hem om vooral niet op te geven.

De spanning steeg naarmate de kleine colonne de stad naderde.

Het was Mattia die als eerste de zwarte rook zag boven Perris en hij maakte van op zijn brommer heftige gebaren in de richting van de stad. De gigantische rookkolom torende er bovenuit als een zwarte struisvogelveer in het landschap.

Toen ze naderden, zagen ze dat de rookpluim niet boven Perris hing, maar boven de luchthaven.

'Dat is een slecht voorteken', zei Leslie.

De stad zag er nog exact zo uit als toen Boran en Mattia haar voor het laatst hadden gezien. Smerig, dood en bevolkt door allerhande geteisem.

Leslie bracht de Scania tot stilstand vlak voor de ingestorte brug die hen had gedwongen om door de rivierbedding te gaan. Iedereen stapte uit en met verstomming keken ze naar de grootste brand die ze ooit hadden gezien. De enorme rookwolk verborg een hele reeks kleinere branden en van wat ooit de luchthaven was geweest, bleef niets meer over. De vuurgloed, gevoed door de uiterst brandbare stoffen die er waren opgestapeld, zou nog dagen doorbranden, tot de luchthaven niets meer zou zijn dan een zwartgeblakerde vlakte. Hoewel de zes bevrijders verschillende kilometers van de vuurhaard verwijderd waren en het zo goed als windstil was, sneden de chemische dampen hen de adem af. Bliksem zakte door zijn pootjes en ging plat op zijn buik liggen in een poging om de stank te ontwijken.

Leslie legde haar hand stil op Borans schouder. 'Het spijt me, knul', zei ze somber. 'Het is weinig waarschijnlijk dat ze je moeder hebben meegenomen.'

Maar Boran glimlachte en zei: 'Ze leeft nog, Leslie.'

'Jongen, ik weet dat het moeilijk is om te aanvaarden, maar...'

'Ik weet het gewoon.'

'Waarom zijn ze zo ineens vertrokken?' vroeg Mattia zich af.

'Om dezelfde reden dat Ken Rido vertrokken is.'

Het stond nu vast: er was een spion in de Onderstad en misschien was hij wel met Ken Rido onderweg naar het Westereind.

Kia keek Leslie verschrikt aan.

'Bedoel je dat ze achter mijn vader aan zitten?'

Leslie keek het jonge meisje veelbetekenend aan, maar zei niets en klom weer in de cabine. Daar verborg ze haar bedrukte gezicht in haar handen en dacht na.

'Waarop wachten we dan?' vroeg Kia haast hysterisch.

'We hebben geen kaart', antwoordde Mattia.

Leslie keek op en schudde haar hoofd heen en weer om Mattia's bewering te bevestigen. 'De enigen die weten waar ze heen zijn, zijn Ken Rido en de Cycloop zelf.'

Maar Boran glunderde en dat frustreerde de anderen alleen maar meer.

'Haal die grijns van je bek!' snauwde Wezel.

Maar Boran glimlachte nu breed. 'We hebben wel een kaart.'

Iedereen keek hem verbaasd aan.

'Draai je om, Matt!'

'Me omdraaien? Waarom?'

'Zul je zien.'

Mattia deed wat zijn vriend hem vroeg. Boran trok Mattia's T-shirt omhoog en toonde zijn meesterwerk: op zijn rug had hij met veel geduld de hele kaart nagetekend.

'Jij bent een genie!' lachte Leslie door het dolle heen.

'Een genie?' riep Mattia, die zijn rug in de achteruit-kijkspiegel van de 4x4 bekeek. 'Die snuggerd heeft mij in een wandelende wegenkaart veranderd!'

'Bekijk het van deze kant, Mattia. Vanaf nu ben je echt onmisbaar', lachte Boran.

'Wanneer heb jij dat gedaan?'

'Gisteren terwijl je sliep bij het kampvuur. Weet je dat je erg diep slaapt?'

'Kleine etter!' schold Mattia, maar hij lachte.

Met de rugkaart vertrok het bevrijdingsteam met hernieuwde moed westwaarts. Deze keer werd het een race tegen de klok en Leslie haalde alles uit de zware dieseltrekker. Een botsing tussen de bende van de Cycloop en het leger van Ken Rido zou verschrikkelijk zijn.

Hier kwam Borans wiskundekennis van pas. Er lagen exact 1527 kilometer tussen Perris en de kust. Hij had uit het hoofd berekend waar de colonne van Ken Rido nu ongeveer moest zijn. Maar wanneer de Cycloop vertrokken was, wist niemand. Lag hij tussen hen en Ken Rido in of stond hij hen in Westereind op te wachten?

Mattia had zijn reactorbrommer in de laadbak van de 4x4 gezet, want kerosine hadden ze niet bij zich en hij zou nooit Westereind halen met wat er nu nog in de tank zat.

De proviand en de kruiken drinkwater die hij meenam in de truck, werden door Boran en Kia op gejuich onthaald. Met Bliksem erbij begon het krap te worden in de stuurcabine, maar Boran had er geen probleem mee om de brits achterin te delen met zijn bloedbroeder en diens wasbeer.

Slapen lukte hem toch niet, daarvoor had hij te veel zorgen aan zijn hoofd. Tenminste, dat dacht hij toch, want het volgende moment was het alweer dag en waren ze zo'n 1200 kilometer verder.

Het geraas van de dieselmotor werd weer realiteit en de hete woestijnwind die door de open voorruit naar binnen waaide, sloeg hem in het gezicht. Met een zwaar hoofd van het dromen, dacht hij een moment dat mams aan het stuur zat. Maar toen zag hij de witte wasbeer, die tussen zijn benen lag te maffen als een marmot, en de dertienjarige jongen die opgekruld naast hem lag. Kia had de passagiersstoel naar achteren versteld en de verleiding was groot om met haar dezelfde grap uit te halen als Mattia met Wezel had gedaan. Maar hij bedacht dat Mattia het hem niet in dank zou afnemen. Tenslotte waren die twee op een vreemde manier weer naar elkaar toe gegroeid en dat ging Boran al helemaal boven zijn petje. Verliefdheid was iets vreemds en hij was blij dat hij er nog geen last van had.

'Mooie meid, hè?'

Boran keek met een ruk om naar Mattia, die ondertussen ook wakker was geworden.

'Ik heb het wel gezien.'

'Wat?' vroeg Boran op defensieve toon.

'Komaan', lachte Mattia. 'Je zat haar met open muil aan te gapen. Je kwijlde nog net niet.'

Boran voelde het bloed naar zijn wangen stromen.

'Da's niewaar!' protesteerde hij op een fluistertoon om Kia niet wakker te maken.

In de achteruitkijkspiegel zag hij Leslie stilletjes glimlachen.

'Ik was gewoon aan het... nadenken', verdedigde Boran zich.

'Met je mond wijd open?'

'Hij wou misschien tegelijkertijd zijn ontbijt vangen?' grinnikte Leslie.

'Ach, stik!' bromde Boran nukkig.

Mattia zei niets, want hij lag in een deuk.

'Shit!' riep Leslie plotseling verschrikt uit en ze ging hard op de rem staan. De wielen van de truck blokkeerden en schoven gierend over het wegdek. Kia schoot vooruit en kwam hard in aanraking met het instrumentenbord, waardoor ze op slag wakker was. Boran kon Bliksem nog net bij zijn geringde staart grijpen, voordat het diertje hetzelfde lot zou ondergaan.

De 4x4 van Wezel en Kamal stond dwars over de weg, met een remspoor van zwart rubber achter zich en de twee jongens stapten uit, zodat ze de ravage met eigen ogen konden zien.

'We zijn te laat', zei Leslie stil.

Kia was met een klap van een heerlijke droom in de verschrikkelijke realiteit terechtgekomen en keek vol ongeloof naar de wrakken van buggy's, auto's en vrachtwagens, waarmee de weg voor hen was bezaaid. Al wat overbleef van twee machtige legers, die elkaar in een onvoorstelbare veld-slag hadden uitgeroeid. Verstikkende walmen van brandend rubber en plastic drongen de cabine binnen.

'Bedek jullie neus en mond!' beval Leslie.

Boran en Mattia hielden hun T-shirts voor hun gezicht, maar dat volstond niet, want de vette rook drong door het dunne katoen en brandde in hun mond, neus en ogen. Nog voor iemand haar kon tegenhouden, trok Kia de deur open en sprong de cabine uit. In een flits zag Boran dat haar gezicht asgrauw was weggetrokken. Hij rende haar met Mattia achterna om haar terug te halen.

'Kia! Wacht!' schreeuwde Mattia, maar de rook snoerde zijn luchtpijp dicht en hij moest hoestend de achtervolging staken.

Kia rende de baan over, naar een hoopje verwrongen blauw staal, dat nog nauwelijks iets van een Jeep had. Ze stopte er een paar meter vandaan en liet zich door de anderen inhalen.

'Ik-ik durf niet te gaan kijken', snikte ze.

'Blijf hier', zei Leslie op zachte toon en ze ging zelf naar het wrak toe.

Kia begon te huilen en Mattia sloeg een beetje onhandig zijn arm om haar heen.

'Hier, jongens!' riep Leslie van bij de Jeep. De kinderen renden naar het wrak en knielden neer bij Leslie, naast het zijraampje. De Jeep lag op zijn kop en gekneld onder de verbogen stuurstang, lag Ken Rido. Hij ademde zwaar, en uit zijn mond en neus liep bloed.

'Rustig blijven, Ken', suste Leslie haar oude vriend. 'We hebben materiaal om je hieruit te halen.'

Ken Rido keek haar met pijnlijke ogen aan. Hij bundelde het laatste beetje kracht dat hij bezat en sprak met hese, verstikte stem: 'Doe geen... moeite... Les. Voor mij is het... toch te laat.'

Kia zakte huilend op haar knieën naast haar vader en nam zijn bebloede hand. 'Niet doodgaan papa, alsjeblieft!'

Met een uiterste krachtinspanning bracht Ken Rido zijn vingers samen en omklemde de hand van zijn dochter.

'Niets... kan dat nu nog... tegenhouden, Kia. De Onderstad... is nu van jou. De toekomst van de mensheid... ligt in jouw handen. Maak niet dezelfde fouten... als ik.'

Ken Rido verzwakte zienderogen.

'Ken, waar is de kaart?' vroeg Leslie.

'De Cycloop...'

'Hij leeft nog?'

'Ik... had een deal... We zouden... hier afspreken en samen de installatie zoeken... Ik dacht dat ik hem kon vertrouwen...'

'U bent dus de spion!' zei Mattia bits.

'Was hij alleen?' vroeg Boran met bevende stem.

Ken Rido dacht even na, of misschien waren het de koude vingers van de dood die hij in zijn nek voelde. Uiteindelijk schudde hij zijn hoofd moeizaam heen en weer in ontkenning. 'Je... moeder leeft nog,... jongen.' Hij pauzeerde even en zijn ademhaling versnelde hoorbaar. 'Ik hoop... dat jullie me kunnen vergeven...'

Leslie beet op haar lip om haar verdriet te verdringen. 'Je hebt veel stommiteiten gedaan en je bent een koppig mens', zei ze. 'Maar vrienden vergeef je nu eenmaal. En ik kan je verzekeren dat de Cycloop zijn laatste gewelddaad heeft begaan.'

'Bedankt, Les', kreunde Ken Rido. 'Wees... voorzichtig... zorg voor Kia.'

Een laatste zucht en de machtige leider van de Onderstad zakte met een glimlach weg in een eeuwige slaap.

Leslie sloot zijn ogen, terwijl Mattia de huilende Kia tegen zich aandrukte.

'Klootzakken!' zuchtte Wezel. Kamal knikte instemmend, maar zei niets uit schrik dat zijn stem beverig zou klinken van verdriet.

Leslie nam zwijgend een schop uit de pick-up. De anderen hadden haar bedoeling geraden en hielpen mee om Ken Rido een laatste rustplaats te geven.

'De andere lijken moeten verbrand worden', stelde Leslie voor.

'We verliezen te veel tijd!' protesteerde Mattia.

'Kamal en ik blijven hier', stelde Wezel voor, want zelfs piraten verdienden het niet om te liggen rotten in de open lucht. 'Jullie mogen verder gaan.'

Maar er was meer aan de hand, want Mattia zag verdriet in Wezels ogen. Hij kende de meeste soldaten van de Onderstad al van kindsbeen af en zijn oudere makkers hier verkoold en verminkt terugvinden, had een diepe wond geslagen in de harde kerel.

Ook Leslie was van streek door de dood van Ken Rido en ze drukte de ontroostbare Kia tegen zich aan. Maar Mattia had gelijk: ze verloren kostbare tijd.

'We gaan toch door?' vroeg Boran ongerust.

Leslie wierp een ernstige blik op hem en zei ten slotte: 'Boran, de Cycloop heeft een veel te grote voorsprong. We maken geen kans om hem in te halen. En zelfs dan...'

'Nee!' antwoordde Boran kwaad. 'Het is toch duidelijk? De Cycloop is alleen en hij weet dat we hem volgen. Anders had hij mijn moeder niet meegenomen. We mogen niet opgeven!'

'Boran heeft gelijk', kwam Mattia tussen en ging bij zijn vriend staan. 'De Cycloop had zijn moeder al lang gedood als hij niet zeker wist dat ze hem nog van nut kon zijn. Zolang hij de installatie niet heeft gevonden, is er een kans en als we eerst aankomen, kunnen we hem misschien verrassen.'

'Mattia, je weet niet wat je zegt! We kunnen hem nooit inhalen!'

'Niet als we dezelfde weg volgen', zei Boran. 'Omdraaien, Matt!'

Boran ontblootte de kaart op Mattia's rug.

'De Cycloop volgt deze weg tot aan de kust en van daar gaat het verder zo'n honderd kilometer naar het zuiden tot aan de plek waar de installatie ligt.'

'Wat wil je eigenlijk zeggen?' vroeg Leslie.

'Ik heb nog niks gezegd. Kijk.' Hij wees met zijn vinger langs de lijnen op Mattia's rug, waardoor de jongen zijn best moest doen om het niet uit te proesten.

'De kortste afstand tussen twee punten is een rechte lijn. Als we hier de weg afgaan en verder naar het zuidwesten rijden, snijden we een stuk af en komen we vóór hen aan.'

Wezel keek Boran hoofdschuddend aan. 'Heb je in je o zo slimme berekeningetjes rekening gehouden met het feit dat de Cycloop over een solide asfaltweg rijdt en jullie door het zand moeten? Na vijf meter zitten jullie geheid vast.'

'Nee, Boran heeft gelijk', zei Leslie. 'Het is misschien niet de makkelijkste weg, maar het is onze enige kans. We gaan door, jongens!'

De reactorbrommer werd uitgeladen en achter op de truck vastgemaakt. Boran, Mattia, Kia en Leslie namen afscheid van

Wezel en Kamal. Zelfs de roodharige pestkop kon nu alleen nog maar ontzag opbrengen voor de twee jongens.

In het voorbijrijden keken ze allemaal nog eens eerbiedig naar het graf van Ken Rido.

'Hij was een machtswellusteling en een smeerlap', zei Leslie stil, 'maar het meest van al was hij een vriend.'

Kia keek weg en begon te snikken. Ze was opgevoed in een beschermende omgeving en waagde zich maar zo nu en dan naar de bovengrond op haar quad. Maar vandaag was ze in de hel terechtgekomen, de overlevingsstrijd die de mensen bovengronds elke dag voerden.

Boran rukte het oude kompas dat aan de zonneklep hing van het touwtje en hield het in de palm van zijn hand toen Leslie de trekker de weg afstuurde. Hij lette erop dat de magnetische naald netjes tussen de Z en de W bleef. Op zo'n grote afstand kon de minste afwijking al snel tientallen kilometers schelen. Nu ja, de ruw getekende kaart op Mattia's rug was ook niet bijster nauwkeurig, maar daardoor was het juist des te belangrijker om de juiste koers aan te houden.

Volgens Borans berekeningen moesten ze nog zo'n kleine 75 kilometer afleggen. Dat was nog altijd een heel stuk minder dan de Cycloop. Zijn hart ging sneller kloppen, nu het einde van de reis steeds dichterbij kwam.

De weg was lang en op de brits achter in de truck verzonnen Boran en Mattia allerlei spelletjes die uiteindelijk toch gingen vervelen. Kia zat in elkaar gedoken op de passagiersstoel en staarde dof naar het voorbijschietende landschap. Ze was niet in de stemming voor spelletjes.

In tegenstelling tot wat Wezel had gedacht, was het zand

helemaal niet mul. Het was vermengd met steenbrokken en grote stukken puin, waardoor de ondergrond bijna even stevig was als het halfvergane asfalt dat ze tot nu toe hadden bereden.

'Hier moet ooit een grote stad geweest zijn', doorbrak Leslie de stilte.

'Hoe komt het dat de ene stad er nog staat en de andere steengruis is?' vroeg Mattia.

'Dat ligt eraan hoe dicht ze bij ground zero lag.'

'Wat is ground zero?'

'Het punt van de inslag', verduidelijkte Boran. 'De plek waar een kernbom ontploft is. Zelfs de mensen in de schuilkelders hebben nooit een kans gehad.'

'Dan moet ground zero hier dicht bij zijn', dacht Mattia hardop.

'Yep. En het ligt op onze reisroute', voegde Leslie eraan toe.

Boran wou vragen hoe ze dat wist, maar zag nu ook in de verte de heuvels opdoemen. Het waren natuurlijk geen echte heuvels, maar enorme hopen opgeworpen zand en puin, waaruit betonnen balken en verwrongen ijzers staken als de poten van een dood insect.

Leslie en de jongens beklommen de flank en bovenop de heuvelkam hadden ze een adembenemend uitzicht.

'Wauw!'

Alleen Leslie tuurde zwijgend naar de gigantische krater, die daar lag als een bevroren kring in het water. In het centrum van de krater, zo'n kilometer verderop, lag een klein heuveltje dat Mattia aan een tepel deed denken. Het was de plek waar de raket tot ontploffing was gekomen en waar de gevreesde paddenstoelwolk was opgerezen als een grijze broccoli. Het was het absolute nulpunt van waaruit de vuurstorm in een perfecte cirkel was uitgedeind over de stad en alles en iedereen op haar pad tot stof en as had herleid. De vernietigende krachten die hier aan het werk waren geweest, gingen ieders voorstellingsvermogen ver te boven. Hoe de stad waarop deze bom was gevallen ooit had geheten, wist niemand meer. De naam was, samen met de stad zelf, letterlijk weggewist uit de geschiedenis, vermalen tot stof en bedolven onder zand tot het einde der tijden.

'Sorry, Boran', zei Leslie stil. Het was duidelijk dat de reis hier stopte. De truck kon niet over de steile kraterwand heen. Ze moesten eromheen rijden en dat betekende een omweg van verschillende kilometers, die de ingehaalde achterstand volledig teniet zou doen.

Boran keek Leslie ontsteld aan. 'We gaan door!' zei hij verbeten.

'We kunnen niet!' antwoordde ze bars.

'Met mijn reactorbrommer kan ik erdoor', kwam Mattia tussenbeide.

Leslie draaide zich naar hem toe en fronste haar wenkbrauwen.

'Je bent niet goed wijs, knul. Je loopt een dodelijke dosis straling op!'

Iedereen wist wat dat betekende. Binnen een week lag je morsdood, te midden van je eigen opgehoeste bloed.

'De straling is allang niet meer zo hoog als honderd jaar geleden', wist Boran. 'Als we snel genoeg zijn, kunnen we het er zonder kleerscheuren vanaf brengen.'

'Wie zijn 'we'?' vroeg Leslie.

'Mattia en ik. Hij kan de kaart op zijn rug toch niet zien?'

'Dat is zelfmoord en ik verbied het jullie!'

'Jij kunt ons niks verbieden!' antwoordde Boran.

'O, jawel. Ik ben volwassen en ik heb het volste recht om jullie iets te verbieden voor jullie eigen bestwil.'

Boran staarde haar woedend aan met tranen in zijn ogen. 'Maar niet voor mijn moeders bestwil!' riep hij.

'Je moeder ligt vast al ergens dood langs de weg!' antwoordde Leslie en realiseerde zich meteen dat ze te ver ging. Te laat. Boran rende snikkend de heuvel af.

'Knap werk!' beet Mattia haar toe en hij rende achter Boran aan.

De jongen zat met opgetrokken knieën op het koppelings-zadel van de trekker en staarde met betraand gezicht naar de sporen van de truck in het zand.

'Hei, huilebalk! Help je me nog?'

Boran keek om en zag Mattia worstelen met het touw dat zijn reactorbrommer aan het frame van de trekker bond. Met zijn tweeën lukte het om het zware ding van de truck te rollen en even later zat Mattia wijdbeens in het zadel en startte de straalmotor.

Leslie en Kia kwamen aangerend.

'Mattia, zet die motor af!' beval Leslie.

De jongen deed of hij het niet hoorde en dreef het toerental op, zodat Leslies woorden verdronken in het gegil van de turbine.

Leslie liep naar hem toe en toen ze vlak naast hem stond, keek de jongen op.

'Mattia, jullie gaan er allebei aan. En als jullie de straling al overleven en jullie halen het tot Westereind, maakt de Cycloop jullie af als beesten!'

273

'Dan is het maar zo', antwoordde Mattia. 'Maar ik zal niet sterven met het gevoel dat ik een vriend in de steek heb gelaten op het moment dat hij me het hardste nodig had.'

Leslie zweeg. Dat was een argument waar ze niets tegenin kon brengen. Ze stak haar hand in haar broekzak en diepte een papierpropje op dat ze openvouwde in haar handpalm. Erin zaten twee pilletjes, die Boran meteen herkende als kaliumjodidepillen.

'Hier. Neem er elk eentje', zei ze. 'Ze beschermen jullie voor een stuk tegen de straling.' De jongens slikten de pillen door met een slok water.

Bliksem sprong uit gewoonte achterop de reactorbrommer, maar Mattia nam zijn viervoetige vriendje in zijn armen en gaf hem aan Kia.

'Jij geeft al genoeg licht in het donker', zei hij tegen de wasbeer.

Bliksem keek zijn baasje niet-begrijpend aan met zijn zwarte kraaloogjes.

'Ik zal goed op hem letten', verzekerde Kia.

Leslie stak haar duim omhoog om de jongens geluk te wensen.

Boran omklemde Mattia stevig toen de straalmotor met een schok wegschoot, de heuvel op en weer naar beneden de bomkrater in.

Leslie en Kia klommen opnieuw de kam op en keken hoe de minuscule stofwolk zich langzaam verwijderde naar het centrum toe.

'Domme jongens', zuchtte Leslie en een traan rolde over haar wang.

Kia drukte Bliksem tegen zich aan en deed een wens.

13. WESTEREIND

Boran keek niet achterom. Dat had het leven hem geleerd. Misschien zou hij Leslie en Kia nooit meer terugzien. Mattia had de ingebouwde geigerteller van de reactorbrommer ingeschakeld en Boran telde in stilte de elektronische tikjes, die elkaar bij elke voorbijschietende meter sneller en sneller opvolgden. En hoe sneller ze elkaar opvolgden, hoe hoger en hoe gevaarlijker de radioactieve straling. Stralen die je niet zag of voelde, maar die de celstructuur van je lichaam onherstelbaar beschadigden. Stralingsziekte kreeg je ervan, met een vreselijke dood tot gevolg. Of als je minder geluk had, een of andere kanker die je levend verteerde. De stralingsdosis werd in rad uitgedrukt. Onder de honderd rad was er geen enkel gevaar, boven de tweehonderdvijftig was je ten dode opgeschreven.

Ook Mattia hield het display van de geigerteller in het oog. De cijfers wisselden steeds sneller en overschreden al snel de kaap van vijftig rad.

Wat als Boran zich had vergist? Wat als de straling hier toch nog gevaarlijk hoog was?

Boran keek over de schouder van zijn vriend naar het opgloeiende display dat nu drieënzestig aanwees. Het leek sneller en sneller te gaan. Ze hadden al zo'n vijfhonderd meter achter de rug, maar nu al zat de stralingsdosis boven de helft van wat mocht!

Het zenuwachtige tikken van de geigerteller versnelde, samen met het cijfer op het display. Vijfentachtig... zesentachtig... achtentachtig... éénennegentig!

Het heuveltje in het centrum van de krater, was nog een eind weg. Veel te ver om onder de honderd rad te blijven. Stel dat Mattia's reactorbrommer weer stilviel, zoals hij in de bedding van de rivier had gedaan!

Zonder een kik ging de geigerteller over naar honderd, ... honderdenvier, ... honderdenacht, ... honderdenelf, ...

Boran sloot zijn ogen en probeerde zijn angst te verbijten. Hij kon bijna voelen hoe de biljoenen stralingsdeeltjes zijn huid binnendrongen en hard in botsing kwamen met zijn eigen cellen. Ravage, vernietiging, bloed... Hij voelde een golf van misselijkheid opkomen. Was dat niet één van de symptomen van stralingsziekte?

'We zijn erover, Bor!' riep Mattia ineens.

'Ik weet het!' Boran had nog steeds zijn ogen dicht en beeldde zich de groen oplichtende cijfers van de geigerteller in, die nu waarschijnlijk de tweehonderd naderde.

Hij opende zijn ogen en zag dat Mattia niet de grens van de honderd rad had bedoeld, maar het middelpunt van de inslagkrater.

'We zijn erover!' schreeuwde Boran opgelucht, zodat Mattia erom moest lachen.

De geigerteller telde weer af. Onder de cijfers stond de maximale stralingsdosis die ze hadden bereikt. Honderdvijfenveertig. Het was nipt, maar al met al zouden ze er waarschijnlijk alleen maar wat grieperige kwaaltjes aan overhouden.

Boran genoot dan ook opgelucht van de rest van de rit door de krater.

Met een flinke vlam uit de uitlaat, reed de reactorbrommer de kraterwand op. Boven stopte Mattia zijn machine en keek lachend naar Boran. 'Je ziet er stralend uit, joh!'

De jongen lachte. Hij voelde zich in elk geval een heel stuk beter dan daarnet.

Het was al een stuk na de middag en de beproeving in de bomkrater lag al een poosje achter hen. De reactorbrommer schoot door het landschap, met een wolk van stof achter zich aan. De verstikkende hitte werd een beetje verdreven door een koele wind, die hen recht in het gezicht blies. Een bries, zoals Boran er nog nooit een had gevoeld. Niet alleen was de lucht aangenaam koel, zoals bij de ingang van de meterootunnel, maar hij smaakte ook zout in zijn mond, zout en vochtig.

Na een poosje leek het net of de horizon verdween, alsof ze de rand van de wereld naderden en elk moment voor een gapende, oneindig diepe afgrond zouden komen te staan. Die indruk had Boran toen de kloof wel degelijk dichterbij kwam. Maar Mattia remde niet af. En daar was de horizon weer. Nee, geen kale vlakte of vernietigde steden, maar een onmetelijke watervlakte, die zich uitstrekte zover het oog kon zien, en die de blauwe lucht aan de kim scherp afsneed. Golven overspoelden het blanke strand of beukten verderop tegen de bovenste verdiepingen van de flatgebouwen, die na het smelten van de poolkappen waren overspoeld. Langs de kustlijn stonden de resten van een verloren beschaving.

Huizen, hotels, appartementsgebouwen, lege hulzen als harmonica's bespeeld door de wind. Het zeewater weerkaatste de zon door de griezelige ruïnes, waardoor het even leek alsof er leven opflakkerde achter de zwarte ramen. Boran had foto's en ansichtkaarten gezien van de zee, van hoe het vroeger was en in zijn fantasie zag hij het strand overspoeld door dagjesmensen met kleurige parasols, kinderen op roller-skates en surfers in de branding. Langs de ruïnes liep de weg als een grijs lint. Nergens was een spoor te zien van de Cycloop. Mattia zette de reactorbrommer aan de kant en de straalmotor stierf uit.

'Misschien ligt het aan mijn ogen,' zei hij, 'maar ik zie geen ontziltingsinstallatie.'

'Ze moet in de buurt liggen. Mag ik de kaart nog eens zien?'

'Als je niet kietelt.'

Boran trok de achterzijde van Mattia's T-shirt omhoog om de kaart te ontbloten.

'Shit!'

'Wat?'

'Je zweet!'

'Ja, raar hè, in die hitte?'

'De kaart is uitgelopen!'

Borans vinger dwaalde over een abstract landschap van zwarte vegen op Mattia's bruine huid. Hij probeerde zich tevergeefs te herinneren hoe de kaart eruit had gezien.

'We kunnen hoogstens maar een paar graden afgeweken zijn. Dan moeten we de weg verder naar links volgen, ik bedoel... naar het zuiden...'

Maar toen kwam hij aan Mattia's rechterschouderblad en

daar liep het grafiet in wazige lijnen naar beneden.

'Moet ik nu sorry zeggen omdat ik zweet, zoals ieder gezond mens?' vroeg Mattia terwijl hij zijn T-shirt weer liet zakken. 'Je had het toch wel kunnen bedenken toen je de kaart zo stiekem met potlood op mijn rug overtekende?'

'Oh, nu is het mijn schuld!' riep Boran boos.

'De mijne in elk geval niet!'

'Zonder mij hadden we niet eens een kaart!'

'Zonder mij lag je te composteren in de zon!'

Boran zweeg en voelde zich meteen erg stom. Hoe kon hij ruzie maken met Mattia, zijn bloedbroeder, die zijn leven waagde om hem te helpen zijn moeder terug te krijgen?

'Het spijt me, Matt', zei hij ten slotte. 'Het is gewoon een stom voorval.' Hij stak zijn hand met de wond uit naar Mattia. 'Bloedbroeders?'

Mattia knikte en legde zijn hand op die van Boran. 'Bloedbroeders. Maar daarmee zijn we nog geen stap verder.' Hij liet zijn hand zakken en keek naar de ruisende zee. 'Naar het zuiden zei je?'

'We zitten er misschien maar een paar kilometer naast.'

'Weet jij hoe zo'n ontziltingsinstallatie eruit ziet?'

Boran schokschouderde. 'Ik denk dat we naar andere sporen moeten zoeken.'

'Welke sporen?'

Opnieuw haalde Boran zijn schouders op, want hij wist ook niet welke andere sporen dat waren.

Op de harde asfaltweg dreef Mattia de reactorbrommer tot het uiterste en Boran omklemde hem stevig terwijl ze over de weg scheurden. De wind verjoeg meteen de kleverige hitte en het zweet op hun lichaam.

Beide jongens keken uit naar sporen die niet thuishoorden in het landschap.

Al snel lieten ze de ruïnes achter zich en reden hogerop, waar de zee het land nog niet had overspoeld. Ze reden langs duinen met verdord gras, dat zachtjes meedeinde met de zeebries. Hier lagen vroeger natuurgebieden, broedplaatsen voor zeldzame vogelsoorten, die nu ook finaal het loodje hadden gelegd.

Plotseling greep Boran Mattia stevig bij de schouder en gilde heel hard: 'Stop!'

Mattia kneep zijn remmen dicht en de reactorbrommer kwam glijdend over het wegdek tot stilstand.

'Wat is er?' vroeg Mattia geschrokken.

'Ik zag iets blinken, daar in de duinen!'

'Wauw, we gingen bijna over kop omdat je een gebroken fles hebt gezien?'

'Het was geen fles!'

Mattia zette de reactorbrommer aan de kant en rende achter Boran aan, een paar honderd meter terug. Nu zag hij het ook. Het zonlicht weerkaatste in iets dat in de duinen begraven lag.

'Dat is gewoon een spiegel, of een stuk glas van de ontploffing, Bor. Ik heb verhalen gehoord van grassprietjes die dwars door bakstenen muren heen gingen. Het is dus best mogelijk dat een badkamerspiegel in de schokgolf tot hier is gevlogen.'

Maar Boran luisterde niet meer en rende verder de duinen in.

'Boran! We hebben geen tijd!' riep Mattia hem achterna, maar Boran hoorde het niet. Mattia sloeg zijn ogen ten hemel en volgde zijn jongere vriend. De prikkeldraad, die het natuurreservaat tegen toeristen moest beschermen, was zo erg verroest dat hij gewoon verpulverde toen Boran hem aanraakte.

'Boran!' riep Mattia opnieuw.

Boran bleef stilstaan en wachtte tot zijn vriend hem hijgend inhaalde.

'Denk aan je moeder, Boran!'

Maar de jongen zei niets en grijnsde breed, waarop hij verwoed de zandduin begon te beklimmen.

'Het is gebeurd', zuchtte Mattia. 'Hij is compleet gek geworden!'

Maar toen zag hij waardoor Boran volhardde. Het blinkende voorwerp was geen spiegel, daar was het veel te groot voor. Het was een grote, zwarte glazen plaat.

'Een zonnecollector', verduidelijkte Boran. 'En kijk daar!'

Hij wees naar de diepte aan de andere kant van de heuvel. Daar beneden liep een enorme buis dwars over het strand en verdween er in de branding. Mattia zag nu ook de ruïnes in de verte en de bocht die het strand maakte, net zoals hij zich herinnerde van de kaart. Het was moeilijk te geloven, maar alles klopte.

Boran begon met zijn handen het zand van de zonne-collectoren weg te vegen, in de hoop een of ander luik te vinden. Mattia liet hem begaan en liep over de betonnen richel waarin de zonnecollectoren waren verankerd, naar de andere zijde van de duin en zag dat de oplossing veel meer voor de hand lag. Onder hem stak de rest van het gebouw onder het zand uit, een betonnen bunker met een deur, die van onderaf bereikbaar was via een trap. De jongens gleden door het mulle zand naar beneden tot op het dak van de bunker en lieten zich vervolgens langs een regenbuis tot op het platform voor de deur zakken. Ze stond open en het zand had zich door de jaren heen in de doorgang opgehoopt.

'We zijn de eersten', fluisterde Mattia.

Boran zei niets en hoopte dat Mattia gelijk had.

Binnen was het stikdonker en ijselijk stil. Het enige licht scheen door de deuropening naar binnen en wierp de schaduwen van de jongens languit voor hun voeten over een metalen rooster. Ze liepen achter elkaar en elke stap galmde als een kerkklok. Boran voelde Mattia's tastende hand op zijn rug.

'Ik zie geen hand voor ogen', klaagde Mattia.

Borans ogen raakten al een beetje gewend aan het duister en hij bleef met een schok staan toen hij twee groene lichtjes zag priemen in het duister.

'Stil, Matt!' fluisterde hij gealarmeerd. Mattia had ze ook gezien en beide jongens grepen bliksemsnel hun kruisbogen en richtten ze op de lichtjes. Het waren er geen twee, maar veel meer, ook rode en gele. Sommige flikkerden onregelmatig aan en uit, alsof ze elk moment de geest konden geven. Boran lachte opgelucht zijn angst weg, toen hij de schakelaars en hendels zag en de gele driehoek waar een zwarte zigzaglijn op stond. De lichtjes zaten op een schakelkast. Op goed geluk haalde hij een van de schakelaars over en ergens uit de zwarte diepte klonk een dreun. Het volgende moment flitsten overal langs de muur kleine gloeilampen aan, die alles in een gelig schijnsel hulden.

Boran en Mattia stonden hoog op een stalen brug boven een immense ruimte van wel honderd meter lang en tientallen meters breed. In een stalen frame langs de muur stonden verschillende condensorvaten, in twee verdiepingen boven elkaar. De platforms waren met elkaar verbonden door ladders. In het midden van de ruimte stond een rij van vijf stoomturbines, zo groot als vrachtwagens en krachtig genoeg om een hele stad van elektriciteit te voorzien.

'Wauw!' zuchtte Boran bijna onhoorbaar.

'Daarom heeft nooit iemand de installatie gevonden!' lachte Mattia. 'Ze ligt onder de grond!'

'Kijk, Matt! Het is ook een elektriciteitscentrale! Geen wonder dat iedereen ernaar op zoek is!'

De jongens gingen de trap af en gaven hun ogen de kost. Hier had Renco dus het idee vandaan voor de waterkrachtcentrale in de uitspanning, dacht Boran.

Ze vonden een deur met het woord Controlekamer erop. Eigenlijk was het een controlezaal, zo groot als de entree in Ken Rido's paleis. Het enorme controlepaneel bedekte de hele wand en was bezaaid met honderden knopjes, lichtjes, wijzers en schakelaars. Achter een van de controletafels voor een computerscherm, lag een figuur in een witte laboratoriumjas. Hij moest er al een eeuwigheid liggen, want een dikke laag stof bedekte zijn gekromde rug en kleurde zijn zwarte haren muisgrijs. Oude en nieuwe spinnenwebben hingen van zijn armen, maar het meest eigenaardige van al was dat de man na al die jaren er nog steeds springlevend uitzag en alleen maar een dutje leek te doen. Zijn wangen hadden een gezonde blos en hij staarde met wijd open ogen en een idiote uitdrukking naar de twee nieuwkomers.

'Een robot', wist Mattia meteen. 'Hij is waarschijnlijk nog een jaar of vijftig op de knopjes blijven drukken tot zijn energiecellen het begaven.'

Boran zweeg en vroeg zich af of deze artificiële mens zichzelf ook gevoelens had aangeleerd of een ouder type was, zoals de huisrobots van Ken Rido.

Mattia bestudeerde het ingewikkelde veld van knoppen, hendels en wijzerplaten.

'Als dat ding aanstaat, zien we misschien hoe het werkt', stelde Boran voor.

'Maar hoe zet je dit aan?' vroeg Mattia zich af.

'Er is vast nog ergens een schakelaar!' Boran spurtte de controlekamer uit. Mattia wou nog zeggen dat hij hier zou wachten - hij kon ook niet anders -, maar Boran was al uit het zicht verdwenen.

Overal flitste het licht aan en het controlepaneel kwam tot leven. Lichtjes floepten aan en wijzertjes bewogen, computers startten op en de ventilatoren bliezen een mistige stofwolk naar buiten.

Diep in de ingewanden van het gebouw begonnen pompen te draaien en er klonk geruis van water, veel water, honderdduizenden liters die door de buizen stroomden. De stoomturbines begonnen te draaien met een oorverdovend gehuil, als van een sirene.

Mattia rende verbaasd de controlekamer uit en zag nu dat de volledige ruimte in fel wit licht baadde dat weerkaatste op de glanzende buizen en machines.

'Perfect, Boran!' riep hij luidkeels, in de waan dat zijn vriend het kon horen. Ja, daar kwam al iemand achter de turbines tevoorschijn, maar Mattia's glimlach verdween en zijn ogen werden zo groot als de lens van het ene elektronische oog waarmee de Cycloop hem aanstaarde. Het harnas van de gevreesde piratenleider schitterde in het licht van de buislampen als het koetswerk van een pas in de was gezette limousine en het gesofistikeerde systeem van spiegeltjes en lenzen binnenin zijn artificiële oog deden het oplichten als een kattenoog.

In zijn linkerhand, ter hoogte van zijn dij, droeg de Cycloop een automatisch geweer.

Als de bliksem greep Mattia naar zijn kruisboog, maar een felrood lichtpuntje, afkomstig van de laserzoeker van de M4, gloeide op zijn voorhoofd.

'Je bent dood voordat die pijl me raakt, jochie', riep de Cycloop boven het kabaal van de turbines uit. Hij had Mattia perfect onder schot en de jongen vermoedde dat de man deze keer waarschijnlijk niet in zo'n gulle bui zou zijn.

Boran was net langs de turbines gerend, toen alles om hem heen tot leven was gekomen. Mattia had dan toch de schakelaar gevonden, dacht hij en hij stond op het punt om terug te keren, toen het geluid van stromend water zijn nieuwsgierigheid prikkelde. Het was een geluid vol kracht, zo luid dat het het gehuil van de turbines overstemde: tienduizenden liters water die neerstortten in een kolkende massa. Boran rende een loopbrug over en daalde een trap af, naar de deuropening van waaruit het geluid kwam. Hij kwam terecht in een ruimte met kleedkamers en een ontspanningslokaal en verderop was nog een trap. Toen Boran de betonnen treden afdaalde, kwam hij bij een nieuwe loopbrug, die boven een gigantisch reservoir liep.

Uit een brede buis aan het andere eind, spoot vers drinkwater, dat het reservoir langzaam opvulde. Boran steunde op de reling en boog voorover om te kijken hoe diep het was. Een koude, vochtige mist van waterdruppeltjes waaide in zijn gezicht en deed hem zin krijgen in een frisse duik.

Toen zag hij haar en even leek het alsof zijn hart stilstond. Zijn maag kromp samen van angst.

'Mama!' wilde hij roepen, maar de woorden kwamen eruit als lucht en verdronken in het kabaal. Daar hing zijn moeder, haar handen op de rug gebonden, bungelend aan een lang touw dat onderaan de loopbrug was vastgemaakt. Een zwaar stuk beton aan haar voeten moest haar onder houden als het water hoog genoeg was gestegen. Als hij haar zou losmaken, zou ze vallen en meteen naar de bodem zinken. Hij had Mattia nodig en meteen besefte Boran dat ook zijn vriend in gevaar was. De keuze verscheurde hem, maar het water steeg gelukkig niet al te snel.

'Hou vol mama!' riep Boran zo hard hij kon, maar ze kon hem niet horen.

De Cycloop kwam dichterbij en Mattia zette een stap achteruit. De jongen had zijn kruisboog laten zakken en hield het wapen aan één hand naast zijn lichaam, wachtend op een kans.

'Je bent verslagen', riep Mattia koelbloedig. 'Zonder je mannetjes ben je niks waard!'

'Denk je dat, knaapje?' grijnsde de Cycloop. 'Jij hebt de neiging om mensen te onderschatten. Kijk eens om je heen...'

Mattia hield zijn blik strak op de piratenleider, niet van plan om zich te laten afleiden.

'Wat zie je? Water...', vervolgde de Cycloop. 'Wie water heeft, heeft macht. Mensen zijn bereid te moorden voor een druppel water. Ze zullen mij aanbidden als een god in ruil voor een rantsoen en ik zal opnieuw een leger hebben, sterker en meedogenlozer dan het stelletje sukkels dat nu hun verdiende loon heeft gekregen. Maar voor het zover is, vallen er nog een paar kleine hindernissen op te ruimen...'

Boran spurtte door de grote hal en toen hij de Cycloop zag, dook hij meteen weg achter een van de brede stalen balken die de condensorvaten ondersteunden. Met zijn kruisboog probeerde hij de man onder schot te krijgen, maar dat bleek niet zo evident tussen al die buizen en machines. Hij moest een goed afleidingsmanoeuvre bedenken! Maar hoe kon hij de Cycloop afleiden zonder zelf schietschijf te worden? De jongen keek om zich heen en omhoog naar de buislampen, die langs de muur en de stellingen waren bevestigd. Het was het proberen waard. Met vaste hand richtte Boran zijn boog naar een van de lampen en drukte af. De bout suisde achter de Cycloop door en sloeg met een knal de buislamp aan scherven. De piratenleider keek met een ruk om en vuurde een salvo af op de muur achter hem.

Het geweer vuurde automatisch een salvo van drie kogels af, die zwartgerande kraters sloegen in het beton. Dat was Mattia's kans. De jongen legde zijn kruisboog aan en vuurde zonder echt te mikken. De bout boorde zich met een smak dwars door de bovenarm van de Cycloop. De man draaide zich woest om, maar de jongen was al spoorloos.

Met zijn vrije hand greep de Cycloop de stalen kruisboog-
bout en trok hem met één ruk uit zijn arm, zonder een spier
te vertrekken. De bloederige pin viel rinkelend op de vloer.
'Ik vind jullie wel!' brulde hij woedend. 'En dan zullen
jullie kennis maken met een nieuwe definitie van pijn!'

Dat hoorde Boran natuurlijk niet boven het gehuil van
de turbines, maar hij zag de Cycloop wel zijn richting uit
kijken. De computer in zijn brein, die het artificiële oog
bediende, had vliegensvlug het traject van Borans kruisboogbout berekend en de jongen vond het beter voor zijn
gezondheid om te maken dat hij wegkwam. Half gebukt
glipte hij achter de stalen buizen door, maar plotseling
greep iemand zijn enkel vast. Mattia zat in een ondiepe
put onder een van de condensorvaten. Boran liet zich ook
in de opening zakken en hurkte naast Mattia onder de
hete cilinder. Hier was het lawaai een stuk minder en de
jongens konden elkaar verstaan.

'Bedankt', zei Mattia. 'Waar bleef je zolang?'

'Ik heb mijn moeder gevonden', zei Boran. 'Ze hangt
vastgebonden boven een watertank!'

'En die loopt nu vol', vulde Mattia logisch aan, terwijl
hij zijn kruisboog herlaadde.

Boran knikte. Ze keken allebei door de opening onder het
condensorvat naar buiten. De Cycloop liep langzaam door de
hal, terwijl zijn ene lensoog nauwlettend in het rond scande.

'Oké', besloot Mattia vastberaden. 'Ik leid eenoog af, jij
gaat je moeder bevrijden. Hier...' Hij gaf Boran zijn jagersmes.

Boran wou zeggen dat hij gek was, maar Mattia snoerde
hem letterlijk de mond met zijn hand.

'Waag het niet om achter me aan te komen! Beloof je dat?'

Boran knikte met een gesmoord 'Mmh, mmh' en Mattia nam zijn hand weg. Toen deed hij iets wat Boran nooit van hem had verwacht. Hij boog voorover en gaf hem een kus.

'Bloedbroeders!' fluisterde hij.

'Bloedbroeders,' antwoordde Boran verward. En in een flits was Mattia verdwenen.

De Cycloop zag de jongen omhoogklimmen op de ladder langs de condensorvaten. Hij richtte, maar liet zijn geweer opnieuw zakken, want de kans om het vat te raken was te groot. Het joch was slimmer dan hij dacht. Hij ruilde zijn geweer voor zijn revolver en klom achter de jongen aan. Met een kleiner vuurwapen kon hij beter richten.

Nu de Cycloop was afgeleid, klom Boran onder het condensorvat uit en met Mattia's mes in zijn hand, rende hij langs de turbines. De kus vervulde hem met een diepe bezorgdheid, want dit leek verdacht veel op afscheid. Een kus die een vader aan zijn zoon gaf als hij wist dat ze elkaar misschien nooit meer zouden zien. En nu hij Mattia naar het volgende platform zag klimmen, met dat meedogenloze monster op de hielen, kreeg Boran het onbehaaglijke gevoel dat het exact dat soort kus was dat Mattia hem had gegeven.

Mattia bereikte de tweede verdieping van het frame waarin de condensorvaten rustten. Hier hield de ladder op. Dat had de Cycloop ook gezien en hij vertraagde zijn pas als een kat die een angstige muis in het nauw drijft. Mattia rende langs de hete wand van het condensorvat naar achteren en kwam bij een reling met daarachter een diepte van zeker zes meter. De jongen draaide zich met een ruk om en zag de

Cycloop boosaardig grijnzend met de revolver in de aanslag zijn richting uitkomen. Het hele platform weergalmde onder de zware laarzen van de man. Hij had de jongen achter het condensorvat zien kruipen. Het joch kon geen kant meer uit en zat ongetwijfeld in elkaar gedoken, bevend van angst, op zijn dood te wachten.

Maar dan kende hij Mattia nog niet. Als een slang kroop de jongen helemaal achter de hete aluminium cilinder door in de tegenovergestelde richting, zodat hij nu achter zijn achtervolger uitkwam. Hij kon het zelf nauwelijks geloven en dankte zijn beschermengel. Zonder waarschuwing en met een triomfantelijke grijns vuurde hij zijn laatste kruisboog-bout af op de rug van de Cycloop, ter hoogte van zijn hart.

Het projectiel ketste af tegen het stalen harnas en viel rinkelend op het stalen platform. Mattia's adem stokte toen de piratenleider zich omdraaide en hij wist op dat moment dat deze fout zijn laatste was.

Uit de losse pols richtte de Cycloop zijn revolver en haalde de trekker over. De knal vermenigvuldigde zich in een scherpe echo, die secondenlang door de immense ruimte bleef galmen.

De kogelinslag wierp Mattia naar achter, alsof iemand hem een harde vuistslag verkocht. Hij viel achterover, landde met een dreun op het platform en bleef roerloos bleef liggen.

Boran had alles gezien en wilde het uitschreeuwen, maar zijn keel snoerde dicht. Tranen liepen langs zijn wangen naar beneden, maar Boran beet op zijn tanden en wiste zijn ogen droog tegen zijn schouders. Mattia was dood en mams zou de volgende zijn als hij niets ondernam. Woede, angst, haat en vooral verdriet borrelden binnenin hem als kokend lood.

Het leek wel of zijn lichaam te klein was geworden voor al die gevoelens en elk moment kon ontploffen.

Bedaard stak de Cycloop zijn revolver weg en stapte koel over Mattia's lichaam. Hij draaide zijn hoofd en zijn lens bleef in Borans richting stilstaan. De jongen dwong zichzelf om het op een rennen te zetten en zigzagde door de hal om de Cycloop het richten te bemoeilijken. Maar die maakte geen aanstalten om op hem te schieten. Hij had alle tijd. Waarom zou hij het spelletje zo snel beëindigen? Hij greep een buis die langs de stelling loodrecht naar beneden liep, en liet zich soepel naar beneden glijden.

Boran rende zo hard hij kon naar de deur, waarachter de kleedkamers lagen. De tranen in zijn ogen vertroebelden zijn zicht, zodat hij ze met de rug van zijn hand moest wegvegen.

De Cycloop ging in fikse pas achter de jongen aan. Weldra zou ook dit knulletje in de val zitten en kon hij genieten van de angstige blik op het jongensgezicht, net voor hij het kind een kogel door de kop joeg.

Boran wist dat hij in de val zou lopen als hij naar het reservoir zou gaan voor zijn moeder. Hij sloeg dus linksaf en rende kriskras door gangen en lege kamers, wanhopig op zoek naar een schuilplaats. Hij schopte een van de deuren open. Een schrijftafel, een kast, een computer, ... waar hij zich ook zou verbergen, de Cycloop zou hem hoe dan ook vinden.

'Je kunt je niet eeuwig blijven verstoppen, jochie', riep een stem akelig dichtbij. Ze leek hier wel uit alle richtingen te komen! 'Vroeg of laat vind ik je en dan zul je wensen dat ik je had doodgeschoten, net als je vriendje. Snel en pijnloos.'

Boran beefde van angst en hij had veel zin om in een hoekje te gaan zitten grienen, maar dat mocht hij niet doen, dat kon hij niet doen! Hij vond een glazen deurtje in de muur, waarachter een opgerolde brandslang zat. Met een stoel gooide hij de ruit aan scherven, rolde bliksemsnel de slang af en sneed ze door met Mattia's mes. Natuurlijk had de Cycloop dat gehoord en stevige voetstappen kwamen snel dichterbij. Zo goed en zo kwaad als het ging, rende Boran de gang verder door met zijn zware last. Hij hoorde de voetstappen van de man kraken op het glas.

En ineens was hij terug waar hij vandaan kwam. Aan zijn linkerkant ging de trap naar beneden, naar het reservoir. Hij luisterde aandachtig, maar het was stil. Geen voetstappen meer. De Cycloop dacht misschien dat hij weer de hal in was gevlucht. Terwijl hij zich met zijn ene hand aan de leuning vasthield en met de andere de opgerolde brandslang op zijn schouder hield, ging hij de trap af.

Het water was al flink gestegen en reikte Nalea al tot aan de schouders. Gedwongen om omhoog te kijken, zag ze haar zoon deze keer wel. Dolgelukkig probeerde ze zijn aandacht te trekken, haar stem gesmoord door de prop in haar mond. Boran knielde neer op de ijzeren loopbrug, legde de brandslang naast zich neer en bond het afgesneden uiteinde om de reling. Hij verstarde toen hij de voetstappen op de trap hoorde. Tot zijn ontzetting drong het tot hem door dat hij toch in de val was gelopen!

De Cycloop stormde de loopbrug op met zijn geweer in de aanslag, maar er was geen levende ziel te bekennen, op zijn gevangene na, voor wie de dood zienderogen dichterbij kwam.

Maar hij grijnsde toen hij de brandslang zag, die stevig was vastgesjord aan de reling en drie meter lager in het water bungelde.

'Dom rotjochie!' grijnsde de Cycloop in zichzelf. Hij leunde over de reling, maar zag geen spoor van Boran. Toen wist hij dat het verwenste jochie toch niet zo dom was.

Hij draaide zich langzaam om en daar stond Boran, met zijn kruisboog in de aanslag, een scherpe bout in de groef. De piratenleider kneep er een vals lachje uit en had al een plan klaar om het naïeve jongetje in de val te lokken. Maar Boran was niet meer het kleine jongetje dat met zijn moeder meereisde van uitspanning naar uitspanning en onderweg zijn vraagstukken oploste. En naïef was hij allang niet meer. Hij had nu nog maar twee dingen voor ogen: overleven en wraak nemen.

'Jouw naam is Boran, is het niet?' De stem van de Cycloop klonk bedaard en verdacht vriendelijk.

Boran antwoordde niet, maar bleef de man kil aanstaren.

Het water had Nalea's mond bereikt en de vrouw probeerde wanhopig haar neus boven te houden.

'Je kunt je moeder nog redden, Boran. Gooi je kruisboog weg en toon dat je om haar geeft.'

Maar Boran hield zijn tanden op elkaar geklemd. Bittere tranen stroomden nu over zijn wangen, waarop hij nog steeds Mattia's kus voelde branden.

'Mijn beste vriend was jouw laatste slachtoffer, klootzak!'

En nog voor de Cycloop zijn mond kon openen om te antwoorden, haalde de jongen koelbloedig de trekker over. De piratenleider bleef gedurende een tiende seconde verrast staan, tot de bout zijn doel bereikte en zich met een vlezige smak diep in zijn buikstreek plantte, nog geen centimeter onder zijn harnas.

De lens zoemde zacht terwijl hij de elfjarige jongen voor hem verbaasd aankeek.

Het automatische geweer kletterde op de loopbrug en de Cycloop greep naar zijn buik met beide handen. Bloed welde op tussen zijn vingers en drupte door het rooster van de loopbrug in het water. De machtige Cycloop wankelde, probeerde zich nog aan de reling vast te grijpen, maar duikelde erover en kwam met een plons in het water terecht.

Boran gooide zijn kruisboog op de brug, klom op de reling en liet zich zonder aarzelen ook in het water vallen. Nalea was net kopje onder gegaan en het was een kwestie van seconden. Ook Boran ging kopje onder, maar stootte zich af met zijn benen, zodat hij weer boven kwam. Het was een instinctieve beweging, net zoals bij baby's of andere dieren die voor het eerst in het water terechtkomen. Misschien kwam het juist omdat Borans instinct de laatste jaren steeds meer naar de oppervlakte was gekomen dat hij kon zwemmen zonder het ooit geleerd te hebben? Maar nu had hij geen tijd om zich vragen te stellen. Boran nam diep adem en dook onder in het langzaam rood kleurende water. Met Mattia's mes sneed hij het touw door waaraan het stuk beton hing dat zijn moeder naar beneden trok. Daarna sneed hij haar boeien door en samen klommen ze langs de brandslang naar boven, waar Nalea uitgeput op de brug viel. Moeder en zoon omhelsden elkaar innig en Nalea overlaadde haar jongen met kussen.

'Ik heb toch beloofd dat ik je zou komen halen, mam!' Nalea sloot haar zoon opnieuw in haar armen en drukte haar hoofd in zijn nek.

13. Arendsveer en Hondenpenningen

Boran knielde stil naast Mattia's lichaam. Was dit de prijs die hij moest betalen om zijn moeder terug te krijgen? Nalea kwam dichterbij, maar durfde zich niet in het verdriet van haar zoon te mengen.

'Het is onrechtvaardig', snikte Boran zacht en hij sloot de hand van zijn vriend in de zijne. Hij had een ijskoude hand verwacht, maar Mattia's hand voelde gezond warm en zelfs een beetje klam van het zweet! In zijn T-shirt zat een kogelgat, maar nergens was een druppel bloed te bekennen. Boran tastte Mattia's lichaam af op zoek naar verwondingen, terwijl een groeiende opwinding van hem bezit nam.

En ja, Mattia sloeg zijn ogen op en grijnsde hem toe.

'Ik weet dat je me aardig vindt, Bor, maar je moeder staat te kijken.'

'Mattia!' huilde Boran dolgelukkig en omhelsde zijn vriend zo onstuimig dat ze met hun hoofden tegen elkaar knotsten.

'Au!' riepen de jongens allebei tegelijk en ze barstten in lachen uit, terwijl ze over hun pijnlijke bol wreven.

Mattia stak zijn hand in de kraag van zijn T-shirt, diepte de hondenpenningen op die Boran hem in de tunnel had gegeven, en legde ze in zijn hand. Ze waren in elkaar gevouwen, met de uiteinden naar buiten, als een kleine metalen bloem.

En in het hart van de bloem zat een verbogen stukje metaal: de kogel! De hondenpenningen hadden het projectiel als bij wonder opgevangen en Mattia ter hoogte van zijn linkertepel alleen maar een joekel van een blauwe plek bezorgd.

'Mijn vader had gelijk', zei Boran terwijl hij zijn vriend rechtop hielp. 'Ze brengen echt geluk!'

'Geluk?' kreunde Mattia, terwijl hij zijn geschonden bast keurde. 'Het doet verdomme verschrikkelijk pijn... en het blijft niet eens een litteken!'

Ondertussen waren Leslie en Kia aangekomen in de Scania en het weerzien was hartelijk, vooral tussen Mattia en Bliksem.

'En ik?' vroeg Kia knorrig, toen Mattia zijn wasbeertje een flinke knuffel gaf.

'Jij hebt hem al genoeg kunnen knuffelen', antwoordde de jongen lachend, want hij wist wel wat ze bedoelde en toen Kia zich boos had omgedraaid, besloop hij haar stilletjes en gaf haar een kus.

In de loop van de avond kwamen ook Wezel en Kamal aan en er werd een groot kampvuur gemaakt op het strand. Er was eten en vooral drinken in overvloed. Mattia en Nalea vertelden honderduit over hun avonturen en Boran moest steeds weer opnieuw uit de doeken doen hoe hij de Cycloop te slim af was geweest. Ja, zelfs Wezel was onder de indruk en feliciteerde hem vol respect.

De jaren van droogte waren voorbij en nu zou weldra in Westereind een nieuwe nederzetting groeien, waar de oude burgers van de Onderstad bouwden aan de toekomst.

Toen de nacht viel, zonderden Boran en Mattia zich af van de rest en zaten naast elkaar op de schuin aflopende neus van de Scania te genieten van de prachtige zonsondergang boven de oceaan. Ze werden er helemaal stil van en het leek of de wereld nu al een beetje mooier werd.

Mattia maakte zwijgend de arendsveer los uit zijn vlecht.

'Deze heb je verdiend', zei hij, terwijl hij de veer in Borans bruine dos vlocht.

'Mattia, weet je het zeker?'

'Tony zou het gewild hebben dat ik haar aan jou gaf. Daar ben ik zeker van.'

'We horen haar eigenlijk te delen', zei Boran.

Maar Mattia lachte. 'Ik heb de Cycloop getrotseerd, maar jij hebt hem verslagen en twee mensenlevens gered.'

'Twee?'

Mattia wees naar de verwrongen hondenpenningen die nu weer om Borans nek hingen en zei: 'Ik weet hoeveel ze voor jou betekenen en toch liet je ze mij de hele tijd dragen, alsof je wist dat ik ze nodig zou hebben.'

Boran wist ook niet wat hem ervan had weerhouden om ze terug te vragen en hij dacht weer aan dat ene moment in de Onderstad, waar hij het bijna had gedaan, maar een vreemd voorgevoel hem had tegengehouden.

'Het is toeval', antwoordde hij met een glimlach. Hij tilde de ketting met de hondenpenningen over zijn hoofd en hield ze in de palm van zijn hand.

Hij had ze daarstraks met een hamer weer plat geslagen en was blij geweest dat de letters nog duidelijk leesbaar in het staal stonden gestanst. Hij had er zich van vergewist of er niemand keek en stilletjes zijn overgrootvader bedankt voor het redden van Mattia's leven.

Boran voelde met zijn vingers aan de sierlijke arendsveer, die nu uit zijn haar, langs zijn oor naar beneden hing en hij keek Mattia dankbaar aan.

'Hier', zei hij na een korte aarzeling. Hij nam de hand van zijn vriend en legde de ketting erin.

'Blijf alsjeblieft mijn geluksbrenger, Mattia.'

De oudere jongen wist even niet wat te zeggen.

'Boran, ze horen bij je familie.'

'We zijn toch bloedbroeders?' zei de jongen lachend.

Mattia glimlachte nu ook. 'Dat is waar, broertje', zei hij en hij sloeg zijn arm om Boran heen.

*p. 240 citaat uit: *Peter Pan*, Barrie, J.M., Ploegsma, Amsterdam, 1967.

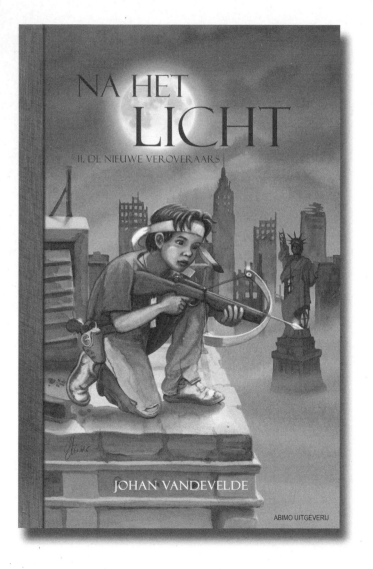

NA HET LICHT

II. DE NIEUWE VEROVERAARS

JOHAN VANDEVELDE

ABIMO UITGEVERIJ

NA HET LICHT
II. DE NIEUWE VEROVERAARS

In de eenentwintigste eeuw roeit een kernoorlog bijna de hele mensheid uit. Honderd jaar later moeten de afstammelingen van de weinige overlevenden elke dag weer vechten voor hun leven. Voor de twaalfjarige Boran is het vechten voorbij nu ze de legendarische ontziltingsinstallatie van Westereind hebben gevonden.

Maar Borans vriend Mattia is er niet gelukkig. Hij zwerft al zijn hele leven en voelt het opnieuw kriebelen. Hoewel Boran er alles aan doet om hem op andere gedachten te brengen, is Mattia in het holst van de nacht ineens vertrokken.
Boran gaat zijn bloedbroeder achterna en voor beide jongens begint een ongelooflijk avontuur dat hen over de helft van de verwoeste aardbol zal voeren, een onbekend lot tegemoet...

Na het Licht – II. De nieuwe veroveraars is het langverwachte vervolg op Na het Licht – I. De cycloop, in 2005 bekroond door de Kinder- en Jeugdjury.

Over Johan Vandevelde
Johan (1973) is een kind van de koude oorlog. Amerika en de Sovjet-Unie stonden in de jaren '80 met getrokken kernwapens tegenover elkaar. Geen leuke gedachte voor een jochie van tien. Wist hij veel dat uit die angst later een heuse avonturenroman zou ontstaan met woeste piraten en een schat.
Na het Licht werd in 2005 bekroond door de Kinder- en Jeugdjury en natuurlijk kwam de vraag naar een vervolg. Dat vervolg is er nu, en vormt het middelste luik van een trilogie. Het derde en laatste deel, Kinderen van de adelaar, verschijnt dit najaar.

Wordt
verwacht
najaar 2008

NA HET
LICHT

III. KINDEREN VAN DE ADELAAR

JOHAN VANDEVELDE

ABIMO UITGEVERIJ